Vía rápida

Curso intensivo de español

Vía rápida
Libro del alumno

Autoras
María Cecilia Ainciburu, Virtudes González Rodríguez, Alejandra Navas Méndez, Elisabeth Tayefeh, Graciela Vázquez

Asesoría y revisión
María Cerrato, Emilia Conejo, Valentín Cózar

Coordinación editorial y redacción
Lucía Borrero, Carolina Domínguez, Cristina Palaoro, Laia Sant, Sabine Segoviano

Diseño y dirección de arte
Guillermo Bejarano (interior), Óscar García Ortega (cubierta)

Ilustración
Pablo Moreno y Marlene Pohle

Fotografías
Cubierta Álvaro Germán Vilela/Dreamstime, Andres Rodriguez/Dreamstime; **Unidad 0** pág. 12 James Pauls/Istockphoto, Andrew Marginean/Dreamstime, Feverpitched/Dreamstime, Osvaldo Baratucci, Shelly Perry/Istockphoto, Jamie Carroll/Istockphoto; **Unidad 1** pág. 14 Enrique Gomez/Dreamstime, Ralfpoller/Dreamstime, Feliciano Guimarães/Flickr, Javier Lastras/Flickr, Felix Mizioznikov/Dreamstime; pág. 15 Kevin George/Dreamstime, Kevin George/Dreamstime, marfis75/Flickr, Starblue/Dreamstime, Fod Tzellos/Flickr, iosmininos/Flickr; pág. 16 Osvaldo Baratucci, Osvaldo Baratucci, Osvaldo Baratucci, Osvaldo Baratucci; pág. 17 Klett-Archiv, Klett-Archiv; pág. 18 zhang bo/Istockphoto, Maksym Gorpenyuk/Dreamstime, Oleg Kozlov/Dreamstime, Luis de Bethencourt/Flickr, Lali Masriera/Flickr, Fernando Carniel Machado/Dreamstime, Geanina Bechea/Dreamstime, Andres Rodriguez/Dreamstime; pág. 19 Osvaldo Baratucci, cjbsaw/Flickr, Marlene Pohle/Klett-Archiv; pág. 21 Graciela Vázquez, Lucia Borrero, Klett-Archiv; pág. 22 iosmininos/Flickr, Noarn Armonn/Dreamstime, carmelo Gil/Istockphoto, Klett-Archiv, Alfredo Ragazzoni/Dreamstime, Klett-Archiv, Svyatoslav Lypynskyy/Dreamstime, digítalas; **Unidad 2** pág. 28 Alex Proimos/Flickr, BreAnn Mueller/Istockphoto, Rami Katzav/iStockphoto, King Ho Yim/Dreamstime; pág. 29 Luis Sandoval Mandujano/Istockphoto, Mario Carvajal/Flickr, Kristian Peetz/Dreamstime, Lunamarina/Dreamstime; pág. 30 Eduard Titov/Dreamstime; pág. 30 Eduard Titov/Dreamstime; pág. 32 Klett-Archiv, Ulrike Weizsäcker/Klett-Archiv, Yahoo! Deutschland GmbH (flickr.com/Gregor D.), Toon Possemiers/Istockphoto; pág. 34 Mario Sanchez/Flickr; pág 36 Curran Kelleher/Flickr, Kalvis Kalsers/Dreamstime, Guopeng/Dreamstime; pág. 37 laloking97/Flickr, shutterstock, New York, NY, Karen Stapff Estefanell/Klett-Archiv, Cristobal Alvarado Minic/Flickr; pág. 38 Brianoweed/Dreamstime, Nyul/Dreamstime, Troels Graugaard; pág. 39 Monkey Business Images/Dreamstime; **Unidad 3** pág 44 Robert Adrian Hillman/Dreamstime, Monkey Business Images/ shutterstock, Marcelo Bernardelli; pág. 45 Herbert Bias/Istockphoto, Lyuba Dimitrova/LADA film; pág. 46 Ove Tøpfer, Zsuzsanna Kilian; pág. 48 Pavel Losevsky/Dreamstime, Pavel Losevsky/Dreamstime, Pavel Losevsky/Dreamstime, Pavel Losevsky/Dreamstime, Pavel Losevsky/Dreamstime; pág. 50 García Ortega; pág. 51 Tony Wear/shutterstock, william casey/Istockphoto, Eric Hood/Istockphoto; pág. 52 Springfield Gallery; pág. 53 Willie B. Thomas/Istockphoto, Cristina Palaoro/Klett-Archiv, Cristina Palaoro/Klett-Archiv, Grigory Bibikov/Istockphoto; pág. 54 zhang bo/Istockphoto; **Unidad 4** pág. 60 Kota; pág. 62 Cristina Palaoro/Klett-Archiv, Graciela Vázquez; pág. 66 Birgit Hoffmann/Klett-Archiv, Friedemann Bröckel/Klett-Archiv; pág. 67 Karen Stapff Estefanell; pág. 70 Sean Nel/Istockphoto, Corey Sundahl/Istockphoto; **Unidad 5** pág. 76 Mario Curcio/Dreamstime, Paolo De Santis/Dreamstime, Linqong/Dreamstime, Thomas Widmann; pág. 77 Tony Alter/Flickr, Acik/Dreamstime, Javier Lastras, Piotr Antonów/Dreamstime; pág. 81 Leopollo/Dreamstime; pág. 82 Monkey Business Images/Dreamstime; pág. 83 Cristina Palaoro/Klett-Archiv, Osvaldo Baratucci; **Unidad 6** pág. 90 digiatlas; pág. 92 Jasmina Car/Klett-Archiv, Marcelo Bernardelli, Sarah Musselman/Istockphoto; pág. 93 Klett-Archiv, Klett-Archiv, Klett-Archiv, Klett-Archiv, Klett-Archiv; pág. 95 David Parsons/Istockphoto; pág. 96 Birgit Hoffmann/Klett-Archiv; pág. 98 http://eldetalleahiesta.blogspot.com/2010/05/ernesto-che-guevara.html, Cinetext GmbH, Constantin/Cinetext GMBH; **Unidad 7** pág. 106 Carmen Martínez Banús/Istockphoto, Elke Dennis/Istockphoto, stu_spivack/Flickr; pág. 107 silus_grok/Flickr, Laia Sant, Nell Redmond/Istockphoto; pág. 109 Ileanaolaru/Dreamstime; pág. 110 VanRobin/Flickr, Cristina Palaoro/Klett-Archiv; pág. 112 Andrejs Pidjass/Dreamstime, Osvaldo Baratucci, KreCi.net/Istockphoto, Lise Gagne/Istockphoto, Monkey Business Images/Dreamstime, Yahoo! Deutschland GmbH (flickr/CC/Zeitfixierer); pág. 113 eyewave/Istockphoto; Kostiantyn Postumitenko/Istockphoto; Elena Elisseeva/Istockphoto; Maceofoto/Istockphoto, Grigory Bibikov/Istockphoto, bojan fatur/Istockphoto, Deborah Cheramie/Istockphoto, Sebastian Kaulitzki/Istockphoto; pág. 114 Kmitu/Dreamstime; pág. 115 ebruli/Flickr; pág. 116 princessdlaf/Istockphoto; **Unidad 8** pág. 120 Pere Cobacho; pág. 121 Pere Cobacho, Pere Cobacho; pág. 122 Aina Gallart, Andrea Saitta, Aina Gallart, Andrea Saitta, Aina Gallart, Andrea Saitta; pág. 123 Teresa Fínez, Teresa Núñez, Fernando Domínguez, Teresa Núñez, María Teresa Domínguez, Teresa Fínez; pág. 126 Graciela Vázquez; **Unidad 9** pág. 136 kontrabloko/Flickr, J.J.Guillén; pág. 137 cabezadeturco/Flickr, Forges, Bjeayes/Dreamstime; pág. 139 Quino; pág. 140 Miguel A. Vera León/Flickr; pág. 142 Procsilas Moscas/Flickr, funkz/Flickr, Paul Williams/Flickr, Paul Williams_3/

Flickr; pág. 143 http://biografiasde.com/biografia/donato-ndongo+bidyogo/; **Unidad 10** pág. 150 Margouillat/Dreamstime; pág. 152 quavondo/Istockphoto, digitalskillet/Istockphoto, Anna Bryukhanova/Istockphoto; pág. 157 Janine Lamontagne/Istockphoto, DJClaassen/Istockphoto; pág. 160 Everaldo Coelho, Everaldo Coelho, Everaldo Coelho, Everaldo Coelho, Everaldo Coelho, Everaldo Coelho; pág. 161 Gudrun107/Dreamstime, Bowie15/Dreamstime; **Unidad 11** pág. 164 neuwieser_autopista/Flickr, Wrangler/Dreamstime, Nito100/Dreamstime, Therry/Dreamstime; pág. 165 compostelavirtual.com/Flickr, Idishka/Dreamstime, sergis_blog/Flickr.jpg, Chrisdodutch/Dreamstime; pág. 167 Milkovasa/Dreamstime, Jasmina Car/Klett-Archiv, Jasmina Car/Klett-Archiv, Karen Stapff Estefanell, Barcelona, TIM MCCAIG/Istockphoto, manuel velasco/Istockphoto, Matty Symons/Dreamstime; pág. 168 Edzard de Ranitz/Istockphoto; pág. 169 Jarek Szymanski/Istockphoto, Marje Cannon/Dreamstime, Cristina Palaoro/Klett-Archiv; pág. 170 Aldo; **Unidad 12** Murillo/Istockphoto, Sumnersgraphicsinc/Dreamstime; pág. 172 *Hini*/Flickr; pág. 180 iStockphoto_ssuni, Freefly/Dreamstime, 36clicks/Dreamstime; pág. 181 Canakris/Fotolia, Jukov/Dreamstime, Shiningcolors/Dreamstime; pág. 182 bravobravo/Istockphoto; pág. 184 Guillermo Perales Gonzalez/Istockphoto, cubamemucho/Flickr, Grafissimo/Istockphoto; pág. 185 Marcelo Bernardelli, ZoneCreative/Istockphoto, quavondo/Istockphoto; pág. 188 Gan Hui/Dreamstime.com, Chullachaki Cine, Chullachaki Cine, Chullachaki Cine; pág. Stock.XCHNG; **Unidad 13** pág. 194 AKG, AKG, Klett-Archiv, AKG, Berlin, Copyright Succession Picasso/VG Bild-Kunst; pág. 198 Marcelo Bernardelli, Klett-Archiv; pág. 199 digitalskillet/Istockphoto, Ruth Segoviano, Chris Graff/Dreamstime, Shelly Perry/Istockphoto; pág. 200 Ron Chapple Studios/Dreamstime; pág. 201 Karen Stapff Estefanell, Karen Stapff Estefanell, Karen Stapff Estefanell; pág. 203 Knud Nielsen/Dreamstime; **Unidad 14** pág. 208 Okea/Dreamstime, Quim Gil/Flickr, taolmor/Istockphoto, Inigo Gonzalez/Flickr; pág. 209 JHLloyd/Istockphoto, Minh Tang /Dreamstime, Arturo M. Enriquez/Istockphoto; pág. 211 Peter Tambroni/Dreamstime, etwinning, penblub_es; pág. 214 Chris Curtis/Dreamstime, Ron Chapple Studios/Dreamstime; pág. 216 Paul Alhadef/Dreamstimefree, Svetlana Saratova/Dreamstime; pág. 217 Paul Erickson/Istockphoto, simeyla/Istockphoto; pág. 218 Konstantin Sutyagin/Dreamstime, FaceMePLS/Flickr; **Unidad 15** pág. 224 Kota; pág. 231 Andrey Tsidvintsev/Istockphoto; **¿Cómo se pronuncia? ¿Cómo se escribe?** pág. 250 Kirby Hamilton/Istockphoto

Todas las fotografías de www.Flickr.com están sujetas a una licencia de Creative Commons (Reconocimiento 2.0 y 3.0).

Audiciones CD
Estudio de grabación Tonstudio Bauer GmbH, Ludwigsburg y Difusión
Locutores Julio Aramburu, Carlos Arizala, Magali Armengaud, Óscar Barrientos, Claudia Bathelt, Antonio Béjar, Luciana Bernardelli, Esther Borja Moreno, Iñaki Calvo, Cristina Carrasco, Cristina Collado, Sebastian Cramer, Friso de Jong, Javier de la Torre, Carmen de las Peñas, Josefa Díaz, Eva Díaz Gutiérrez, Carolina Domínguez, Julia Eden, Ottmar Ette, Anne-Sophie Fauvel, Miguel Freire Gómez, Luis García Márquez, Agustín Garmendia, Pablo Garrido, Helma Gómez, Ana González Belda, Virtudes González Rodríguez, Rosmira González, Matilde Guzmán, Laura Heinz, Mónica Hoffmann, Judith Benitez, Karles Hoffmann, Miguel Jaraba, Gemma Linares, Regina Lino, Eva Llorens, Claudia Muñoz, Alejandra Navas Méndez, Edith Moreno, Ernesto Palaoro, Fernando Pardo, Claudia Pareja, Eduardo Petrini, Veronika Plainer, Ingrid Promnitz, Pilar Rolfs, Patricio Rother, Patricia Sánchez, Eduard Sancho, Laia Sant, Fabiola Trasobares, Sergio Troitiño, Graciela Vázquez, Ileana Wilkendorf, Claudia Zoldán; **Ambientes** Cbakos/jamendo, Transitking/jamendo, Regenpak/jamendo, NoiseCollector/jamendo; **Música** © The New Raemon/Bcore Disc

Todas las canciones de www.jamendo.com están sujetas a una licencia de Creative Commons (Reconocimiento-Compartir bajo la misma licencia 3.0).

Agradecimientos
Antonio Béjar, Iñaki Calvo, Anne-Sophie Fauvel Agustín Garmendia, Sebastian Cramer, Pablo Garrido, Eva Llorens, Edith Moreno, Veronika Plainer, Eduard Sancho, Sergio Troitiño, Claudia Zoldán.

Vía rápida está basado en el manual **Con dinámica**.
© de la versión original (Con dinámica): Ernst Klett Sprachen GmbH, Stuttgart 2009. Todos los derechos reservados.
© de la presente edición: Difusión, S.L., Barcelona 2011

ISBN: 978-84-8443-655-3
Depósito legal: B-25929-2012
Impreso en España por Tallers Gràfics Soler S.A.
Reimpresión: mayo 2013

difusión
Centro de Investigación y Publicaciones de Idiomas, S.L.

C/ Trafalgar, 10, entlo. 1ª
08010 Barcelona
Tel. (+34) 93 268 03 00
Fax (+34) 93 310 33 40
editorial@difusion.com

www.difusion.com

Vía rápida

Curso intensivo de español

María Cecilia Ainciburu
Virtudes González Rodríguez
Alejandra Navas Méndez
Elisabeth Tayefeh
Graciela Vázquez

Portadilla

Una doble página dirigida tanto a profesores como a alumnos y que permite, mediante el título, las imágenes y la actividad 1, un primer acceso al contenido de la unidad. Se presentan, además, los principales recursos comunicativos y las estructuras gramaticales de la unidad para que puedan ser leídas y discutidas conjuntamente. A través de esta discusión, el proceso de aprendizaje adquiere más transparencia.

Propuestas de trabajo

Esta sección presenta las nuevas estructuras lingüísticas y el vocabulario a través de una variada tipología de textos y de actividades. Estas propuestas están enfocadas al desarrollo de la producción oral y escrita y contribuyen, mediante el trabajo con estrategias, a una creciente autonomía de los alumnos.

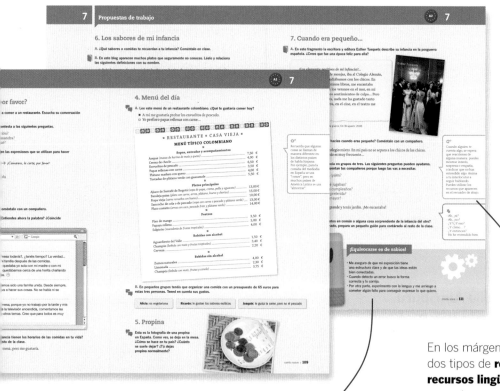

¡Equivocarse es de sabios!: Esta minisección ofrece estrategias que ayudarán al alumno a plantear y a corregir de forma autónoma sus producciones, especialmente cuando se trata de textos escritos.

En los márgenes laterales el alumno encontrará dos tipos de **recuadros:** Los recuadros de **recursos lingüísticos** presentan palabras y expresiones que servirán de apoyo para la realización de las actividades propuestas para la clase. Los recuadros de **estrategias** ayudan al alumno en el desarrollo de las actividades y ofrecen estrategias que podrá aplicar en el futuro en situaciones similares.

Comprensión auditiva

Esta sección presenta textos orales para trabajar la práctica y el desarrollo de las estrategias de comprensión auditiva. Se recomienda completar primero las Propuestas de trabajo y después abordar esta sección, además de explicitar las estrategias utilizadas en los ejercicios y volver una y otra vez sobre las ya conocidas.

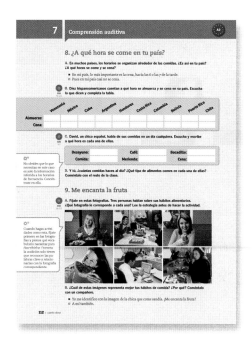

La otra mirada

En esta página se proporcionan documentos que muestran la realidad cultural del mundo hispano. Este punto de partida para la reflexión intercultural puede servir a los estudiantes como preparación para una estancia temporal en universidades y en países de habla hispana.

Para leer

Esta sección ofrece diferentes tipos de texto para desarrollar la comprensión lectora. La consolidación de estrategias de lectura se efectúa con el fin de permitir el acceso rápido y eficaz a la palabra escrita.

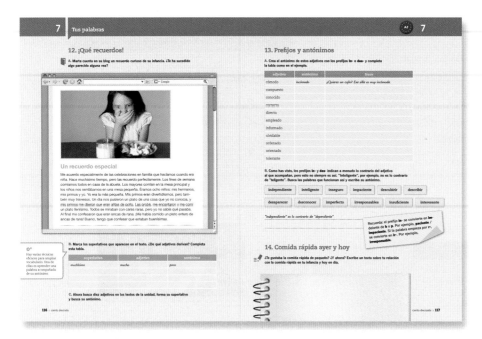

Tus palabras

Esta sección tiene como fin afianzar el vocabulario trabajado. Se proporcionan actividades para facilitar la retención de nuevo léxico.

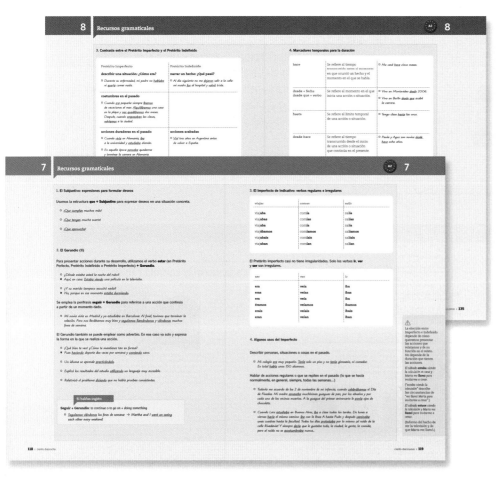

Recursos gramaticales

Las últimas páginas de cada unidad recogen los recursos gramaticales aparecidos a lo largo de la secuencia.

Símbolos utilizados en este libro:

 Icono expresión oral

 Icono interacción oral

Icono comprensión oral: audiciones del libro junto con el número de CD y de pista correspondiente.

Icono expresión escrita

Icono comprensión escrita

¿Cómo se pronuncia? ¿Cómo se escribe?

Este apartado presenta actividades de pronunciación y entonación, así como las reglas básicas de ortografía del español. El CD2 que acompaña al libro cuenta con grabaciones para el trabajo específico de esta sección.

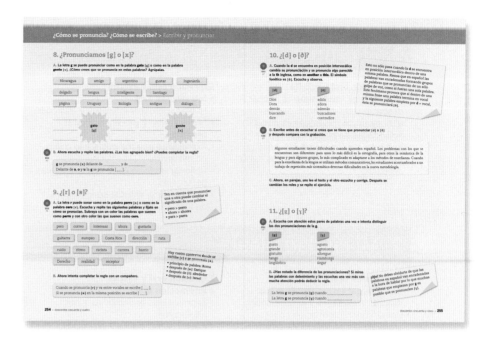

El juego de *Vía rápida*

Este apartado ofrece un juego de mesa para repasar de manera lúdica los contenidos trabajados a lo largo del curso.

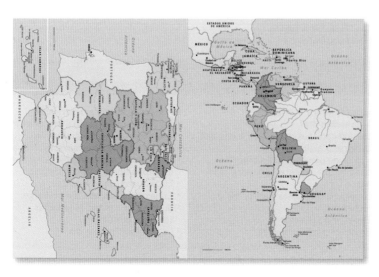

Mapas

En las últimas páginas se pueden consultar los mapas políticos de América Latina y España.

9. Haciendo memoria

 B1   pág. 136

Comprensión oral y escrita
- Comprender el relato de hechos del pasado.
- Comprender textos biográficos.
- Comprender fragmentos de novela histórica y social.
- Extraer información relevante de una entrevista (en la radio y en un texto periodístico).

Expresión oral y escrita e interacción oral
- Hablar de acontecimientos históricos.
- Hablar de circunstancias y acciones anteriores a un hecho pasado.
- Mostrar que se sigue un relato con interés.
- Describir el carácter de alguien.
- Escribir la biografía de un escritor.
- Describir una época del pasado.
- Escribir un acróstico.

Recursos léxicos y gramaticales
- El Presente de Subjuntivo formas y uso.
- El Pluscuamperfecto: formas y uso.
- Expresar valoraciones y opiniones: **Me parece absurdo que...**, **No es normal que...**, **Lo normal es que...**, **Es cierto que...**, **Me parece increíble que...**,
- Expresar deseo: **Quiero que...**
- Expresar necesidad: **Necesito que...**
- Expresar duda, incertidumbre, posibilidad, probabilidad: **Quizás, Tal vez, Seguramente, Probablemente, Es seguro que...**, **Estoy seguro de que...**
- Conectores para relatar: **entonces, después, luego...**

10. La felicidad

B1   pág. 150

Comprensión oral y escrita
- Entender diferentes opiniones sobre un tema.
- Interpretar un diagrama.
- Resumir textos conocidos con ayuda de esquemas.
- Comprender los elementos centrales de una conferencia sobre un tema conocido.

Expresión oral y escrita e interacción oral
- Dar un consejo o hacer una propuesta.
- Discutir en grupo sobre un tema, pedir aclaraciones y referirse a lo dicho.
- Explicar la interpretación personal de una idea.
- Comentar un texto y una opinión de otro.
- Presentar un tema y citar una fuente.
- Referirse al autor y a la información de un texto.
- Hablar de hábitos y costumbres, así como de opiniones sobre la felicidad.
- Expresar sorpresa: **¡Qué extraño!, ¿De verdad?...**

Recursos léxicos y gramaticales
- Las oraciones subordinadas sustantivas.
- El Subjuntivo para expresar opinión: **Me resulta extraño que...**, **Es interesante que...**, etc.
- El Subjuntivo para expresar conveniencia: **Es mejor que...**, **Es conveniente que...**, **Es fundamental que...**
- El estilo indirecto en Presente.

11. Piensa globalmente, actúa localmente

B1   pág. 164

Comprensión oral y escrita
- Comprender el contenido fundamental de textos sobre temas medioambientales.
- Entender anuncios de voluntariado.
- Comprender testimonios sobre malentendidos culturales.

Expresión oral y escrita e interacción oral
- Hablar de los cambios que ha habido en un lugar.
- Redactar una carta formal.
- Expresar causa, efecto y finalidad.
- Hablar de conceptos como el tiempo, por ejemplo, sobre su significado y la planificación del tiempo en diferentes culturas y compararla con la propia cultura.
- Hablar sobre temas relacionados con el medioambiente.

Recursos léxicos y gramaticales
- El Futuro: verbos regulares e irregulares.
- El Condicional.
- Las oraciones condicionales con **si** en presente.
- Marcadores temporales de Pasado, Presente y Futuro.
- **Ya no / Todavía.**

12. ¿A qué dedicas el tiempo libre?

 B1   pág. 180

Comprensión oral y escrita
- Comprender en un programa de radio propuestas de ocio.
- Comprender instrucciones orales sencillas.
- Comprender lo esencial de textos auténticos, como la sinopsis de películas en una cartelera de cine.
- Comprender una entrevista sobre jóvenes y ocio.
- Comprender preferencias personales de ocio.
- Comprender un artículo sobre el Caribe

Expresión oral y escrita e interacción oral
- Hablar sobre preferencias de ocio.
- Proponer, aceptar y rechazar propuestas en una conversación.
- Contar el argumento de una película.
- Pedir repeticiones y aclaraciones oralmente.
- Dar instrucciones para hacer distintas actividades.
- Relatar lo que se explicó en una conversación.

Recursos léxicos y gramaticales
- El estilo indirecto (II).
- Perífrasis verbales: **seguir** + Gerundio, **ponerse a** + Infinitivo, **volver a** + Infinitivo, **dejar de** + Infinitivo...
- Léxico de actividades de tiempo libre.
- Las palabras homófonas.

Tu primera clase

A. Lee estos diálogos. ¿Entiendes todo?

B. Practica las expresiones de los diálogos con tus compañeros.

¿Cómo se dice... en español?

1

El primer día de clase

En esta unidad voy a aprender a...

Comprensión oral y escrita

- Comprender frases simples, dichas despacio y con claridad, que se refieran a mi persona, mis intereses o mis actividades de clase.
- Entender una conversación, si se trata de un tema conocido y se habla despacio.

Expresión oral y escrita e interacción oral

- Hablar sobre mis intereses y aficiones.
- Presentarme y presentar a otras personas.
- Expresar lo que me gusta y lo que no me gusta.
- Rellenar un formulario con mis datos personales.
- Redactar una entrada sencilla para un foro en español.

Y voy a trabajar...

Recursos léxicos y gramaticales

- Los sustantivos: género y número.
- Los artículos definidos e indefinidos.
- Los pronombres personales en función de sujeto.
- El Presente de Indicativo: verbos regulares.
- Los verbos **ser** y **llamarse**.
- Los adjetivos: género y número.
- La concordancia de sustantivos y adjetivos.

1. Primeras palabras

A. Relaciona estas palabras con las fotografías de la portadilla. ¿Sabes qué significan?

- [ ] pasaporte
- [ ] universidad
- [ ] radio
- [ ] restaurante
- [ ] hospital
- [ ] taxi
- [ ] hotel
- [ ] concierto
- [ ] chocolate
- [ ] teatro

CD1
1

B. Fíjate en cómo se pronuncian en español las palabras anteriores. ¿Cómo se dicen en otras lenguas? Coméntalo con un compañero.

- ● "Concierto" en inglés se dice "concert".
- □ Y en italiano, "concerto", creo.

Como ves, muchas palabras se parecen en muchos idiomas. Puedes utilizar tus conocimientos de otras lenguas para deducir el significado de palabras nuevas en español.

C. ¿Conoces otras palabras en español? Compártelas con el resto de la clase.

2. Cuatro estudiantes

A. Cuatro estudiantes se presentan en un foro. Lee los textos y subraya la información con la que coincides. Luego, coméntalo con un compañero.

> 😊 Hola, me llamo Luisa Rodríguez Morales, tengo 23 años. Soy de Arequipa, en Perú. Estudio Biología, ¡una carrera muy interesante! Hablo español e inglés. ¡Hasta luego! 🧑

> 😄 ¿Qué tal? Soy Fernando Otonello. Soy de Córdoba, Argentina. Estudio Diseño Industrial. Hablo inglés bastante bien, pero quiero aprender árabe y chino: son las lenguas del futuro. ¡Ah! Tengo 22 años. ⚽

> 😊 ¡Hola! Me llamo Lorena Sánchez Prieto y tengo 20 años. Soy mexicana, de Zacatecas, pero ahora vivo en Guadalajara. Estudio Ciencias Económicas. En mi tiempo libre estudio alemán, ¡pero es muy difícil!

> 😄😊 ¿Qué hay? Soy Jorge Varela Martín, de Madrid. Estudio Historia del Arte en la Universidad Carlos III. Tengo 21 años y hablo español, italiano y un poco de ruso.

Presentarse:
· Soy (+ nombre propio)
· Me llamo…
· Soy de (+ ciudad, país)
· Vivo en…
· Estudio…
· Tengo … años

● Yo estudio Biología, como Luisa.
□ Yo hablo italiano, como Jorge.

B. Ahora escribe un texto como los anteriores para presentarte en el foro.

¡Hola!, me llamo…

C. Vuelve a leer los textos y completa el carné de cada uno. ¿Entiendes todas las palabras?

Nombre: *Luisa*
Apellidos:
País de origen:
Lugar de residencia:
Edad:
Carrera universitaria:
Lenguas que habla:

Nombre:
Apellidos: *Ottonello*
País de origen:
Lugar de residencia:
Edad:
Carrera universitaria:
Lenguas que habla:

Nombre:
Apellidos:
País de origen: *México*
Lugar de residencia:
Edad:
Carrera universitaria:
Lenguas que habla:

Nombre:
Apellidos:
País de origen:
Lugar de residencia:
Edad: *21 años*
Carrera universitaria:
Lenguas que habla:

D. Escucha a estos dos estudiantes presentándose. ¿Puedes completar sus carnés?

CD1
2-3

2

NOMBRE:

APELLIDOS:

PAÍS DE ORIGEN:

LUGAR DE RESIDENCIA:

EDAD:

CARRERA UNIVERSITARIA:

LENGUAS QUE HABLA:

1

NOMBRE:

APELLIDOS:

PAÍS DE ORIGEN:

LUGAR DE RESIDENCIA:

EDAD:

CARRERA UNIVERSITARIA:

LENGUAS QUE HABLA:

E. A continuación completa el carné de un compañero. Para ello, tienes que hacerle algunas preguntas. Relaciona primero cada una con la información correspondiente.

¿Cuántos años tienes?

NOMBRE:
Giovanni
APELLIDOS:

¿Cómo te llamas?

PAÍS DE ORIGEN:

¿Qué estudias?

LUGAR DE RESIDENCIA:

EDAD:

¿De dónde eres?

CARRERA UNIVERSITARIA:

LENGUAS QUE HABLA:

¿Y de apellido?

¿Qué lenguas hablas?

¿Dónde vives?

- ¿Cómo te llamas?
- Giovanni
- ¿Y de apellido?
- Baggio

0	cero
1	uno
2	dos
3	tres
4	cuatro
5	cinco
6	seis
7	siete
8	ocho
9	nueve
10	diez
11	once
12	doce
13	trece
14	catorce
15	quince
16	dieciséis
17	diecisiete
18	dieciocho
19	diecinueve
20	veinte
21	veintiuno
22	veintidós
23	veintitrés
...	
30	treinta
31	treinta y uno
32	treinta y dos
...	
40	cuarenta
50	cincuenta
60	sesenta
70	setenta
80	ochenta
90	noventa
100	cien

F. Con los datos que tienes de la actividad anterior, presenta a tu compañero al resto de la clase.

- Mi compañero se llama Giovanni Baggio y es de Roma...

3. Tiempo libre

A. Aquí tienes algunas fotos de gente disfrutando de su tiempo libre. ¿Sabes qué hacen? Relaciona cada imagen con una acción.

| 1. ir al gimnasio | 2. escuchar música | 3. ir al cine | 4. ir de excursión |

| 5. quedar con amigos | 6. leer | 7. aprender una lengua | 8. tocar un instrumento |

B. Y tú, ¿qué haces en tu tiempo libre? Coméntalo con tus compañeros.

● En mi tiempo libre toco la guitarra, ¿y tú?
□ Yo voy al gimnasio.

4. ¿Para qué?

A. Varios estudiantes dicen qué estudian y explican por qué. ¿Puedes formar frases uniendo elementos de las dos columnas?

Estudio Ciencias Económicas…	…para trabajar con animales.
Estudio Sociología…	…para ser actor.
Estudio Arte Dramático…	…para viajar a Latinoamérica.
Estudio Veterinaria…	…para trabajar en una empresa internacional.
Estudio español…	…para comprender la sociedad y el mundo.

B. ¿Y tú? ¿Para qué estudias tu carrera? ¿Para qué estudias español? Coméntalo en clase.

5. Cuatro universidades

A. Cuatro estudiantes hablan sobre sus universidades. Escucha lo que dicen y marca en qué orden las nombran.

Universidad Carlos III

Universidad de Guadalajara

Escuela Internacional de Cine y Televisión

Universidad Nacional de Córdoba

B. Ahora lee los textos y completa la tabla para describir cada universidad.

Yo estudio en la Universidad Nacional de Córdoba, en Argentina. Es una universidad muy antigua, de 1613. La facultad de Lenguas ofrece cursos de Español para Extranjeros. ¡Son muy buenos!

Mi universidad, la Universidad de Guadalajara, es muy grande y moderna. En los centros universitarios puedes estudiar todas las carreras: Arte, Arquitectura y Diseño, Ciencias Económicas y Administrativas, Ciencias Exactas e Ingenierías, Medicina y Ciencias Sociales.

¿Sabes cómo se llama esta universidad? Es la Escuela Internacional de Cine y Televisión. Está en San Antonio de los Baños, a unos 35 km de La Habana.

La Universidad Carlos III. No es muy antigua, tiene menos de 20 años, pero es muy buena. Tiene tres campus diferentes. Yo estudio en el norte de Madrid, en el campus de Colmenarejo.

· Es una universidad pública.
· Es muy... interesante/ antigua/moderna/ pequeña/prestigiosa.
· Es una universidad moderna.
· Tiene facultades antiguas.
· **No es** muy antigua, **pero es** muy buena.

Universidad	¿Cómo es? ¿Dónde está?
Universidad Nacional de Córdoba	Es muy antigua. Está en...

 C. Y vuestra universidad, ¿cómo es? Con un compañero, escribid un breve texto sobre ella.

6. En la academia

 CD1 8 Heike quiere hacer un curso de español en una academia y la secretaria le hace algunas preguntas para rellenar su ficha. Escucha el audio y completa la ficha.

@ arroba
_ guion bajo
. punto
- guion (medio)
/ barra

NOMBRE Y APELLIDOS:
_____

FECHA DE NACIMIENTO:
_____

EDAD:
_____

DIRECCIÓN DE CORREO ELECTRÓNICO:
_____

NÚMERO DE TELÉFONO:
_____

enero
febrero
marzo
abril
mayo
junio
julio
agosto
septiembre
octubre
noviembre
diciembre

7. El número de teléfono

 CD1 9-12 **A.** Estos chicos intercambian sus números de teléfono. ¿Puedes apuntarlos?

a. _____   b. _____

c. _____   d. _____

Si no entiendes algo, pídele a la persona que repita o que hable más despacio.

 B. Ahora, pregunta a tres compañeros de clase por sus números de teléfono. Si lo necesitas, utiliza las expresiones del recuadro lateral.

● ¿Qué número de teléfono tienes?
□ El 675 87 90 20

· ¿Cómo?
· ¿Perdón?
· ¿Puedes repetir, por favor?
· Más despacio, por favor.

¡Equivocarse es de sabios!

• Cuando escribo un texto lo leo varias veces para asegurarme de que siempre hay concordancia entre verbo y sujeto.

• Cuando escribo un texto compruebo que los sustantivos concuerdan con los adjetivos y con los artículos.

8. Vosotros, ustedes

A. En todos estos países se habla español. ¿Sabes dónde está cada uno? Colócalos en el mapa.

1. Chile
2. Guatemala
3. Guinea Ecuatorial
4. Uruguay
5. Argentina
6. México
7. Bolivia
8. Venezuela
9. Puerto Rico
10. República Dominicana
11. Cuba
12. Paraguay
13. Honduras
14. Nicaragua
15. Panamá
16. El Salvador
17. Perú
18. Ecuador
19. Costa Rica
20. Colombia

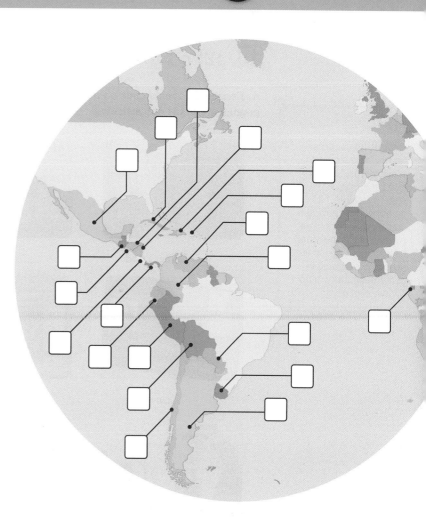

CD1
13-14

B. El español no se habla igual en todos los países. Escucha estos dos diálogos. ¿Notas alguna diferencia? Coméntalo en clase.

9. Carlos García Robledo

A. Fíjate en estos carnés de estudiantes y subraya sus nombres y apellidos. ¿Sabes por qué existen dos apellidos y de dónde viene cada uno? Coméntalo con tus compañeros. Vuestro profesor os va a ayudar.

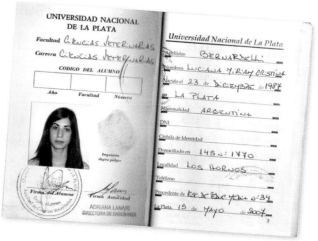

B. ¿Cómo se apellidan los hijos de Carmen del Campo Rodríguez y Miguel Santos Ridruejo?

C. ¿Sabes cuáles son los apellidos españoles más usuales?

D. Compara estos carnés con el de tu universidad. ¿Qué datos coinciden?

10. ¿El o la?

A. Escribe al lado de cada palabra el artículo que corresponde. Recuerda que algunas pueden ir con los dos artículos.

Aunque no conozcas una palabra, muchas veces puedes saber qué género tiene por su terminación. Las palabras que terminan en consonante o en **–e** pueden ser masculinas o femeninas. Apréndelas desde el principio con el artículo para no olvidar el género.

_____ universidad

_____ estudiante

_____ ciudad

_____ carné

_____ lengua

_____ nombre

_____ empresa

_____ teatro

_____ hospital

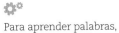

Para aprender palabras, es útil pensar en frases que tienen sentido para ti, en lugar de aprender las palabras aisladas o los ejemplos del libro. También es útil escribir las palabras, leerlas y compararlas con las de tu propia lengua. Pon atención a los mecanismos que te resultan más útiles para aprender vocabulario y utilízalos a lo largo de tu aprendizaje.

B. ¿Sabes cómo se forma el plural de las palabras anteriores? Con un compañero, pensad cómo es y completad la tabla.

los	las

C. En parejas, pensad en otras palabras de esta unidad. ¿Con qué artículo van? ¿Cómo se forma su plural? Podéis añadirlo a la tabla.

D. Ahora, escribe una frase con cada palabra. Pero la frase debe tener sentido para ti. Ten en cuenta la concordancia entre sustantivos y adjetivos.

Mis lenguas favoritas son el chino y el portugués.

11. ¿Tiempo libre o estudio?

A. Une las expresiones de la columna de la izquierda con las de la derecha. Fíjate en que puede haber varias posibilidades.

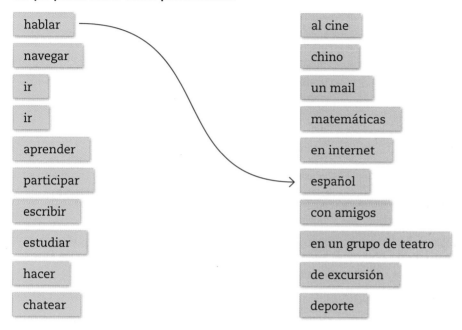

A veces es útil aprender expresiones fijas y no solo palabras aisladas. Para recordarlas puedes apuntarlas todas juntas en tu cuaderno y crear un repertorio para consultar.

B. ¿Qué otras cosas se pueden estudiar, hablar, escribir, etc.? Piensa en otras expresiones que conozcas.

C. Clasifica en la tabla las cosas que se hacen en el tiempo libre o para la universidad.

tiempo libre	universidad

D. ¿Cuáles de estas cosas haces tú? ¿Y tu compañero? Encuentra tres cosas que hacéis los dos y cuéntaselas al resto de la clase.

- ¿Estudias chino?
- No, pero sí estudio español.
- Yo también.

1. Sustantivos acabados en vocal: género y número

	terminación	singular		plural	
masculino	-o -i -ú -aje -ama -ema	el barri**o** el tax**i** el men**ú** el pais**aje** el pro**grama** el pro**blema**		los barrio**s** los taxi**s** los menú**s** los paisaje**s** los programa**s** los problema**s**	
femenino	-a	la amig**a**		las amiga**s**	
masculino y femenino	-istas -ante -e	el tur**ista** el estudi**ante** el semestr**e**	la tur**ista** la estudi**ante** la tard**e**	los turista**s** los estudiante**s** los semestre**s**	las turista**s** las estudiante**s** las tarde**s**

Los sustantivos femeninos que empiezan por una **a-** o **ha-** tónica llevan en singular el artículo **el** por motivos fonéticos: **el agua**, **el hambre**, **el águila**. Sin embargo, los adjetivos y las formas de plural no cambian: **el agua limpia**, **mucha hambre**, **las** águilas reales.

⚠ Hay algunas excepciones: *la moto, la mano, el mapa...*

2. Sustantivos terminados en consonante: género y número

	terminación	singular		plural	
masculino	-or -ón	el col**or** el coraz**ón**		los color**es** los corazon**es**	
femenino	-ción -sión -dad -tad -sis	la informa**ción** la excur**sión** la ciu**dad** la facul**tad** la cri**sis**		las informacion**es** las excursion**es** las ciudad**es** las facultad**es** las cri**sis**	
masculino y femenino	-l -n -z -s	el móv**il** el exam**en** el andal**uz** el autob**ús**	la capit**al** la imag**en** la v**ez** la to**s**	los móvil**es** los exámen**es** los andaluc**es** los autobus**es**	las capital**es** las imágen**es** las vec**es** las tos**es**

⚠ Presta atención a los cambios ortográficos de las palabras que acaban en -**z**.

Si sabes hablar otras lenguas extranjeras

- Si conoces otras lenguas románicas la concordancia del género y del número no será un problema para ti. Si no, debes respetar ciertas reglas que con el tiempo pondrás en práctica de manera automática.
- En primer lugar, debes prestar atención al género de los sustantivos, especialmente de los sustantivos terminados en -**e** (como por ejemplo, **el coche** o **la clase**).
- En segundo lugar, tienes que saber que los adjetivos (y todas las palabras que funcionan como los adjetivos) concuerdan en número y género con la palabra a la que se refieren.

  ☐ *Los hermanos de Alberto son muy simpáticos.*

3. El artículo definido

	masculino	femenino
singular	**el** barrio	**la** amiga
plural	**los** barrios	**las** amigas

Usamos el artículo definido si hablamos de algo que sabemos que existe, que es único o que ya se mencionó.

- *La novia de Juan es muy simpática.*
- *La universidad de Palermo se llama Università Degli Studi Di Palermo.*

No se usan con nombres de personas, de continentes, de países y de ciudades, excepto si es parte del nombre (**La Habana**). Con algunos países, el uso es opcional: (**El Perú / Perú**).

Se usan también cuando nos referimos a un aspecto o a una parte de un país o de una región: **la España mediterránea**, **la Inglaterra industrial**, **la Barcelona modernista**.

Con las formas de tratamiento y con los títulos, usamos los artículos en todos los casos excepto para dirigirnos a nuestro interlocutor.

- *La señora Gurruchaga es mi profesora de español.*
- *Sra. Gurruchaga, ¿cómo se pronuncia "zapato"?*

Cuando hablamos de categorías o de sustantivos no contables, no usamos el artículo.

- *¿Tienes coche?*
- *¿Quieres agua?*

La presencia del artículo definido indica que ya se había hablado antes de algo.

- *Tengo libros de la biblioteca. (informo de lo que tengo)*
- *¿Has llevado los libros a la biblioteca? (ya hemos hablado de los libros)*

4. El artículo indefinido

	masculino	femenino
singular	**un** barrio	**una** amiga
plural	**unos** barrios	**unas** amigas

Usamos **un**, **una**, **unos**, **unas** para mencionar algo por primera vez, cuando no sabemos si existe o para referirnos a un ejemplar de una categoría.

- *David estudia en una universidad de Berlín.*
- *Tengo un gato blanco.*

No usamos los artículos indeterminados para informar sobre la profesión o la nacionalidad de alguien. Pero sí cuando identificamos a alguien por su profesión o lo valoramos.

- *Soy profesora. / ~~Soy una profesora.~~*
- *Pau Gasol es un jugador de baloncesto, ¿no?*
- *Gabriel García Márquez es un escritor muy bueno.*

Los artículos indeterminados no se combinan con **otro/a**, **otros/as**, **medio**, **cien/to** o **mil**.

- *Vamos al cine otro día. / ~~un otro día.~~*

5. Los pronombres personales en función de sujeto

persona	pronombre	ejemplos
1ª persona del singular	**yo**	▢ *Yo soy de Brasil. ¿Y tú?*
2ª persona del singular	**tú**	▢ *¿Tú eres Diego?*
	usted	▢ *¿Usted habla Inglés?*
3ª persona del singular	**él / ella**	▢ *Él estudia Derecho y ella Medicina.*
1ª persona del plural	**nosotros / nosotras**	▢ *Nosotros somos argentinos.*
2ª persona del plural	**vosotros / vosotras**	▢ *¿Vosotras de dónde sois?*
	ustedes	▢ *¿Ustedes trabajan en la Universidad?*
3ª persona del plural	**ellos / ellas**	▢ *Ellas son muy amigas.*

En Latinoamérica se usa **ustedes** en lugar de **vosotros** para la segunda persona del plural.

En algunas partes de Latinoamérica (Uruguay, Argentina y regiones de Paraguay, Colombia y Centroamérica) para la segunda persona del singular se usa **vos** en lugar de **tú**.

En español se usan los pronombres personales de sujeto cuando se quiere destacar el sujeto del verbo, cuando se quiere contrastar con otra persona o para evitar confusiones.

Usted y **ustedes** son formas de tratamiento de respeto y son de segunda persona, pero el verbo y los pronombres van en tercera persona. Los usamos normalmente con personas mayores, con desconocidos o en una relación jerárquica.

Las formas femeninas del plural (**nosotras, vosotras, ellas**) solo se usan cuando todas las personas son mujeres. Si hay al menos un hombre, se usan las formas masculinas.

6. Presente de Indicativo (I): verbos regulares

	trabajar	aprender	vivir
(yo)	trabaj**o**	aprend**o**	viv**o**
(tú)	trabaj**as**	aprend**es**	viv**es**
(él / ella / usted)	trabaj**a**	aprend**e**	viv**e**
(nosotros / nosotras)	trabaj**amos**	aprend**emos**	viv**imos**
(vosotros / vosotras)	trabaj**áis**	aprend**éis**	viv**ís**
(ellos / ellas / ustedes)	trabaj**an**	aprend**en**	viv**en**

La primera persona de las tres conjugaciones termina en **–o** y la conjugación de los verbos en **–er** y en **–ir** es igual, excepto en la primera y en la segunda personas del plural.

7. Presente de Indicativo (II): los verbos **ser**, **ir** y **llamarse**

	ser	ir	llamarse
(yo)	**soy**	**voy**	**me** llamo
(tú)	**eres**	**vas**	**te** llamas
(él / ella / usted)	**es**	**va**	**se** llama
(nosotros / nosotras)	**somos**	**vamos**	**nos** llam**amos**
(vosotros / vosotras)	**sois**	**vais**	**os** llam**áis**
(ellos / ellas / ustedes)	**son**	**van**	**se** llam**an**

8. Adjetivos: género y número

terminación	masculino singular	femenino singular	masculino plural	femenino plural
-o, -a	un chico simpátic**o**	una chica simpátic**a**	unos chicos simpátic**os**	unas chicas simpátic**as**
-e	un señor amabl**e**	una señora amabl**e**	unos señores amable**s**	unas señoras amable**s**
consonante	un abuelo jove**n**	una abuela jove**n**	unos abuelos jóvene**s**	unas abuelas jóvene**s**
-ista	un partido social**ista**	una idea social**ista**	unos partidos socialista**s**	unas ideas socialista**s**
gentilicio	un amigo mexican**o**	una amiga mexican**a**	unos amigos mexican**os**	unas amigas mexican**as**

En los gentilicios se forma el femenino con **–a**, a pesar de terminar en consonante.

- *Él es francés.*
- *Ella es france**s**a.*

Algunos gentilicios tienen la misma forma para masculino y femenino: **belga, nicaragüense...**

Todos los adjetivos que terminan en **–ista** tienen la misma forma para los dos géneros, es decir, es tanto masculina como femenina.

Mucho cuidado con la tilde (expresión gráfica del acento): *inglés / ingleses...*

9. La negación

En español para negar se usa el adverbio **no**.

- *¿Estudias francés?*
- *No, estudio español.*

Siempre va antes del verbo.

- *No estudio francés sino español*

A veces en una frase encontrarás dos **no**: el primero es la respuesta a la frase anterior y el segundo niega el verbo al que precede.

- *¿Estudias francés?*
- *No, no estudio francés sino español.*

Nada, **nadie**, **ningún(o)/a/os/as** y **nunca** pueden ir delante o detrás del verbo. Cuando van detrás, hay que utilizar también **no** delante del verbo.

- *¿Nunca haces deporte? / ¿No haces deporte nunca?*
- *Nadie quiere café. / No quiere café nadie.*

SEVILLA
flamenco y sol

SAN
SEBAS
mar y mo

2

Mi ciudad ideal

En esta unidad voy a aprender a...

Comprensión oral y escrita

- Comprender textos sencillos que describen
  ciudades y universidades.
- Comprender información sobre preferencias
  y habilidades de otros.
- Entender información sobre los planes
  e intenciones de otros.

Expresión oral y escrita e interacción oral

- Expresar mis preferencias y mis habilidades.
- Hablar sobre planes y proyectos.
- Describir ciudades.
- Describir mi familia y la de otros.
- Redactar un correo electrónico sencillo en español.

Y voy a trabajar...

Recursos léxicos y gramaticales

- Los demostrativos.
- El Presente de Indicativo: verbos irregulares.
- El uso de **hay** y **estar**.
- Los verbos: **gustar, interesar, parecer** y **encantar**.
- Conectores: **y, también, ni, tampoco, o, porque,
  pero, sino, además, por eso.**
- Los cuantificadores.
- Perífrasis verbales con Infinitivo.
- Los posesivos.

CUZCO
historia inca

BUENOS
AIRES
la ciudad cos

29

VALPARAÍSO
ciudad de colores

CARTAGENA
DE INDIAS
tesoro colonial

ÁN

lita

1. Ciudades que no te puedes perder

A. Fíjate en estos lugares. ¿Los conoces? ¿Sabes algo de ellos? Háblalo con un compañero.

- Cuzco es una ciudad de Perú, ¿no?
- ○ Sí, es muy antigua y creo que...

B. Lee estos textos. ¿De qué ciudad habla cada uno? Relaciónalos con las imágenes.

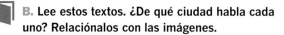

1. Esta ciudad de artistas es la segunda más grande de Chile. Un lugar pintoresco que no te puedes perder.

2. Mar y montaña en el norte de España. Si quieres descansar, disfrutar y comer bien en una ciudad pequeña, esta es tu ciudad.

3. ¡Y olé! Visitar la ciudad durante la feria es disfrutar de sus luces, sus colores, la música, el flamenco y la simpatía de su gente. ¡Te esperamos!

4. Antigua capital del Imperio Inca, sede de la famosa Machu Picchu. Historia, naturaleza y aventura. Todo en un lugar.

5. Ciudad colonial declarada Patrimonio Histórico de la Humanidad. Una visita inolvidable.

6. Una de las ciudades más cosmopolitas del mundo. Famosa por sus teatros, sus cafés-concierto, el tango y su vida cultural. ¡Turismo cultural de primera clase!

10

2. Los jóvenes y la ciudad

 A. Una revista nos habla de los gustos de tres jóvenes con respecto a las ciudades. ¿Coincides con alguno de ellos? ¿En qué?

> ❋
> · A mí también
> · A mí no
> · A mí sí
> · A mí tampoco

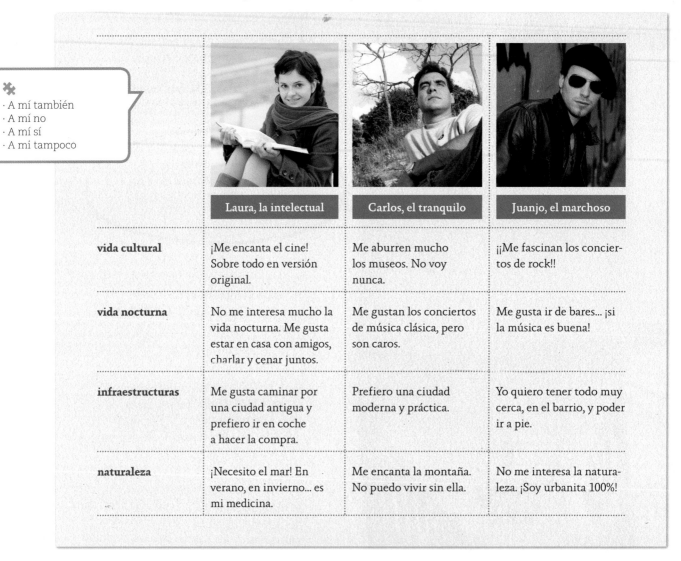

	Laura, la intelectual	Carlos, el tranquilo	Juanjo, el marchoso
vida cultural	¡Me encanta el cine! Sobre todo en versión original.	Me aburren mucho los museos. No voy nunca.	¡¡Me fascinan los conciertos de rock!!
vida nocturna	No me interesa mucho la vida nocturna. Me gusta estar en casa con amigos, charlar y cenar juntos.	Me gustan los conciertos de música clásica, pero son caros.	Me gusta ir de bares... ¡si la música es buena!
infraestructuras	Me gusta caminar por una ciudad antigua y prefiero ir en coche a hacer la compra.	Prefiero una ciudad moderna y práctica.	Yo quiero tener todo muy cerca, en el barrio, y poder ir a pie.
naturaleza	¡Necesito el mar! En verano, en invierno... es mi medicina.	Me encanta la montaña. No puedo vivir sin ella.	No me interesa la naturaleza. ¡Soy urbanita 100%!

- A mí también me encanta el cine.
- Yo prefiero el teatro.

> ❋
> · Me gusta...
> · Me encanta...
> · Me fascina...
> · Me interesa...
> · A Marie le gusta...
> · A nosotros nos gusta...

B. Ahora rellena esta tabla con tus preferencias y piensa en un adjetivo para ti.

	vida cultural	vida nocturna	infraestructuras	naturaleza
Yo, el/la				

 C. Dale la tabla a un compañero. Él va a hablar de tus gustos al resto de la clase.

- A Marie le encantan las ciudades grandes...

3. Anuncios

A. Fíjate en los anuncios de esta web de intercambio. ¿Quién encaja con quién? Discútelo con un compañero.

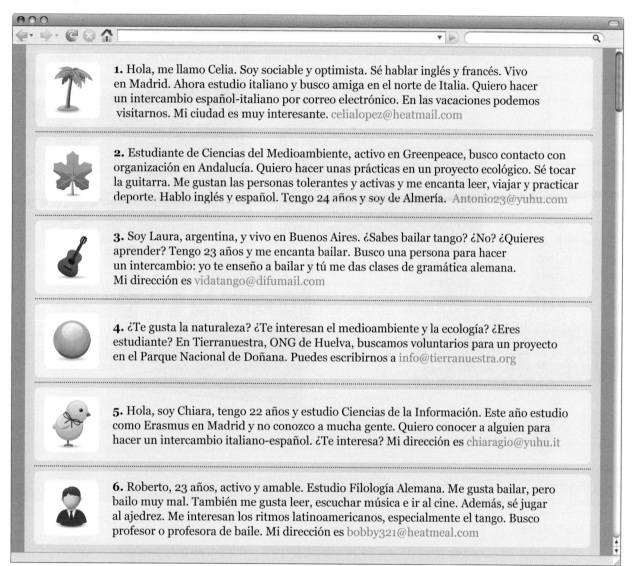

1. Hola, me llamo Celia. Soy sociable y optimista. Sé hablar inglés y francés. Vivo en Madrid. Ahora estudio italiano y busco amiga en el norte de Italia. Quiero hacer un intercambio español-italiano por correo electrónico. En las vacaciones podemos visitarnos. Mi ciudad es muy interesante. celialopez@heatmail.com

2. Estudiante de Ciencias del Medioambiente, activo en Greenpeace, busco contacto con organización en Andalucía. Quiero hacer unas prácticas en un proyecto ecológico. Sé tocar la guitarra. Me gustan las personas tolerantes y activas y me encanta leer, viajar y practicar deporte. Hablo inglés y español. Tengo 24 años y soy de Almería. Antonio23@yuhu.com

3. Soy Laura, argentina, y vivo en Buenos Aires. ¿Sabes bailar tango? ¿No? ¿Quieres aprender? Tengo 23 años y me encanta bailar. Busco una persona para hacer un intercambio: yo te enseño a bailar y tú me das clases de gramática alemana. Mi dirección es vidatango@difumail.com

4. ¿Te gusta la naturaleza? ¿Te interesan el medioambiente y la ecología? ¿Eres estudiante? En Tierranuestra, ONG de Huelva, buscamos voluntarios para un proyecto en el Parque Nacional de Doñana. Puedes escribirnos a info@tierranuestra.org

5. Hola, soy Chiara, tengo 22 años y estudio Ciencias de la Información. Este año estudio como Erasmus en Madrid y no conozco a mucha gente. Quiero conocer a alguien para hacer un intercambio italiano-español. ¿Te interesa? Mi dirección es chiaragio@yuhu.it

6. Roberto, 23 años, activo y amable. Estudio Filología Alemana. Me gusta bailar, pero bailo muy mal. También me gusta leer, escuchar música e ir al cine. Además, sé jugar al ajedrez. Me interesan los ritmos latinoamericanos, especialmente el tango. Busco profesor o profesora de baile. Mi dirección es bobby321@heatmeal.com

B. Subraya las expresiones que se utilizan para presentarse, para hablar de gustos, de intereses, de habilidades, de necesidades y de deseos. Después, anótalas en la tabla.

presentarse	hablar de gustos e intereses	hablar de habilidades	hablar de necesidades y deseos

C. Subraya los verbos y relaciónalos con su Infinitivo. ¿Hay alguno irregular? Coméntalo con tus compañeros.

 D. Ahora escribe un texto parecido a los de la web y entrégaselo a un compañero. Después, lee el texto que te han entregado a ti y decide si te interesa quedar con esa persona para un intercambio.

4. ¿Qué ciudad es?

A. Lee los nombres de estas ciudades. ¿Qué sabes de ellas?

La Habana   Mar del Plata   Lima   México D.F.

B. Ahora mira las fotografías. ¿Qué fotografía corresponde a cada ciudad? Coméntalo con un compañero. Puedes utilizar las expresiones del recuadro lateral.

· Estos edificios pueden ser de...
· Esta arquitectura es típica de...
· Yo creo que esta ciudad es...

 C. Lee este mail. ¿En cuál de las ciudades anteriores está Carlos?

Hola, María:

¡Por fin aquí! La ciudad **es maravillosa**. **Es la capital** del país, y *por eso* **es muy moderna** y cosmopolita. **¡Es enorme!**, ¡tiene 9 millones de habitantes! *Además*, la gente aquí **es muy amable** y ya tengo algunos amigos. *Pero* **no hay mar**; **es una lástima** *porque* a mí me encanta el agua, ya sabes, pero la semana que viene voy a Veracruz, **que está en la costa** del Caribe, al este del país, y creo que allí **hay playas** bonitas. ¡Quiero ver el mar! ¡Anímate!

Un beso,
Carlos

D. Fíjate en las frases marcadas en negrita. ¿Entiendes cómo se usan los verbos **ser**, **estar** y **haber**? Háblalo con un compañero y después presenta tus conclusiones a tu profesor. Él os va a ayudar.

 E. Escribe un email a un amigo contándole cómo es tu ciudad, qué hay, dónde están las cosas, etc. Puedes utilizar las expresiones marcadas en cursiva. Luego, pide a un compañero que lo lea y te señale los errores que descubra. Después intenta corregirlos.

5. La ciudad ideal

A. ¿Qué hay en tu ciudad ideal? Completa la tabla según tus preferencias. Luego compara tus respuestas con las de un compañero.

	ninguno/ninguna	uno/una	algunos/algunas	muchos/muchas
cines				
bares				
parques				
ríos o lagos				
centros comerciales				
calles antiguas				
universidades				
polideportivos				
escuelas				
...				

- ● En mi ciudad ideal hay muchos centros comerciales. Pero todos están en las afueras.
- ○ Pues en mi ciudad ideal no hay ninguno.

 B. Ahora, en grupos de cuatro, vais a decidir cómo es la ciudad ideal. Luego, presentádsela al resto de la clase.

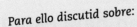

Para ello discutid sobre:
- el tamaño
- la vida cultural, nocturna, etc.
- las infraestructuras
- dónde está
- qué cosas hay

· No hay ningún cine.
· Hay algunas universidades.
· Hay muchos parques.
· Todos están en el centro.
¡Ojo!
· No hay ~~ningún~~ mar >
 No hay mar.

· Nuestra ciudad ideal se llama…
· Está en…
· Es…
· Tiene…
· Hay muchos…

¡Equivocarse es de sabios!

• Para corregir mis errores, prefiero que me llamen la atención sobre ellos, pero poder corregirlos yo mismo.

La concordancia:

Person<u>as</u> simpátic<u>as</u>
Una chic<u>a</u> aleman<u>a</u>
Un intercambio alemá<u>n</u>-italian<u>o</u>

6. Erasmus

A. ¿Conoces el programa Erasmus de movilidad estudiantil? En un minuto, anota todas las palabras relacionadas que se te ocurran.

CD1
15
B. Escucha ahora a este estudiante hablando sobre el programa y toma nota de sus planes. Compara luego tus notas con la transcripción del apartado **C.**

C. Lee de nuevo la transcripción y fíjate en las expresiones marcadas en negrita. Se utilizan para hablar de planes. Utilízalas para hablar de tus planes con un compañero.

> Me encanta el programa Erasmus porque puedes viajar por Europa. Yo **pienso ir** a Irlanda porque estudio Filología Inglesa y porque me fascina la cultura irlandesa. **Quiero mejorar** mi inglés, conocer gente y viajar por todo el país. **Me gustaría** mucho **ir** al Trinity College, de Dublín, que es una universidad muy antigua y reconocida. Por eso este año **voy a estudiar** para tener buenas notas y conseguir la beca.

· pienso + Infinitivo
· quiero + Infinitivo
· voy a + Infinitivo

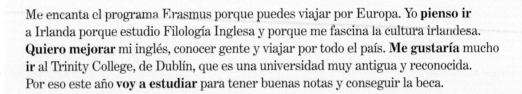
- planes con respecto al programa Erasmus u otros similares
- planes para este fin de semana
- planes para tus próximas vacaciones
- otros planes

● Me gustaría participar en el programa y viajar a Italia.
○ Sí, a mí también. Yo pienso viajar el año próximo a Alemania.

7. Salamanca, una ciudad para estudiar y vivir

En algunas situaciones solo necesitas comprender una información puntual. Concéntrate solo en ella al escuchar la grabación.

A. ¿Qué sabes sobre Salamanca? Marca la opción que crees que es correcta.

Para comprender una audición, pensar antes en el vocabulario que conoces sobre el tema puede ayudarte. Así, reconocerás más palabras cuando las escuches.

	sí	no
Salamanca tiene más de 1000000 de habitantes.		
Salamanca es una ciudad cómoda para vivir.		
En Salamanca hay muchos edificios antiguos.		
Salamanca está a cinco horas de Madrid.		
En Salamanca hay dos universidades.		

CD1
16
B. Ahora escucha esta en entrevista a la responsable de la oficina de turismo de Salamanca y comprueba tus hipótesis.

8. El correo

A. Mira estas cartas y subraya las abreviaturas. Después escribe cada abreviatura al lado de la palabra que le corresponde.

1. calle _____
2. planta baja _____
3. departamento _____
4. tercera puerta, letra G _____
5. plaza _____
6. interior _____
7. cuarto piso, segunda puerta _____
8. señora _____
9. señor _____
10. avenida _____

Sra. Inés Roca
Av. Rivadavia 7145, P/B .Dpto. 4
1406 Buenos Aires
Argentina

Maricela Mendoza
Pza. Talara 307
Comas – San Felipe
Lima – Perú

Sara Córdova González
Av. Francisco Pizarro 72
Int. 23
Rímac–Lima
Perú

Sr. Fidel Pérez
3ra. y G, El Vedado
La Habana 10400, Cuba

Boris Milmann
Rohrmoser 200 metros norte
del Parque de la Amistad
San José
Costa Rica

Mar Miralles
C/ Juan Bravo, 13, 4°.2a
08019 Barcelona
España

B. En tu país, ¿se escriben igual las direcciones?

· primero-primera
· segundo-segunda
· tercero-tercera
· cuarto-cuarta
· quinto-quinta
· sexto-sexta
· séptimo-séptima
· octavo-octava
· noveno-novena
· décimo-décima

9. Saludos y despedidas

A. Lee estas postales y fíjate en las expresiones que se usan para saludar y para despedirse. ¿Se hace igual en tu país?

Querida Sara:

Buenos Aires es maravillosa. Hay mucha vida cultural y muy buen ambiente, y a la gente le encanta conversar de todo. La universidad es fantástica y estoy aprendiendo tango.

Un beso,
Germán

¡Hola, Diego!

¡Hoy es tu cumpleaños! ¡Felicidades! Ahora estoy en Polonia, en Cracovia, que es una ciudad preciosa.
El mes que viene voy a Praga.
¡Nos vemos pronto!

Un abrazo fuerte,
Pilar

B. Ahora decide si las siguientes expresiones son formas de saludarse o de despedirse.

| Buenos días | ¡Nos vemos! | ¡Chao! | ¿Qué tal? | ¡Hasta pronto! |

| ¡Saludos! | ¿Qué hubo? | ¿Qué onda? | ¡Adiós! |

saludos	despedidas

10. Movilidad estudiantil

A. ¿Cuáles crees que son los destinos preferidos para ir a estudiar al extranjero? Decide con un compañero los cuatro países que os parecen más visitados.

- Muchos estudiantes viajan a Estados Unidos, ¿no?
- Sí, y también a ...

 B. Lee este texto sobre movilidad estudiantil. ¿Coincide con vuestras hipótesis?

¿Dónde quieres estudiar?

Estudiar en otro país es muy interesante. Significa conocer otras culturas y aprender otras lenguas, y esto es esencial en la actualidad. Pero no todos los estudiantes quieren ir a los mismos países.

Según la UNESCO, cerca de 2 500 000 jóvenes estudian cada año en otro país. El 70% se concentra en el oeste de Europa y en América del Norte. A Latinoamérica van solo unos 36 000 estudiantes al año, y el 66% de ellos son latinoamericanos.

"los estudiantes que más viajan a otro país para estudiar son los chinos"

Los países que reciben más estudiantes son: primero Estados Unidos, el 23,3%; en segundo lugar, el Reino Unido (12,2%); el tercero es Alemania (10,6%) y el cuarto, Francia (9,7%). Los estudiantes que más viajan a otro país para estudiar son los chinos (14%), después los indios (5%), y en tercer lugar los coreanos (3,9%), seguidos de los japoneses (2,5%) y los alemanes (2,3%).

En cuanto a las preferencias, los estudiantes africanos viajan a las antiguas capitales europeas (Londres, París...); los de Europa del Este prefieren Alemania; los de Corea, China y la India van a los Estados Unidos, y los estudiantes de Asia Central, a Rusia.

C. Vuelve a leer el texto y señala en el mapa, con flechas, de dónde vienen y a dónde van los grupos de estudiantes según su nacionalidad.

D. En grupos de cuatro haced una lista con los países que preferís vosotros para ir a estudiar. Luego ponedla en común con el resto de la clase y haced una lista conjunta.

- A mí me gustaría ir a Argentina porque me encanta el tango.
- A mí, a China, para aprender chino.

· ¿Por qué quieres ir a China?
· Porque me interesa su cultura.
· Por su historia.
· ¿Para qué quieres ir a Argentina?
· Para aprender español.

E. Estas son algunas ciudades del mundo hispano en las que puedes estudiar. En parejas, buscad información en internet y decidid en cuál os gustaría pasar una temporada. Después presentad al resto de la clase la información y explicad los motivos por los que la habéis elegido. La ficha puede ayudaros a organizar la información.

Colombia: Bogotá

Costa Rica: San José

Uruguay: Montevideo

Venezuela: Caracas

País:

Habitantes:

Lengua oficial:

Universidad:

Carreras universitarias:

Situación geográfica:

Lugares de interés:

Otros datos:

11. Tres personas

Fíjate en estas personas. ¿Cómo crees que son? Con un compañero, decide qué cosas les gustan y escribid un texto de presentación para un foro para cada uno de ellos.

¿Cómo aprendes nuevo vocabulario? ¿Necesitas ver una palabra, escucharla? Si tienes una memoria visual, puedes llevar siempre contigo tu cuaderno de vocabulario y repasar las palabras en contexto. Si tienes una memoria auditiva, ¿por qué no grabas las palabras, por ejemplo en el móvil, y las escuchas varias veces al día?

· Este señor / Estos señores
· Esta chica / Estas chicas
· Ese señor / Esos señores
· Esa chica / Esas chicas
· Aquel señor / Aquellos señores
· Aquella chica / Aquellas chicas

Cristina

Mario

Rosario

● A esta chica le gustan los animales.
○ Sí, eso parece. Y a este señor le gusta...

12. Los países, sus habitantes y sus lenguas

¿Sabes cómo se llaman los habitantes de estos países? ¿Y la lengua o lenguas que hablan? Completa la tabla y amplíala en tu cuaderno con más países.

país	habitantes	lengua/s
Alemania	alemán/alemana/alemanes/alemanas	alemán
Francia		
Holanda		neerlandés
Bélgica	belga/belgas	
Italia		
Austria		
Portugal		
Grecia	griego/griega/griegos/griegas	
Polonia		
República Checa		
Canadá		inglés y francés
...		

13. Mi familia

A. Este es el árbol genealógico de la familia de Manuel. Complétalo.

hermano   nieto   abuela   padre   hija

B. Fíjate en las relaciones de la familia de Manuel y completa las frases que dice. El recuadro lateral puede resultarte útil.

1. Miguel y Elena son _____ abuelos.
2. _____ es mi padre.
3. _____ es mi hermana.
4. María es _____ madre.

· mi padre / madre
· mis abuelos / abuelas
· tu nieto/a
· tus hermanos/as
· su marido / mujer
· sus hijos/as

 C. Dibuja tu árbol genealógico y preséntaselo a un compañero. Después él lo presentará al resto de la clase.

14. Asociograma

Con un compañero, intenta completar este asociograma con todas las palabras de la unidad que recordéis sin mirar el libro.

Los asociogramas o mapas mentales son un mecanismo de representación gráfica de palabras. Te ayudan a repasar el vocabulario de un tema y a aprender las palabras a partir de la relación que hay entre ellas. Puedes utilizarlos como técnica de repaso tras cada unidad e ir ampliándolos a lo largo del curso con el vocabulario nuevo que aprendes.

1. Los demostrativos

situación del objeto o de la persona	masculino	femenino
aquí, acá: cerca de la persona que habla	**este** móvil **estos** móviles	**esta** billetera **estas** billeteras
ahí: algo alejado de la persona que habla, pero cerca de su interlocutor	**ese** móvil **esos** móviles	**esa** billetera **esas** billeteras
allí, allá: alejado tanto de la persona que habla como de su interlocutor	**aquel** móvil **aquellos** móviles	**aquella** billetera **aquellas** billeteras

Con los demostrativos nos referimos a objetos o personas que se encuentran a diferentes distancias de la persona que habla o de su interlocutor.

2. Presente de Indicativo (III): verbos con diptongación

e → ie			o → ue	
entender	**querer**	**preferir**	**poder**	**volver**
ent**ie**ndo	qu**ie**ro	pref**ie**ro	p**ue**do	v**ue**lvo
ent**ie**ndes	qu**ie**res	pref**ie**res	p**ue**des	v**ue**lves
ent**ie**nde	qu**ie**re	pref**ie**re	p**ue**de	v**ue**lve
entendemos	queremos	preferimos	podemos	volvemos
entendéis	queréis	preferís	podéis	volvéis
ent**ie**nden	qu**ie**ren	pref**ie**ren	p**ue**den	v**ue**lven

Los cambios vocálicos solo aparecen en la sílaba tónica y afectan a todas las personas excepto a la primera y la segunda del plural.

3. Presente de Indicativo (IV): verbos con cierre vocálico e → i

pedir	**decir**	**elegir**	**corregir**	**seguir**
p**i**do	d**i**go	el**i**jo	corr**i**jo	s**i**go
p**i**des	d**i**ces	el**i**ges	corr**i**ges	s**i**gues
p**i**de	d**i**ce	el**i**ge	corr**i**ge	s**i**gue
pedimos	decimos	elegimos	corregimos	seguimos
pedís	decís	elegís	corregís	seguís
p**i**den	d**i**cen	el**i**gen	corr**i**gen	s**i**guen

⚠ Presta atención a los verbos acabados en **-ger** y en **-gir** y aplica las reglas de ortografía al escribirlos.

4. Presente de Indicativo (V): verbos irregulares en la primera persona y verbo **ir**

ir	estar	saber	conocer	hacer	tener	salir
voy	**estoy**	**sé**	**conozco**	**hago**	**tengo**	**salgo**
vas	estás	sabes	conoces	haces	tienes	sales
va	está	sabe	conoce	hace	tiene	sale
vamos	estamos	sabemos	conocemos	hacemos	tenemos	salimos
vais	estáis	sabéis	conocéis	hacéis	tenéis	salís
van	están	saben	conocen	hacen	tienen	salen

El verbo **tener** es un verbo que diptonga. El diptongo aparece siempre en la sílaba tónica.

5. El uso de **hay** y **estar**

hay + concepto indefinido	está(n) + concepto definido
◦ ¿_Hay un cine_ por aquí cerca? ■ Sí, en la calle Mallorca hay uno. Es el cine Monumental. ◦ Mira, _hay una persona_ que quiere hablar contigo. ■ ¿Sabes quién es?	◦ ¿Sabes dónde _está el teatro_ Coliseo? ■ ¡Claro! Está en la calle Rivadavia. ◦ ¿Por qué te gusta Barcelona? ■ Porque _los Pirineos están_ cerca… ¡y _el mar está_ en la ciudad!

Con **hay** informamos de la existencia de algo.
Con **está/n** ubicamos algo en el espacio.

Hay un cine en la calle Rivadavia.
~~**Está** un cine en la calle Rivadavia.~~

6. Los verbos **gustar, interesar, parecer, encantar**

OI	OI	verbo	sujeto
A mí A ti A ella / él / usted A nosotras / nosotros A vosotras / vosotros A ellas / ellos / ustedes	me te le nos os les	**gusta / interesa /encanta / parece** interesante	mi universidad. la biblioteca. vivir en una ciudad pequeña.
		gustan / interesan / encantan / parecen interesantes	las ciudades grandes. los espacios verdes.

gustar, interesar, encantar + Infinitivo

◦ _Me gusta vivir en una ciudad pequeña._

gustar, interesar, encantar + artículo definido

◦ _A mí me interesa la oferta cultural de las ciudades grandes._

parecer + valoración

◦ _Me parece bien / mal / interesante vivir en esta ciudad._

Estos verbos se conjugan casi siempre en tercera persona y siempre van acompañados del pronombre de Objeto Indirecto

7. Conectores (I): y, también, ni, tampoco, o, porque, pero, sino, además, por eso

conector	uso	ejemplo
y	mencionar varios elementos del mismo tipo	○ *¿Estudias portugués y francés?*
también	añadir elementos del mismo tipo en otra frase	○ *Estudio portugués y francés. También estudio alemán.*
	expresar coincidencia de opinión o de informaciones en frases positivas	○ *A Marta le gusta bailar. Y a Ana también.*
ni	introduce un elemento negado junto a otro que también va negado: y + no – ni	○ *Ni Marcos ni Lucía van a la fiesta.* ○ *No habla español ni griego.*
tampoco	agregar un nuevo elemento en frases negativas	○ *No me gusta la música electrónica. Tampoco me gusta la música clásica.*
	expresar coincidencia de opinión o de informaciones en frases negativas	○ *Sergio no habla inglés y Diana tampoco.*
o	presentar alternativas	○ *¿Quién es tu hermano? ¿Andrés o Roberto?*
porque	expresar causa	○ *Estudio español porque quiero viajar a Chile.*
pero	presentar información nueva que contradice la anterior en cierta manera	○ *No hablo portugués, pero lo entiendo.*
sino	presentar un elemento que afirmamos en contraposición a otro que negamos	○ *Navidad no es el 24 de diciembre, sino el 25.*
además	añadir elementos o frases del mismo tipo	○ *Roberto es simpático y guapo. Además, tiene 23 años, igual que yo.*
por eso	explica la causa o la consecuencia de lo que se acaba de decir	○ *Mañana tengo un examen. Por eso no voy a la fiesta.*

⚠️ La **y** se hace **e** ante palabras que empiezan por **i**- o **hi**-.
Comparto piso con Marta e Inés.

La **o** se hace **u** ante palabras que empiezan por **o**- u **ho**-.
Necesito siete u ocho bolígrafos.

8. Cuantificadores: alguno, ninguno, uno, muchos

algunos/algunas	○ *En la parte antigua de la ciudad hay algunos teatros.*
un/una	○ *En Salamanca hay una plaza de toros a la entrada de la ciudad.*
ningún/ninguna	○ *En la facultad no hay ninguna sala de estudio.*
muchos/muchas	○ *En mi ciudad ideal hay muchos centros comerciales.*

Usamos los cuantificadores para graduar la cantidad y la intensidad.

Si acompañan a un sustantivo suelen ir delante y concuerdan con él en género y número.

Si no van seguidos de sustantivo **un**, **algún** y **ningún** se convierten en **uno**, **alguno** y **ninguno**.

○ *En la biblioteca hay muchos diccionarios, pero en casa no tengo ninguno.*

9. Uso del Presente de Indicativo para expresar idea de futuro

Para contar lo que tienes planeado en el futuro le puedes añadir el Presente de Indicativo a adverbios o locuciones como **mañana**, **la semana que viene**, etc.

▫ *En mi facultad hay muchos estudiantes que estudian español y el semestre que viene van a Bolivia y a Perú para aprender aymara y quechua.*

10. Perífrasis verbales: **pensar + Infinitivo, querer + Infinitivo, me gustaría + Infinitivo, ir a + Infinitivo**

pensar + Infinitivo	querer + Infinitivo	me gustaría + Infinitivo	ir a + Infinitivo
▫ *¿Qué piensas hacer el fin de semana?*	▫ *Quiero viajar por Sudamérica.*	▫ *Me gustaría estudiar Medicina.*	▫ *El martes voy a ir al cine.*

11. Los posesivos

	Singular	Plural
yo	**mi** teléfono	**mis** teléfonos
tú	**tu** mochila	**tus** mochilas
él / ella / usted	**su** bicicleta	**sus** bicicletas
nosotros / nosotras	**nuestro** profesor **nuestra** profesora	**nuestros** profesores **nuestras** profesoras
vosotros / vosotras	**vuestro** amigo **vuestra** amiga	**vuestros** amigos **vuestras** amigas
ellos / ellas / ustedes	**su** libro	**sus** libros

Los posesivos que van delante del sustantivo identifican una cosa o un ser vivo en relación con su poseedor. Varían según su poseedor y concuerdan en número con la cosa poseída. Solo dos concuerdan también en género: **nuestro/a** y **vuestro/a**.

No se usan los posesivos para referirnos a partes de nuestro cuerpo.

▫ *Tengo los ojos verdes. / ~~Tengo mis ojos verdes.~~*

3

Aprender una lengua es...

En esta unidad voy a aprender a...

Comprensión oral y escrita

- Entender textos periodísticos si tratan temas que conozco.
- Entender una conversación telefónica si se trata de un tema conocido y se habla despacio.

Expresión oral y escrita e interacción oral

- Explicar por escrito mis objetivos y expectativas de aprendizaje del español.
- Describir mis objetivos lingüísticos y mi estilo de aprendizaje.
- Informar sobre cursos de español.
- Expresar mis opiniones.
- Describir mi rutina semanal y razonar una decisión.
- Definir mis objetivos de aprendizaje para el portfolio.
- Hablar de diferentes maneras de aprender idiomas y a compararlas con las de otros países.
- Hacer comparaciones y valoraciones.

Y voy a trabajar...

Recursos léxicos y gramaticales

- El Gerundio.
- La comparación de cualidades y cantidades.
- El superlativo.
- Adverbios de frecuencia y marcadores temporales.
- **Qué, cuál/cuáles.**
- Algunos usos de la preposición **de.**

LAURA: es extrovertida y le gusta hablar; cuando aprende un idioma prefiere practicar entre amigos, en la calle... y no hacer actividades artificiales.

LEANDRO: es disciplinado, le gusta ir a clase y comprender cómo funciona la gramática. Para ello, le ayudan mucho las explicaciones del profesor y los libros de gramática.

1. Formas de aprender

A. Marisol, Sebastián, Laura y Leandro tienen formas distintas de aprender idiomas. Lee sus perfiles. ¿Con cuál de ellos te identificas más? Coméntalo con tus compañeros.

- Yo quizá con Marisol.
- Pues yo no, a mí no me gusta nada estudiar sola, …

B. Ahora escucha lo que dicen y anota al lado de los nombres en qué orden habla cada uno.

CD1
17-20

MARISOL: es autodidacta; aprende mejor cuando organiza su propio programa y puede decidir qué hacer en cada momento. Es muy disciplinada y le gusta leer y usar el diccionario.

SEBASTIÁN: le divierten las clases prácticas en las que puede hablar con sus compañeros. No le gusta aprender con teoría; la gramática, la aprende siempre con ejemplos.

2. Mi estilo de aprendizaje

A. **¿Cómo describirías tu estilo de aprendizaje? Márcalo en las siguientes fichas y decide qué perfil se ajusta más a tu forma de aprender.**

· (A mí) me gusta aprender + ...
· Aprender a + Infinitivo/Gerundio
· Aprender + Gerundio
· Aprender + (preposición) sustantivo
· Aprender + si/ cuando + Pres. de Indicativo
· (Para mí) es mejor / (más) fácil / (más) interesante + Infinitivo
· Me parece fácil / difícil + Infinitivo

PERFIL 1: el conversador

☐ Aprendo mucho escuchando a personas nativas.
☐ Aprendo a hablar viajando.
☐ Me gusta aprender con un compañero de intercambio.
☐ Aprendo si practico mucho, pero no solo en clase.
☐ Aprendo cuando escucho el idioma.
☐ Me gusta grabarme para escuchar mis errores y corregirlos.

PERFIL 2: el lector

☐ Para mí son importantes las explicaciones del profesor.
☐ Aprendo escribiendo mucho.
☐ Me parece interesante aprender con el periódico.
☐ Me gusta aprender leyendo novelas.
☐ Aprendo una regla gramatical cuando veo un ejemplo.
☐ Para mí es mejor trabajar en internet.

PERFIL 3: el gramático

☐ Me gusta aprender las reglas gramaticales.
☐ Es más interesante aprender con un libro de texto.
☐ Aprendo más solo que en grupo.
☐ Aprendo más si descubro mis errores y me corrijo.
☐ Aprendo más si tengo una gramática en mi lengua nativa.
☐ Aprendo menos con un diccionario monolingüe que con uno bilingüe.

PERFIL 4: el lúdico

☐ Me gusta aprender haciendo pasatiempos: crucigramas, sopas de letras...
☐ Me parece fácil aprender viendo películas.
☐ Lo más divertido es aprender con juegos y concursos.
☐ Me gusta buscar ejercicios divertidos en internet.
☐ Aprendo mucho escuchando la radio.
☐ Me gusta hacer teatro o grabarme en vídeo para aprender.

· pero
· no... sino
· también
· además
· porque
· por eso

B. **Compara tu perfil con el de los compañeros del curso. ¿Tenéis el mismo estilo de aprendizaje? ¿Por qué?**

● Yo tengo el perfil de "el gramático", porque es donde tengo más marcas.
○ Pues yo no lo sé: me gustan los juegos, pero también aprendo leyendo...

3. Mis objetivos de aprendizaje

A. ¿Cuáles son tus objetivos y expectativas de aprendizaje como estudiante de español? Contesta a las preguntas para averiguarlo; la información de las tarjetas puede ayudarte.

Ser consciente de tus objetivos y expectativas con el español es fundamental para mantener tu motivación durante tu aprendizaje.

Finalidad
- Estudiar
- Viajar
- Trabajar
- Hablar con amigos
- Hacer un trabajo voluntario o unas prácticas
- ...

Niveles del Marco Común Europeo de Referencia para las Lenguas
- A1
- A2
- B1
- B2
- C1
- C2

Motivación
- Es una lengua importante para el trabajo.
- Tengo amigas que hablan español.
- Me gusta cómo suena.
- Me interesa la cultura.
- Es un valor añadido a mi currículum.
- ...

Tiempo de estudio
- En un año
- En... cursos
- En... semestres
- ...

Método
- Estudiar solo
- Hacer un curso
- Hacer un intercambio lingüístico
- Viajar a un país hispanohablante
- ...

- ¿Por qué (razón) aprendo español?
- ¿Para qué (objetivo) aprendo español?
- ¿Qué nivel quiero lograr?
- ¿En cuánto tiempo quiero lograr mis objetivos?
- ¿Qué es más importante?
- ¿Cómo lo quiero hacer?

B. Escribe un texto breve sobre tus objetivos y tus expectativas para aprender español. Luego, guárdalo en tu Portfolio de las lenguas. Tus respuestas del apartado B pueden ayudarte.

Quiero aprender español porque me gusta la cultura española y tengo amigos que hablan español. Me gustaría lograr un nivel B1 porque...

C. Compara tu texto con el de un compañero. ¿Coincidís en algo?

El Portfolio de las lenguas es un documento del Consejo de Europa que sirve para evaluar y certificar tus conocimientos de una lengua extranjera y tus progresos en ella. Si guardas en un dossier o carpeta tus trabajos más importantes, podrás ver todo lo que has aprendido en este curso.

¡Equivocarse es de sabios!

- Me aseguro de conjugar bien los verbos regulares e irregulares.
- Me aseguro de que el verbo concuerda con el sujeto en frases que empiezan con **Me gusta/encanta**...
- Compruebo si los adjetivos concuerdan con los sustantivos en género y número.

Voy a hacer una ficha de mis errores frecuentes para repasarla al corregir mi trabajo. Así puedo trabajar sistemáticamente sobre ellos.

Elijo mi curso de español teniendo en cuenta criterios importantes.
Me gustan las clases con diferentes actividades.

4. Elegir un curso

A. ¿Qué criterios son importantes para elegir un curso de lengua? Marca los que te parecen más importantes.

Para mí lo más importante es...

☐ el precio ☐ el programa cultural que acompaña las clases ☐ el número de estudiantes por clase ☐ el número de clases por semana ☐ la posibilidad de combinar clases presenciales y clases virtuales ☐ el material didáctico ☐ la sala de informática ☐ las actividades de ocio organizadas por la escuela ☐ el lugar donde está la escuela

B. En grupos, poneos de acuerdo sobre los cinco criterios más importantes.

CD1
21-25

C. Ahora vas a escuchar a cinco chicos hablando de ello. Toma notas. ¿Con quiénes estás más de acuerdo? Habla con tu compañero.

1. Graciela

2. Marcelo

3. Reinaldo

4. Sandra

5. Gustavo

 Yo estoy de acuerdo con Graciela, porque...

D. Ahora cada grupo lee los siguientes anuncios y elige una de las dos escuelas teniendo en cuenta los cinco criterios del ejercicio anterior. Al final cada grupo expone su elección y la razona.

· ¿Qué te parece esta escuela?
· No está mal, pero...
· Creo que está bien / no está bien, porque...

· ¿Qué escuela/curso... te gusta más?
· ¿Cuál es el más caro/ interesante?
· Este curso es más largo/completo... que el otro.
· Esta escuela es mejor (que la otra), porque...
· Este curso es tan interesante como el otro.
· Prefiero la más barata.

CURSOS DE LENGUA Y CULTURA EN BUENOS AIRES

PROGRAMA SEMANAL:

- **10 horas de castellano** (60 minutos cada una)
- **Aula de informática y clases virtuales**
- **Además: 3 clases de tango** (90 minutos cada una)
- **Cena típica los viernes**
- **2500 ARS / 520 EUR / 640 USD**

ACADEMIA DEL BUEN AIRE
Corrientes 348

ESCUELA DE ESPAÑOL
Quetzal Antigua

Clases de lengua y literatura
Grupos pequeños (máx. 8 personas)
Materiales gratuitos
Exámenes para todos los niveles
Curso intensivo 1 mes: 120 horas
Excursiones (no incluido)
Alojamiento en familias (no incluido)
3230 S/. | 950 €
Cuzco

20%

DESCUENTO DE OCTUBRE A FEBRERO

5. Mis "favoritos" para aprender español

 A. Observa estos recursos para aprender y coméntalos con un compañero. ¿Cuáles de ellos utilizáis? ¿Podéis añadir otros?

Trabajar con otras personas en línea

Ver películas y vídeos

Practicar fonética

Escuchar podcasts o la radio

Usar diccionarios virtuales

Hacer un intercambio lingüístico

Leer blogs, noticias, revistas, el periódico...

B. Haz una lista de las páginas web que más utilizas para aprender español. Entre todos, escoged las diez páginas más útiles y haced vuestra lista de "favoritos".

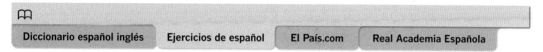

Diccionario español inglés   Ejercicios de español   El País.com   Real Academia Española

6. La semana de Inés

 A. Mira los horarios de Inés y cuenta cómo transcurre una semana de su vida. La siguiente información puede ayudarte.

Nacionalidad: española • Edad: 20 años • Trabajo: *au pair* en Inglaterra. Cuida dos niños de 3 y 4 años. • Tiempo libre: practica inglés con un compañero de intercambio (Richard), sale con sus amigos... • Aficiones: leer, ir al cine y a conciertos, correr...

DE LUNES A VIERNES	
8.00 - 10.00	Llevar a los niños a la guardería. Limpiar la casa.
11.00 - 15.00	Libre.
15.00 - 18.00	Recoger a los niños y estar con ellos (llevarlos al parque, a casa de sus amigos...).
18.00 - 19.00	Preparar y dar la cena a los niños.
19.00 - en adelante	Libre.
SÁBADO	
8.00 - 10.00	Ir a correr. / Salir con la familia (una vez al mes).
10.00 - 15.00	Libre. / Salir con toda la familia (una vez al mes).
15.00 - en adelante	Libre.
DOMINGO	
8.00 - 15.00	Libre.
15.00 - 18.00	Intercambio con Richard.
18.00 - 20.00	Estar con los niños. Jugar o leerles un libro.

✱
· siempre
· normalmente
· a menudo
· a veces
· casi nunca
· nunca

· A las ocho...
· De once a tres...
· Después de las seis...
· A partir de...

· Los domingos...
· Todos los días...
· Entre semana...
· Por la mañana...
· Por la tarde...
· Por la noche...

 B. Y tus horarios, ¿cómo son? Anótalo y cuéntales a tus compañeros las cosas que haces normalmente en una semana. ¿Alguien hace algo muy original o interesante?

7. Un curso para Valentina

A. Valentina quiere hacer un curso de español y llama a varias escuelas, pero siempre le sale el contestador automático. Escucha los mensajes y anota los horarios de oficina de las escuelas.

CD1
26-28

A veces solo necesitas una información concreta. Concéntrate sólo en los datos que estás buscando.

ESTUDIO ESPAÑOL

TELÉFONO: 93 789 45 98

Escuela Hispania

T. 93 653 51 05

CENTRO ESPAÑOL

Teléfono: 91 149 35 23

Horarios:

Horarios:

Horarios:

B. Escucha los diálogos. ¿Qué informaciones puedes relacionar con estas tres escuelas? ¿Cuáles no aparecen en los diálogos?

CD1
29-31

· tener que / hay que + Infinitivo
· ir a + Infinitivo

a. Estudio Español	b. Centro Español	c. Escuela Hispania

- [ ] **1.** Para conseguir el certificado, los alumnos tienen que hacer un examen.
- [ ] **2.** Hay que reservar con cuatro meses de antelación.
- [ ] **3.** Ofrece una entrevista personal para informar sobre los cursos.
- [ ] **4.** Tiene 6 niveles diferentes.
- [ ] **5.** No da la información sobre precios por teléfono.
- [ ] **6.** Van a abrir una nueva escuela en Bogotá.
- [ ] **7.** Tiene profesores simpáticos y actividades culturales interesantes.

C. Valentina va a la escuela y habla con Esther Moreno, su profesora. Rellena el formulario con los datos que da Valentina.

CD1
32

Si ya sabes de qué se está hablando lo vas a entender todo mucho mejor. Antes de la audición lee la ficha y piensa en qué datos se piden. De esta manera activas el vocabulario que ya conoces.

ESCUELA **HISPANIA**

FICHA ESTUDIANTE

Nombre: _Valentina Conku_

Conocimientos de otros idiomas: _____

Cómo suele practicar idiomas: _____

_____

Objetivos de aprendizaje: _____

_____

Nivel (ver resultados del examen): _A2_

8. Cada estudiante es un mundo

A. Tres profesoras hablan de sus estudiantes de español. Lee sus textos y pregúntale a tu profesor qué experiencia tiene con estudiantes de otros países. Y tú, ¿con cuál de los tipos de estudiantes te identificas? Coméntalo en clase.

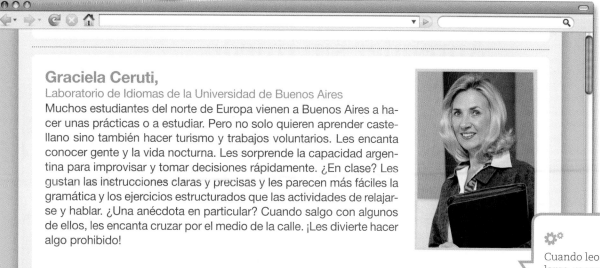

Graciela Ceruti,
Laboratorio de Idiomas de la Universidad de Buenos Aires

Muchos estudiantes del norte de Europa vienen a Buenos Aires a hacer unas prácticas o a estudiar. Pero no solo quieren aprender castellano sino también hacer turismo y trabajos voluntarios. Les encanta conocer gente y la vida nocturna. Les sorprende la capacidad argentina para improvisar y tomar decisiones rápidamente. ¿En clase? Les gustan las instrucciones claras y precisas y les parecen más fáciles la gramática y los ejercicios estructurados que las actividades de relajarse y hablar. ¿Una anécdota en particular? Cuando salgo con algunos de ellos, les encanta cruzar por el medio de la calle. ¡Les divierte hacer algo prohibido!

> Cuando leo un texto largo, marco las palabras o expresiones que no entiendo y busco en el diccionario las que necesito para comprender el significado.

Nicoletta Rossi,
Universidad de Siena (Italia)

Los italianos adoran el español, quizá porque cuando escuchan o leen en español entienden muchas cosas, ¡pero aprender bien la lengua es más difícil! Casi todas las universidades italianas ofrecen cursos de español como lengua extranjera, y lo mismo hacen las escuelas de secundaria. A los italianos les gustan las clases donde tienen que hacer algo: escribir un diario, hacer una exposición o presentación oral… Y no les gustan demasiado las clases de gramática. Muchos vienen a clase con el diccionario bilingüe y buscan las palabras que no saben. En mi facultad muchos estudiantes quieren estudiar un año en España o en América Latina, además, algunos tienen familia en Argentina, en México, en Venezuela… por eso les interesa aprender español.

Silvia Reynoso,
Universidad Nacional de Rosario (Argentina)

Los japoneses son los estudiantes ideales. Casi nunca faltan a clases, son puntuales y trabajan mucho. También son buenos en las estrategias de aprendizaje: marcan sus errores en colores para tener claros los temas difíciles, aceptan bien la práctica de la gramática y también las actividades más comunicativas. Les encanta escribir sus experiencias en castellano; por ejemplo, escribir diarios de viajes. ¡Mis estudiantes japoneses viajan mucho!

B. En estos textos hay muchos verbos que funcionan como **gustar**. Márcalos y marca también la parte de la frase que concuerda con ellos (singular o plural).

9. Como aprender a conducir

 Lee este artículo sobre los factores que influyen en el aprendizaje de una lengua extranjera. Subraya los factores fundamentales para ti y coméntalos con un compañero.

Aprender sin miedo

Aprender una lengua extranjera es como aprender a bailar, a conducir o a nadar: no es suficiente la teoría, hay que practicar. Cuando bailamos, sentimos la música y disfrutamos del movimiento y con el tiempo, "nuestro cuerpo aprende" y nuestro cerebro olvida las reglas, las automatiza. En este aprendizaje es fundamental tener una actitud positiva hacia la lengua y la cultura que estudiamos. ¡Es más fácil aprender a bailar salsa si te gusta la salsa! Si te interesa la cultura y la lengua que aprendes, si tienes un interés real y una razón para practicarla, seguramente la aprenderás más rápidamente.

Otros factores que afectan el aprendizaje de una lengua extranjera son las experiencias pasadas (positivas o negativas), la lengua materna del hablante o la edad. Por último, las personas que experimentan y prueban sin miedo, aprenden mejor.

10. Lenguas distintas, culturas distintas

 A. Lee este titular del artículo de la página siguiente y observa las fotografías que lo ilustran. Luego, responde a las preguntas con tus hipótesis.

Cada vez más jóvenes chinos estudian español en Argentina

Les resulta difícil, pero lo valoran como un elemento de cultura general.

- Para los jóvenes chinos, ¿qué es lo más interesante del español y de Argentina?
- ¿Por qué les resulta difícil a los estudiantes chinos aprender español?
- Para ti, aprender español ¿es más fácil o más difícil que para ellos?

B. Lee el artículo y comprueba si tus hipótesis del apartado A coinciden con él.

P ara casi 9 de cada 10 estudiantes chinos de español en la Universidad de Buenos Aires (UBA), aprender nuestra lengua es bastante difícil: en castellano se utiliza otro tipo de escritura y la gramática es totalmente diferente. Sin embargo, a la mayoría les parece que aprender español tiene un valor cultural y práctico, ya que quieren trabajar o estudiar en el país. A las preguntas del Centro Universitario de Idiomas (CUI) de la Facultad de Agronomía de la UBA, el 68% de

los 120 estudiantes chinos de español contesta que aprender español es "muy difícil". El 21% lo cree "difícil". Según la misma encuesta, el español se ve como un elemento de cultura general (42%), como

conocimientos necesarios para trabajar (37%) y como un valor agregado (21%). El 68 % de ellos cree que el país puede ser interesante para otros estudiantes chinos, pero el 95% piensa que "las culturas son muy diferentes". Les gusta la comida argentina, sólo el 5% dice que no puede adaptarse a nuestra

forma de comer. El tango, el fútbol y la música son para ellos los aspectos más atractivos de nuestra cultura. "Los estudiantes chinos tienen dificultades concretas con el aprendizaje de español: una es el vocabulario, otra la gramática y una tercera son los métodos de enseñanza", explica un profesor de español. "Nuestra enseñanza de la lengua tiene una orientación comunicativa. Esto choca a veces a los estudiantes chinos, que prefieren el trabajo sistemático de la repetición. La enseñanza más libre les parece un poco caótica". Por eso, trabajan más la lectura y escritura de textos en casa. ✳

Recurrimos a nuestra lengua materna o a otra lengua aprendida para deducir el significado de palabras desconocidas: **adaptarse**: *to adapt* (inglés); **atractivo**: *attraente* (italiano).

11. Sufijos

Las siguientes palabras aparecen en el artículo de la actividad anterior. Haz lo siguiente con cada una.

- ¿Reconoces la raíz de la palabra? Márcala.
- Marca los sufijos.
- ¿Reconoces qué tipo de palabra es?
- Anota una palabra de la misma familia para cada una de ellas.

Entendemos el significado de una palabra también gracias a los elementos de los que se compone: raíz, prefijos, sufijos...

Para reconocer la raíz de una palabra, es útil pensar en otras palabras de la misma famililia que conoces.

interesante

lectura

totalmente

escritura

aprender

dificultad

enseñanza

12. Aprender palabras

A. En un minuto, escribe 15 palabras que recuerdas de esta unidad. Luego, intercambia tu hoja con la de tu compañero. ¿Coincidís en algunas? ¿Por qué crees que es así?

B. Ahora tienes un minuto para intentar recordar la lista de tu compañero. Pasado ese tiempo, escríbela aquí con la traducción a tu lengua.

¿Qué palabras has recordado mejor? ¿Aprendes más las palabras que lees o las que escuchas? Esto dice mucho de tu estilo de aprendizaje preferido, ¿ya sabes cuál es?

Lista de palabras que recuerdo:

C. Comentad entre todos: ¿cuántas palabras habéis podido recordar? ¿Qué estrategias habéis empleado para recordarlas? ¿Creéis que pueden ser útiles a los demás? Haced una lista de buenas estrategias de aprendizaje de vocabulario para utilizar a lo largo del curso.

13. ¿Cómo es tu horario?

A. Estos son los horarios para mañana de tres personas diferentes. ¿Cuál se parece más al tuyo? Coméntalo con tu compañero.

7:00 - 8:00	Footing.
8:15 - 9:00	Llevar a Nicolás y a Laura al colegio.
9:00 - 9:30	Avisar a la canguro para que venga esta noche.
9:30 - 11:00	Reunión con Pilar Aldezarza. Tema: franquicias.
12:00 - 14:00	Reunión con Santiago Prieto. Tema: web.
14:30 - 16:00	Comida con Ricardo. Tema: vacaciones con los chicos.
16:00 - 19:00	Visita feria del vino. Reunión con VinoSA, La buena uva, Caldodecultivo.
19:00 - 21:00	Clase de inglés.
21:00 - 23:30	Cena en casa de Juanjo y Carmen. ¡¡Comprar vino y postre!!

Isabel Mendoza, gerente de una cadena de restaurantes

07:00	Sesión de yoga.
09:00	Tocar el saxo y preparar los conciertos del fin de semana.
14:30	Comida con el grupo. Organizar la gira.
17:00	Ensayo.
21:00	Clase de saxo con Miguel.
23:00	Jam Session en el Café Berlín.

Raúl Montes, músico y profesor de música

7:30	DESPERTAR A LOS NIÑOS.
8:30	LLEVAR A LOS NIÑOS AL COLEGIO.
9:00	CITA CON LA PROFESORA DE MARTA.
10:00	IR AL BANCO Y HACER LA COMPRA. ¡NEVERA VACÍA!
12:00	VIENEN A REPARAR LA CONEXIÓN A INTERNET.
14:00	GIMNASIO.
16:00	¡LIBRE!
17:00	RECOGER A LOS NIÑOS.
18:00	CLASES DE NATACIÓN (MARTA) Y ENTRENAMIENTO BALONCESTO (MIGUEL).
21:00	VIENE A CENAR CARLOS.

Laura Marqués, ama de casa

B. Ahora compara los horarios. Puedes utilizar algunos de estos adjetivos.

estresante	interesante	aburrido	divertido	relajado

● Pues creo que el horario de Laura es más relajado que el de…

C. ¿Cómo sería un día ideal para ti? Escríbelo y luego cuéntaselo a tus compañeros.

1. El Gerundio (I)

trabajar	hacer	escribir
trabaj**ando**	hac**iendo**	escrib**iendo**

Los verbos acabados en **–ar** añaden **–ando** para formar el Gerundio y los verbos acabados en **–er** o **–ir** añaden **–iendo**.

dormir	decir	pedir
d**u**rmiendo	d**i**ciendo	p**i**diendo

elegir	repetir	leer
el**i**giendo	rep**i**tiendo	le**y**endo

ir
yendo

El Gerundio de los verbos en **–ir** cuya última vocal de la raíz es **e** u **o**, es irregular (**dormir** → **durmiendo**, **decir** → **diciendo**, etc.).

Si la raíz de los verbos acabados en **–er** o **–ir** termina en vocal, la terminación del Gerundio es **–yendo** (**leer** → **leyendo**).

El Gerundio del verbo **ir** es **yendo**.

2. Algunos usos del Gerundio

Con el Gerundio podemos expresar la forma en que hacemos algo.

- ¿Cuál es tu estilo de aprendizaje?
- Me gusta aprender _leyendo_.

3. La comparación

Esto Esta/s persona/s Esta/s cosa/s	es son	(mucho) (bastante) (un poco)	**más** **menos**	interesante/s	**que...**
Esto Esta/s persona/s Esta/s cosa/s	brilla lee va al cine estudia	(mucho) (bastante) (un poco)	**más que** **menos que**	esto. esta/s persona/s. esta/s cosa/s.	

4. El superlativo

Esta persona	es	**el mejor/el peor.**
Este libro	es	**la mejor/la peor.**
Estas personas	son	**las mejores/las peores.**
Estos libros	son	**los mejores/los peores.**

Esta persona	es	**la más**	interesante.
Este libro	es	**el más**	barato.
Estas personas	son	**las más**	jóvenes.
Estos libros	son	**los más**	caros.

Lo más fácil	es	trabajar en grupos.
Lo más difícil	es	encontrar un tándem.

El superlativo absoluto se forma añadiendo **-ísimo** al adjetivo que acompaña al sustantivo.

▫ *El examen de Física era fácil. > El examen de Física era facilísimo.*

Si el adjetivo termina en vocal, esta se pierde.

▫ *Este libro es bueno. > Este libro es buenísimo.*

5. Adverbios de frecuencia y marcadores temporales

siempre	todos los días
casi siempre	todas las noches
normalmente	todas las tardes
con frecuencia	todos los semestres
a veces	todos los años
casi nunca	
nunca	
por la mañana/a la mañana	en enero
por la tarde/a la tarde	en marzo
por la noche/a la noche	en diciembre

Cuando utilizamos **nunca**, va delante del verbo, pero si en la frase hay una doble negación, **no** va delante del verbo y **nunca** va detrás.

- *Nunca voy a discotecas.*
- *No voy nunca a discotecas.*
- *Nunca no voy a discotecas.*

Todas estas palabras y expresiones se refieren a actividades cotidianas.
Señalan la frecuencia con la que se hace algo o sitúan una acción o un hecho en un momento determinado.

- *¿Cuándo tienes clases?*
- *Todos los días, por la tarde/por la mañana/de diez a doce.*

- *¿Cuándo empieza la clase de Literatura?*
- *A las 14.00 horas.*

- *¿Qué hora es?*
- *Es la una. / Son las doce y media.*

- *¿Cuándo son los exámenes?*
- *Son en febrero y en junio.*

6. Qué, cuál/cuáles

En preguntas abiertas para preguntar por cosas y sin referencia
a un sustantivo utilizamos **qué**.

- ☐ *¿Qué haces los martes?*
- ☐ *¿Qué estudias?*

Para preguntar por cosas o personas de un conjunto, utilizamos **qué** si aparece el sustantivo
y **cuál/cuáles** si no aparece el sustantivo.

- ☐ *¿Qué ciudad española te gusta?*

- ☐ *Me gusta mucho la ciudad.*
- ● *¿Cuál? ¿Madrid o Sevilla?*

7. Usos de la preposición **de**

uso	ejemplo
procedencia	☐ *Marta es <u>de</u> Lima.*
ubicación	☐ *La cafetería está al lado <u>de</u> la biblioteca.*
materia	☐ *El libro <u>de</u> gramática es muy bueno.*
partitivo (con sustantivos no contables)	☐ *He tomado un poco <u>de</u> leche.*
de + día/noche	☐ *Me encanta pasear <u>de</u> noche.*
posesión	☐ *¿<u>De</u> quién es el diccionario?* ● *Es <u>de</u> Paco.*

Cuando la preposición **de** va seguida del artículo **el**, se contrae en la forma **del**.

de + el = del / ~~de el~~
- ☐ *La universidad está lejos <u>del</u> centro.*

Cuando el artículo **el** forma parte de un nombre propio, no se contrae.

- ☐ *Alberto llega mañana <u>de El</u> Cairo. / ~~del Cairo~~*
- ☐ *Tenéis que leer este artículo <u>de El</u> País. / ~~del País~~*

4

Mi primer día

En esta unidad voy a aprender a...

Comprensión oral y escrita

- Entender indicaciones para llegar a un lugar.
- Comprender un artículo sobre los aspectos positivos y negativos de un lugar.
- Comprender un diario.
- Comprender consejos para trabajar en el extranjero.

Expresión oral y escrita e interacción oral

- Dar indicaciones para llegar a un lugar.
- Dirigirse a alguien.
- Hablar de planes y su preparación: qué hay que preparar, qué hace falta, etc.
- Hacer una propuesta y aceptarla o rechazarla.
- Expresar admiración.
- Crear un currículum vítae.

Y voy a trabajar...

Recursos léxicos y gramaticales

- Verbos de movimiento y preposiciones: **ir a, venir de, ir en, cambiar en**...
- Contraste **muy / mucho/s**.
- El Objeto Directo e Indirecto, los pronombres y su combinación.
- El comparativo de igualdad.
- Conectores: **por eso, sin embargo, aunque, en cambio, ni, además, también, por último**...
- La perífrasis **acabar de**.

1. La maleta de Teresa

A. Mira esta maleta. ¿Sabes adónde va Teresa? ¿Qué crees que va a hacer allí? Háblalo con un compañero.

- Yo creo que va a Argentina de vacaciones.
- ○ ¿Sí? A mí me parece que …

B. ¿Sabes cómo se llaman en español las cosas que lleva en la maleta? Escribe en tu cuaderno todas las palabras que conoces y compara después con otros dos compañeros. Si os falta alguna palabra, completad la lista con el resto de la clase.

- pasaporte

- …

2. El diario de Ana

A. Vas a leer un fragmento del diario de Ana, una española que vive en Buenos Aires. ¿Por qué es un día especial? ¿Te gustaría ser uno de estos estudiantes? ¿Por qué? Coméntalo con un compañero.

---

10 de abril

9h

Hoy, desayuno común. Por fin está el piso completo. Voy a compartirlo durante nueve meses con Hannele, de Helsinki, Daniela, de Verona, Markus, de Hamburgo y Lars, de Estocolmo. Hoy es el primer día de clase en casi todas las universidades. Daniela estudia Enología. ¡Qué interesante! Seguro que aprendo mucho de vinos. Tiene clases en la Facultad de Agronomía. Lars estudia en la Facultad de Filosofía y Letras, en Caballito. Markus hace unas prácticas en una empresa alemana en Belgrano, y Hannele quiere hacer un curso de español porque todavía no lo habla bien. Creo que lo tiene en el Laboratorio de Idiomas de la UBA.
Yo me alegro de no estudiar: la mejor escuela es el teatro. Y en ninguna ciudad del mundo hay tantos teatros como aquí. ¡Estoy en la mejor escuela del mundo!

12h

La casa está ahora medio vacía. Daniela no está; sus clases son por la mañana, pero Lars y Hannele no saben el horario todavía. Quieren ir esta tarde a informarse. Markus hoy no trabaja, pero está de mal humor: se acaba de ir al Departamento de Policía a renovar su permiso de residencia, y eso es a veces complicado y aburrido. Hoy es también su primer contacto con los transportes públicos porteños. El metro (el "subte", como lo llaman aquí) lo cogen en la Plaza de Mayo. Lars toma allí la línea A hasta la calle Puán. Le gusta caminar, dice. Daniela no puede ir a pie, porque Agronomía está muy lejos, así que coge un "colectivo", un autobús hasta Retiro, y desde allí el tren. Hannele tiene suerte porque puede ir a pie al Laboratorio de Idiomas, igual que Markus.

19h

Bueno, vienen todos muy cansados de la universidad, pero parece que están contentos. Lars dice que la Facultad de Filosofía es un poco caótica porque no hay oficina de información, pero que la gente es muy amable y contesta a todas sus preguntas. Ya sabe dónde está el tablón de anuncios, dónde se venden los apuntes (¡fundamental!) y que hasta la semana que viene no empiezan las clases, porque esta semana hay asamblea. Es muy gracioso, le sorprende tanta información política por todas partes. Está un poco desorientado, creo. Pero es muy curioso y tiene ganas de aprender.

Expresar admiración:
- ¡Qué interesante!
- ¡Es increíble!

- ir en metro/autobús/ coche/tren
- ir a la universidad
- ir caminando o a pie
- cambiar en la estación…
- coger la línea…
- venir de…

Estudio…
Derecho.
Económicas.
Arquitectura.
Diseño.
Biología.
Sociología.
Filología.

B. ¿Puedes completar la tabla con la información sobre los compañeros de piso de Ana?

	universidad / lugar de trabajo	cómo llegar	impresiones del primer día
Hannele			
Lars			
Markus			
Daniela			

C. En grupos de tres, vais a inventar un sexto compañero de piso. Pensad de dónde es, por qué está en Buenos Aires, dónde estudia o trabaja y cuáles son sus primeras impresiones. Presentádselo a la clase.

3. Boca

CD1
33

A. Vas a escuchar a Ana hablando de Boca, un barrio emblemático de Buenos Aires. ¿Qué cosas hay allí? Marca las que escuches.

☐ muchas casas pintadas de colores	☐ un estadio de fútbol muy famoso
☐ edificios modernos	☐ muchos turistas
☐ artistas callejeros	☐ una calle muy famosa que aparece en un tango
☐ un lago natural	☐ una universidad muy importante

B. ¿Hay algún barrio especialmente turístico en tu ciudad? ¿Por qué es turístico? ¿Qué hay allí?

4. ¿Qué tal si cenamos esta noche?

A. Es la primera semana en Buenos Aires y los compañeros de piso piensan en los planes del fin de semana. Lee los mensajes y rellena la tabla.

No sé si podré salir esta noche. Tengo que esperar una llamada de Finlandia. – Hannele –

Genial, me apetece mucho ver el ensayo. Chicos, allí nos vemos. Chau. ... Daniela :)

Chicos, yo no puedo ir al concierto porque tengo un ensayo en mi teatro esta noche a las 20:30h. Por cierto, podéis venir si os apetece. ¿Quedamos a las 20:15h delante del teatro?
Ana

Hola, vuelvo tarde y no vengo a cenar. ¿Alguien viene al concierto de Los Malos? Podéis llamarme al móvil. ¡Abrazos!
:) Markus

va al concierto	va al ensayo de teatro	se queda en casa

B. Subraya ahora las expresiones con las que los chicos hacen una propuesta, las expresiones para aceptarla y las expresiones para rechazarla.

C. Ahora, piensa en algo que te apetece hacer este fin de semana y pregunta a los demás compañeros si tienen ganas de hacerlo contigo. Ellos te contestan de verdad. Al final, comentad qué planes han surgido en el grupo.

- Elisabeth, Natalie y yo vamos a ir a ver la última película de Woody Allen el sábado a las 8 de la tarde...

Hacer una propuesta:
· ¿Te apetece venir al cine...?
· ¿Qué tal si cenamos fuera esta noche?
Aceptar una propuesta:
· Fenomenal. ¿A qué hora quedamos y dónde?
· Genial, me apetece mucho.
· Vale, hasta luego.
· De acuerdo. Nos vemos en...
Rechazar una propuesta:
· Tengo que...
· No puedo... porque...
· No puedo... es que...
· No sé si...
· Voy a...

5. Perdón, ¿dónde está la Facultad de Ingeniería?

A. Escucha estas conversaciones y señala
en el mapa dónde están los siguientes lugares.

CD1
34-36

> 1. la Facultad de Ingeniería
>
> 2. la Iglesia Dinamarquesa
>
> 3. el Museo de Arte Moderno

B. Vuelve a escuchar el diálogo y señala
cuáles de estas expresiones para preguntar
por el camino y dar indicaciones escuchas.

CD1
34-36

Preguntar por el camino

1. Por favor, ¿hay un… por aquí cerca?
2. Perdón, ¿cómo llego a…?
3. Disculpa, ¿está cerca/lejos…?
4. Oye, ¿sabes dónde está…?
5. Perdón, ¿la Facultad de Ingeniería, por favor?

Dar indicaciones

6. Tienes que tomar la primera/segunda calle a la derecha/izquierda.
7. Caminando por esta calle vas a ver…
8. Sigues todo recto.
9. Tienes que ir en esa dirección.
10. El museo está allí.
11. Tienes que caminar en dirección contraria.

C. Ahora pregúntale a un compañero dónde están algunas de estas cosas en vuestra ciudad.
Él te va a explicar cómo llegar. Luego cambiáis.

- un bar divertido
- un buen cine o teatro
- una tienda curiosa
- una tienda de fotocopias
- un restaurante original
- un barrio de moda

· Puedes ir en metro/en
autobús o andando.
· Es mejor tomar
el metro/autobús
número …
· Tienes que bajarte/
hacer trasbordo en…
· Hay que cruzar la
avenida…

6. Las necesito para el verano

A. Lee estas frases y fíjate de nuevo en la maleta de Teresa de la actividad 1. ¿Sabes
de qué habla en cada caso? Escríbelo debajo de cada afirmación.

· me
· te
· lo/la
· nos
· os
· los/las

> Lo necesito para coger el avión y para viajar. Sin él,
> no puedo entrar en el país.

_____

> Los tengo desde hace seis años. Ya están muy
> viejos, pero son los más cómodos que tengo.

_____

> Solo la llevo cuando voy a los sitios más turísticos.
> Me gusta leer acerca de la historia de la ciudad.

_____

> Las necesito para el verano. El sol es peligroso
> para las personas que tenemos los ojos claros.

_____

B. Piensa en otras cosas de la maleta y descríbelas sin nombrarlas. Tus compañeros
deben adivinar de qué se trata.

7. Mochila Erasmus

En grupos, escoged una universidad de un país hispanohablante en la que os gustaría estudiar una temporada y buscad en internet toda la información importante. Entre todos los miembros del grupo, preparad una breve presentación sobre la universidad y consejos sobre lo que hay que hacer para estudiar allí, lo que se debe llevar, dónde encontrar información, etc. A continuación tenéis algunas expresiones útiles y orientaciones para guiar la búsqueda.

- Si vas a… necesitas…
  Si vas a un país de Latinoamérica, necesitas un visado.

- Es muy importante + Infinitivo
  Es muy importante tener toda la documentación necesaria.

- Existe(n)…
  Existen oficinas de información al estudiante.

- Puedes…
  Puedes llamar por teléfono para informarte.

- Tienes que…
  Tienes que escoger bien la universidad.

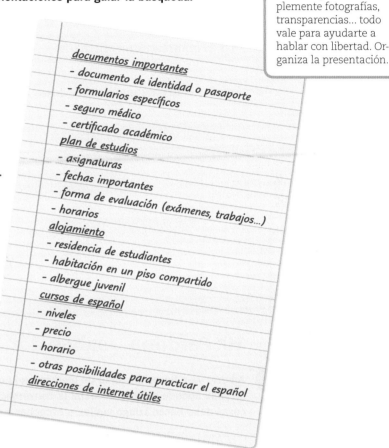

documentos importantes
- documento de identidad o pasaporte
- formularios específicos
- seguro médico
- certificado académico
plan de estudios
- asignaturas
- fechas importantes
- forma de evaluación (exámenes, trabajos...)
- horarios
alojamiento
- residencia de estudiantes
- habitación en un piso compartido
- albergue juvenil
cursos de español
- niveles
- precio
- horario
- otras posibilidades para practicar el español
direcciones de internet útiles

> Piensa qué información necesitas para tu presentación y prepárala. Puedes utilizar un programa de presentaciones digitales o simplemente fotografías, transparencias... todo vale para ayudarte a hablar con libertad. Organiza la presentación.

8. ¿Me las das?

A. Thomas está haciendo su mochila para irse un año a estudiar a Bilbao. Su madre no para de hacerle preguntas. Relaciona cada pregunta con la respuesta adecuada.

1. ¿Tienes las llaves?

2. ¿Llevas el pasaporte?

3. ¿Tienes los certificados?

4. ¿Tienes la tarjeta de crédito de tu padre?

a. Sí, están ahí. ¿Me las das?

b. No. Acabo de pedírselos a mi tutor. Me los manda esta tarde.

c. Sí, está a tu lado. ¿Me lo das, por favor?

d. No, no me gusta pedírsela.

B. ¿A qué se refiere el pronombre se en las contestaciones anteriores?

C. Por parejas, decidid a qué compañero de la clase le regalaríais cada una de las cosas que hay en la maleta de Teresa, que aparece en la portadilla de la unidad, y por qué. Luego explicad vuestra decisión al resto de la clase.

>
> · se la regalamos
> · queremos regalársela

- La guía de Argentina se la regalamos a Michael porque quiere viajar a Buenos Aires el próximo verano.

9. El primer día en el Campus

 Escucha la información que reciben estos estudiantes el primer día en la universidad. ¿Puedes localizar en el plano las siguientes instalaciones?

CD1
37

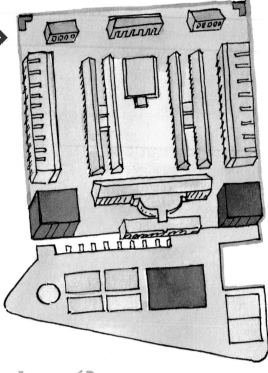

1. las oficinas de información al estudiante

2. la cafetería y el restaurante autoservicio

3. las instalaciones deportivas

4. la biblioteca

5. el servicio de fotocopias

Muchas veces se repite información en una conversación. Si se trata de entender datos, esto puede ser muy práctico: facilita la comprensión y te ayuda a encontrar el lugar que estás buscando.

10. Perdona, ¿sabes dónde está?

 Alberto va a hacer un curso de alemán en la universidad, pero como es su primer día, no sabe adónde debe ir. Escucha la conversación una vez y marca cuáles de estas cosas debe hacer. Luego vuelve a escuchar y marca en qué orden debe hacerlas.

CD1
38

☐☐ bajarse en la tercera parada   ☐☐ tomar la primera calle a la derecha

☐☐ entrar en el primer edificio   ☐☐ subir al primer piso

☐☐ ir al tercer piso   ☐☐ ir andando

☐☐ coger el autobús   ☐☐ coger el metro

☐☐ tomar la primera calle a la izquierda   ☐☐ entrar en el tercer edificio

☐☐ bajarse en la octava parada

Entender instrucciones puede ser difícil, ¡incluso en tu lengua materna! Por eso, para prepararte para la audición, activa el vocabulario que conoces y piensa en las expresiones que se pueden utilizar. Luego, durante la explicación, concéntrate en las palabras clave y en el orden en que van apareciendo.

11. ¿Cómo vuelves a casa?

 Vas a escuchar a Jaime y Montse hablando de cómo llegan a sus casas desde la Universidad Carlos III, en Getafe, a las afueras de Madrid. Toma notas y luego compáralas con las de un compañero.

CD1
39

Jaime

Montse

12. El calendario laboral

A. Mira este calendario y compara los días de fiesta y las vacaciones con los de tu país. ¿Cuáles coinciden y cuáles no?

ENERO						
Lu	Ma	Mi	Ju	Vi	Sa	Do
1	2	3	4	5	**6**	7
8	9	10	11	12	13	14
15	16	17	18	19	20	21
22	23	24	25	26	27	28
29	30	31				

FEBRERO						
Lu	Ma	Mi	Ju	Vi	Sa	Do
			1	2	3	4
5	6	7	8	9	10	11
12	13	14	15	16	17	18
19	20	21	22	23	24	25
26	27	28				

MARZO						
Lu	Ma	Mi	Ju	Vi	Sa	Do
			1	2	3	4
5	6	7	8	9	10	11
12	13	14	15	16	17	18
19	20	21	22	23	24	25
26	27	28	29	30	31	

ABRIL						
Lu	Ma	Mi	Ju	Vi	Sa	Do
						1
2	3	4	5	6	7	8
9	10	11	12	13	14	15
16	17	18	19	20	21	22
23	24	25	26	27	28	29
30						

MAYO						
Lu	Ma	Mi	Ju	Vi	Sa	Do
1	2	3	4	5	6	
7	8	9	10	11	12	13
14	15	16	17	18	19	20
21	22	23	24	25	26	27
29	28	29	30	31		

JUNIO						
Lu	Ma	Mi	Ju	Vi	Sa	Do
					1	2
3	4	5	6	7	8	9
10	11	12	13	14	15	16
17	18	19	20	21	22	23
24	25	26	27	28	29	30

JULIO						
Lu	Ma	Mi	Ju	Vi	Sa	Do
1	2	3	4	5	6	7
8	9	10	11	12	13	14
15	16	17	18	19	20	21
22	23	24	25	26	27	28
29	30	31				

AGOSTO						
Lu	Ma	Mi	Ju	Vi	Sa	Do
		1	2	3	4	
5	6	7	8	9	10	11
12	13	14	15	16	17	18
19	20	21	22	23	24	25
26	27	28	29	30	31	

SEPTIEMBRE						
Lu	Ma	Mi	Ju	Vi	Sa	Do
						1
2	3	4	5	6	7	8
9	10	11	12	13	14	15
16	17	18	19	20	21	22
23	24	25	26	27	28	29
30						

OCTUBRE						
Lu	Ma	Mi	Ju	Vi	Sa	Do
	1	2	3	4	5	6
7	8	9	10	11	**12**	13
14	15	16	17	18	19	20
21	22	23	24	25	26	27
28	29	30	31			

NOVIEMBRE						
Lu	Ma	Mi	Ju	Vi	Sa	Do
				1	2	3
4	5	6	7	8	9	10
11	12	13	14	15	16	17
18	19	20	21	22	23	24
25	26	27	28	29	30	

DICIEMBRE						
Lu	Ma	Mi	Ju	Vi	Sa	Do
						1
2	3	4	5	**6**	7	**8**
9	10	11	12	13	14	15
16	17	18	19	20	21	22
23	24	**25**	26	27	28	29
30	31					

En España hay días festivos nacionales y otros locales o regionales. Muchos de esos días corresponden a celebraciones religiosas, como el 1 de noviembre, que se celebra el día de Todos los Santos, o el 8 de diciembre, que se celebra el día de la Inmaculada Concepción. Por supuesto, la fiesta religiosa más importante es la Navidad, el día 25 de diciembre (uno de los dos días del año en que no se publica ningún periódico. El otro es el 1 de enero). También el 6 de enero es festivo, es el día de Reyes, el más alegre del año para los niños porque reciben los regalos de Navidad.

Pero no todo son festividades religiosas. También las hay laicas, como el 6 de diciembre, que se celebra la firma de la Constitución democrática de 1978, o el día 1 de mayo, Día del Trabajo.

En cuanto al calendario académico, suele comenzar a mediados de septiembre o principios de octubre y terminar en junio. Los meses de julio y agosto son las vacaciones de verano.

B. ¿Sabes por qué se celebra el Día del Trabajo el día 1 de mayo o el de Todos los Santos el 1 de noviembre? Habla con tus compañeros de estos y otros festivos e investigad (en internet, por ejemplo) sobre los días de fiesta cuyo origen no conozcáis.

13. Barcelona con otros ojos

A. ¿Has oído hablar de Barcelona? ¿Qué sabes de esta ciudad española? ¿Conoces a alguien que viva allí? Coméntalo con tus compañeros.

 B. Lee ahora el texto y señala los aspectos positivos y los negativos de la ciudad. ¿Qué información te sorprende o te interesa más?

Los inmigrantes hablan de su vida en Barcelona

Personas que acaban de llegar o viven allí desde hace poco tiempo escriben sobre la capital catalana.

En un libro publicado recientemente, inmigrantes de todo el mundo hablan sobre sus impresiones y experiencias en Barcelona. Cuentan qué les gusta y qué no y explican las diferencias con su ciudad natal. Hay tres grupos principales de inmigrantes: del norte de América del Sur (Ecuador, Perú, Colombia y Venezuela), del Cono Sur (Argentina, Chile y Uruguay) y del norte de África.

Los nuevos habitantes piensan que la ciudad es multicultural y multiétnica, con gente de diferentes continentes, con lenguas diferentes y con un clima de tolerancia. Es una ciudad con un ambiente agradable. 1. tiene una excelente gastronomía, 2. también una enorme oferta cultural.

Algunos, como Sybille, de Alemania, creen que hay muchos días festivos. "¡El 70% de los días son festivos!", exagera. Los caribeños piensan que el ritmo de la ciudad es muy rápido y que la gente no tiene tiempo. "En Cuba vivimos de forma más tranquila, hay más tiempo para disfrutar", afirma Gladys. Esta es también la opinión de los africanos. 3. , Jennifer, estadounidense, piensa lo contrario. Según ella, la gente tiene mucho tiempo, especialmente para comer: "la hora de la comida es muy importante. Si la gente trabaja cerca, va a comer a casa. Si no, van a un restaurante o un bar. A la hora de comer los restaurantes están siempre llenos y se come primer plato, segundo y postre. En los Estados Unidos se come un sándwich rápidamente".

Lo más impresionante para las personas del norte de América del Sur es el transporte público, sobre todo los autobuses. Piensan que son muy buenos, limpios y puntuales. 4. destacan la seguridad, en comparación con las grandes ciudades latinoamericanas.

"Se puede caminar por las calles sin miedo, incluso por las noches", afirma Elena, de Perú.

Para los argentinos, viajar a España significa volver al país de sus abuelos. Ellos también destacan la seguridad y la calidad de los servicios públicos, 5. no les gusta que "la noche se acaba muy pronto", como afirma Carlos.

Otro aspecto positivo es que en Barcelona existen todavía muchas pequeñas tiendas y esto "da muy buen ambiente a los barrios", afirma un holandés. 6. , según Cedric, francés, "las calles están siempre llenas de gente. La gente vive en las calles. También por la noche. En Francia no es así".

Los aspectos negativos son el tráfico y el ruido, especialmente para los europeos. Hay ruido en la calle y en las casas, dicen. 7. critican los precios de los alquileres. En general, Barcelona es una ciudad cara. Un marroquí señala que, 8. la ciudad le gusta mucho, no le gustan la contaminación, la situación de la vivienda o cómo una parte de los catalanes trata a los inmigrantes norteafricanos e hispanoamericanos. 9. , los africanos señalan que las familias son pequeñas y la gente mayor está sola, en residencias para ancianos. "En Senegal, las personas mayores son parte de la familia y no están solas. Cuidan a los niños y dan de comer a los animales. Tienen una función", afirma Cora.

En conclusión, hay más aspectos positivos que negativos, pero, como resume Rosa, de Bolivia, "estamos aquí por razones económicas. 10. tenemos que adaptarnos".

· El ritmo de la ciudad es muy rápido.
· En Barcelona existen todavía muchas pequeñas tiendas.
· La ciudad le gusta mucho.

C. Como ves, en el texto faltan algunos conectores. ¿Puedes escribir cada uno en el lugar que le corresponde?

por eso	aunque	además	también	sino

sin embargo	además	en cambio	por último	no solo

14. Es cosmopolita...

¿Cómo es la ciudad en la que estudias español? Aquí tienes algunos aspectos que te ayudarán a describirla. Escribe un texto breve sobre ella. ¡No olvides utilizar los conectores de la actividad anterior!

- transporte público
- tráfico
- nivel de vida (precio de los alquileres, etc.)
- fiestas
- cursos de lengua para inmigrantes
- gastronomía
- oferta cultural
- ritmo de vida
- contacto entre personas de diferentes culturas

15. Trabajar en el extranjero

A. ¿Cuáles de estos trabajos te parecen más interesantes? Si quieres, puedes completar la lista con otros trabajos. Después, compara tu elección con la de un compañero. ¿Coincidís?

| camarero | cocinero | dependiente | profesor | ingeniero | abogado |

| médico | artista | empresario | programador informático | administrativo |

- Yo creo que el trabajo de médico es el más interesante.
- Pues para mí, es más interesante el de artista.

B. La organización Trabajar Fuera da consejos a los estudiantes que quieren trabajar en el extranjero. Lee este texto y piensa qué opción es más interesante para ti. Coméntalo después con tus compañeros.

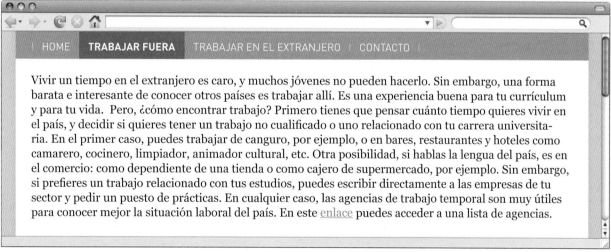

| HOME | **TRABAJAR FUERA** | TRABAJAR EN EL EXTRANJERO | CONTACTO |

Vivir un tiempo en el extranjero es caro, y muchos jóvenes no pueden hacerlo. Sin embargo, una forma barata e interesante de conocer otros países es trabajar allí. Es una experiencia buena para tu currículum y para tu vida. Pero, ¿cómo encontrar trabajo? Primero tienes que pensar cuánto tiempo quieres vivir en el país, y decidir si quieres tener un trabajo no cualificado o uno relacionado con tu carrera universitaria. En el primer caso, puedes trabajar de canguro, por ejemplo, o en bares, restaurantes y hoteles como camarero, cocinero, limpiador, animador cultural, etc. Otra posibilidad, si hablas la lengua del país, es en el comercio: como dependiente de una tienda o como cajero de supermercado, por ejemplo. Sin embargo, si prefieres un trabajo relacionado con tus estudios, puedes escribir directamente a las empresas de tu sector y pedir un puesto de prácticas. En cualquier caso, las agencias de trabajo temporal son muy útiles para conocer mejor la situación laboral del país. En este enlace puedes acceder a una lista de agencias.

¡Equivocarse es de sabios!

- Cuando escribo un texto, lo leo y me aseguro de que las ideas están unidas de forma lógica. Para ello, utilizo conectores. Luego, comparo mi texto con otros que he escrito antes y ya están corregidos e intento no repetir los mismos errores.

  Hay muchísimo tráfico, <u>pero</u> el servicio de autobuses es muy bueno.

  <u>No solo</u> es famosa por su gastronomía, <u>sino</u> también por su arquitectura.

16. Prefijos

A. Estas son algunas palabras compuestas que aparecen en el texto sobre Barcelona. ¿Las entiendes? ¿De qué palabras están formadas? Señálalas y completa al lado con una explicación del significado.

- hispanoamericano _____
- norteafricano _____
- estadounidense _____
- latinoamericana _____

Hay otras palabras que también podemos comprender si entendemos las partes que las componen. Por ejemplo **multicultural**: que se compone del prefijo **multi-** y del adjetivo **cultural**, que viene de **cultura**.

B. Fíjate en estas otras palabras compuestas. Señala las partes que las forman, imagina qué pueden significar y luego completa las siguientes frases con cada una de ellas.

bienvenido	pasatiempo	mapamundi	mediodía	pelirrojo	agridulce

1. ¿No sabes dónde está Laos? Espera, lo miramos en el _____.
2. Tenemos clase hasta el _____. La tarde la tenemos libre.
3. ¡ _____ ! Ya sabes que mi casa es tu casa.
4. Me encanta la comida china, sobre todo el cerdo _____.
5. Mi _____ preferido son las cartas. Me encanta jugar al póker.
6. Mi hermano es _____, tiene la piel blanca y muchas pecas.

17. Acrónimos

Si tienes que aprender varias palabras juntas o expresiones hechas, a veces te puede ser útil formar acrónimos con el comienzo de cada una de ellas.

A. ¿Sabes qué significan los siguientes acrónimos? Escríbelo debajo de cada uno.

ONG _____

ONU _____

UE _____

B. Vais a trabajar por parejas. Decidid quién va a ser A y quién va a ser B. Cada uno debe mirar solo la ficha que le corresponde.

A **1.** Este edificio universitario se llama ARDIDEHUE y en él hay cinco facultades. Se llama así por el nombre de cada facultad. Imagina cuáles son. Puedes hacerle preguntas a tu compañero. Él tiene las respuestas.

AR   DI   DE   HU   E

2. Tu compañero te va a preguntar por tipos de alojamiento. Dile si aparecen en tu ficha.

pensión   albergue   piso   residencia   hostal

OH   RE   PI   AL   PEN

¿Sabes a qué corresponden las siguientes sílabas?

2. Este es el servicio de alojamiento estudiantil de una universidad. Se llama PENALPIREHO por las iniciales del tipo de alojamiento que se puede encontrar en él.

B **1.** El edificio ARDIDEHUE se llama así porque allí están las siguientes facultades: Arquitectura, Diseño, Derecho, Humanidades y Economía. Tu compañero va a preguntarte por las facultades. Tú contesta solo sí o no.

C. ¿Conoces otros acrónimos reales? ¿Y otros que tú utilices para memorizar palabras o expresiones? Compártelos con el resto de la clase.

18. Palabras para un currículum

A. ¿Qué información debe figurar en un CV? Señala la que le parece importante y después coméntalo con un compañero. ¿Coincidís?

| descripción física | dirección de correo electrónico | apellidos | nombre |

| experiencia profesional | idiomas | conocimientos de informática | hobbies |

| número de teléfono | creencias religiosas | descripción del carácter | estado civil |

| nombre del padre y de la madre | formación (educación primaria, secundaria, universitaria...) |

B. Piensa si incluyes los mismos datos cuando escribes un CV para...

- participar como voluntario en una asociación
- pedir una beca
- solicitar un puesto de prácticas en una empresa
- ...

C. Ahora vas a escribir tu currículum actual. Puedes utilizar este modelo como base y escribir los datos adecuados en cada sección.

Datos personales
_____
_____

Formación
_____ _____ _____
_____ _____ _____

Experiencia profesional
_____ _____ _____
_____ _____ _____

Idiomas
_____ _____ _____

Conocimientos de informática
_____ _____ _____

Manejo a nivel de usuario de
_____

Manejo avanzado de
_____

Otros datos de interés
_____
_____

D. Intercambia tu currículum con algún compañero y piensa en los trabajos para los que está cualificado. Coméntaselo. Él hará lo mismo. ¿Te ha dado alguna opción en la que no habías pensado?

1. Verbos de movimiento y las preposiciones **a, de, en**

ir a	□ *¿Vas a la fiesta de Marisa? ¿Puedes llevar este disco?*
llevar a	□ *Dame el disco. Yo lo llevo a la fiesta.*
venir de	□ *¿Vienes de la estación o de tu casa?*
volver de	□ *Cuando vuelvo de Buenos Aires siempre traigo una mochila llena de libros.*
traer de	□ *¿Los traes de allí porque son más baratos?*

Vengo de *Mantua, de Italia* = **Vuelvo de** *un viaje/de unas vacaciones/de una visita a Mantua, Italia.*

Vengo de *Mantua, de Italia, pero vivo en Madrid* ≠ **Soy de** *Mantua, de Italia, pero vivo en Madrid.* (aquí expresamos lugar de origen.)

Los verbos **ir a** y **llevar a** expresan un movimiento que parte del lugar donde está el hablante y se aleja de él. Los verbos **venir de**, **volver de** y **traer de** muestran un movimiento que se dirige hacia el hablante.

subir a / en	□ *Hay que subir al autobús en la esquina.*
bajar de / en	□ *Tienes que bajar del metro en la estación Callao.*
doblar en... a la derecha / a la izquierda	□ *Tienes que doblar en la próxima esquina a la derecha.*
girar a la derecha / a la izquierda	□ *Puedes girar a la izquierda en la próxima avenida.*
cambiar de / en	□ *¿Cambias de metro en Plaza de Mayo?*
caminar por	□ *Hay que caminar por la avenida.*
viajar en / a	□ *Puedes viajar en tren a Zaragoza.*

2. Muy / Mucho

muy + adjetivo	□ *Es un barrio muy interesante.*
verbo + **mucho**	□ *Alberto siempre trabaja mucho.*
mucho + sustantivo	□ *No tengo mucho tiempo libre.*
mucha + sustantivo	□ *Mucha gente estudia español en la universidad.*
muchos + sustantivo	□ *Aquí viven muchos inmigrantes.*
muchas + sustantivo	□ *Muchas personas aprenden español para viajar.*

Muy acompaña a adjetivos y adverbios y es invariable.
Mucho es invariable cuando acompaña a un verbo y va detrás de este o va solo.
Mucho concuerda en género y número con el sustantivo al que acompaña.

3. El Objeto Directo, el Objeto Indirecto y los pronombres correspondientes

Pronombres de Objeto Directo

1.ª pers. singular	me	▢ ¡Hola! ¿No me conoces? Soy María.
2.ª pers. singular	te lo, la	▢ ¡Claro que te conozco! Estás en mi clase de Biología, ¿no?
3.ª pers. singular	lo, la	▢ ¿Y el reloj? No lo veo. ● Lo estoy buscando pero no lo encuentro.
1.ª pers. plural	nos	▢ Roberto nos espera todos los días en la esquina de la plaza y nos lleva a la facultad en coche.
2.ª pers. plural	os los, las	▢ ¿Y por la noche os trae a casa? ▢ También.
3.ª pers. plural	los, las	▢ ¿Dónde están las llaves? ● Las tengo yo.

Cuando el pronombre de Objeto Directo de tercera persona del singular se refiere a una persona de género masculino puede usarse también la forma **le**.

▢ ¿Has llamado a Fernando? → ¿Lo/Le has llamado?

Pronombres de Objeto Indirecto

1.ª pers. singular	me	▢ ¿Me puedes traer un libro de España?
2.ª pers. singular	te le (se)	▢ ¿Necesitas aprender alemán? Te recomiendo a Peer. Es muy buen profesor. ▢ ¿Busca un diccionario bueno? Le recomiendo la librería Las Palabras. ● Muy bien, ¡gracias!
3.ª pers. singular	le (se)	▢ ¿Sabes dónde está Manu? Le tengo que decir a qué hora es la reunión. ● No, no sé dónde está. ▢ Le voy a preguntar a Margarita qué piensa de esto.
1.ª pers. plural	nos	▢ A nosotras nos encanta leer. ¿Por qué no nos recomiendas una buena novela?
2.ª pers. plural	os les (se)	▢ Os puedo prestar esta. Acabo de traerla de Buenos Aires.
3.ª pers. plural	les (se)	▢ Si tus amigas quieren estudiar en España, les puedes presentar a Ramón; tiene mucha experiencia con Erasmus.

Los pronombres de Objeto Directo y de Objeto Indirecto solo se diferencian
en las formas de tercera persona del singular y del plural.

Si el Objeto Indirecto va al principio de la frase, entonces es obligatorio volver a repetirlo
en forma de pronombre (**me**, **te**, **le**, **nos**, **os**, **les**).

- *A mi <u>hermana</u> <u>le</u> voy a regalar un viaje por Andalucía.*

La preposición **a** se usa siempre en el caso de OI y también cuando el OD es una persona.

- *Le he comprado un libro <u>a</u> Teresa.*
- *He visto <u>a</u> Teresa en el cine.*

Cuando hay que usar dos pronombres objeto seguidos y uno de ellos
es **le** o **les**, se sustituye por **se**.

- *¿Tu profesora no conoce esta película? ¿Por qué no <u>se</u> <u>la</u> enseñas? (le la → se la)*
- *¿Ustedes no conocen a Paloma? <u>Se</u> <u>la</u> presento. (les la → se la)*
- *Sra. Gurruchaga, ¿no conoce usted a mis estudiantes? <u>Se</u> <u>los</u> presento enseguida. (le los → se los)*
- *Si Sebastián necesita un diccionario, <u>se</u> <u>lo</u> presto yo. (le lo → se lo)*

Los pronombres se colocan delante del verbo y su orden es **(no) + OI + OD + Verbo**.

Con el Infinitivo, con el Gerundio y con el Imperativo afirmativo, los pronombres van después
del verbo y forman una sola palabra.

- *Deberías pensár<u>telo</u> bien. Es una decisión importante.*

Con perífrasis y con estructuras como **tener que + Infinitivo** o **ir a + Infinitivo**,
los pronombres van delante del verbo conjugado o formando una palabra con el Infinitivo,
pero nunca entre ellos.

- *Voy a comprar<u>le</u> un regalo a Jaime.*
- *<u>Le</u> voy a compar un regalo a Jaime.*
- *Voy a le comprar un regalo a Jaime.*

4. El comparativo de igualdad

tan + adjetivo + como	*Estudiar en España es <u>tan interesante como</u> en América Latina.* *Algunas estructuras gramaticales no son <u>tan difíciles como</u> otras.*
tanta/tanto/tantas/ tantos + sustantivo + como	*En mi clase de chino no hay <u>tanta gente como</u> en mi clase de castellano.* *Lars no tiene <u>tantas clases como</u> Mark.* *En Roma hay <u>tanto tráfico como</u> en Buenos Aires.* *En Alemania no hay <u>tantos festivos religiosos como</u> en España.*

5. Conectores (II): **por eso, aunque, además, no solo... sino, también, sin embargo, en cambio, por último**

conector	uso	ejemplo
no solo... sino...	destacar un elemento dentro de una enumeración	◻ *No solo tengo un examen mañana, sino que además tengo que entregar dos trabajos.*
por último	expresar que la frase o el elemento al que precede es el último de una lista	◻ *Tengo que preparar la maleta con la ropa y los libros que necesito, tengo que revisar la documentación, imprimir los billetes y, por último, ir a despedirme de mis abuelos.*
sin embargo	expresar una contradicción con respecto a lo que se acaba de decir	◻ *Mañana tengo un examen. Sin embargo, voy a la fiesta porque ya sé lo más importante.*
aunque	presentar en la frase subordinada una circunstancia que podría motivar la realización (o no) de lo que se declara en la oración principal	◻ *Aunque mañana tengo un examen, voy a la fiesta porque ya he estudiado suficiente.*
en cambio	expresar una oposición a lo que se ha dicho antes	◻ *Ana ya tiene trabajo. Mark, en cambio, todavía no.*
si	expresar una condición necesaria para que algo se pueda realizar	◻ *Si quieres comprar las entradas, tienes que hacerlo por internet.*
por eso	explica la causa o la consecuencia de lo que se acaba de decir	◻ *Mañana tengo un examen. Por eso no voy a la fiesta.*

5

Se vende piso

En esta unidad voy a aprender a...

Comprensión oral y escrita

- Comprender anuncios de pisos e información sobre la vivienda.
- Asociar una palabra desconocida a otra cuya familia conozco.
- Entender artículos de periódico y cartas al director relacionadas con la vivienda.
- Entender una conversación telefónica, si se trata de un tema conocido y se habla despacio.

Expresión oral y escrita e interacción oral

- Poner anuncios y contestarlos.
- Hacer llamadas telefónicas para pedir información sobre una vivienda.
- Describir una vivienda.
- Pedir a alguien que haga algo y reaccionar ante la petición de alguien.
- Dar instrucciones y reaccionar ante instrucciones que me dan.
- Pedir permiso y concederlo o no.
- Secuenciar acciones.
- Hablar del pasado reciente.

Y voy a trabajar...

Recursos léxicos y gramaticales

- El Imperativo afirmativo: verbos regulares e irregulares.
- Colocación de pronombres con el Imperativo.
- Marcadores de frecuencia: **todos los días**, **a veces**, **algunos días**...
- Marcadores de secuencia: **primero**, **luego**, **después**...
- Duplicación del OD.
- El Pretérito Perfecto: participios regulares e irregulares.
- Contraste entre **qué** y **cuál**.

TESA INMOBILIARIA

PISOS · CASAS · TORRES · SOLARES · LOCALES · NAVES

ALQUILER

VENTA

ALQUILER

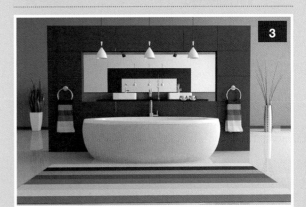

ALQUILER

VENTA

CASTELLANO / ENGLISH

2

QUILER

4

NTA

6

QUILER

8

1. Mi casa ideal

A. **Mira estas casas. ¿Cuál te gusta más? ¿Por qué? Coméntalo con un compañero.**

■ A mí me gusta la número 3 porque es muy moderna.
◻ Yo prefiero la 1. Me encanta la decoración con piedra y madera.

B. **¿Sabes cómo se llaman las habitaciones de una casa? Relaciona los nombres de los recuadros con las fotografías.**

| 1 | cocina |

jardín

comedor

baño

salón/sala de estar

terraza

pasillo

dormitorio

C. **¿Qué otras palabras sabes relacionadas con la casa? Haz una lista y compártela con el resto de la clase.**

- sofá
- ...

2. Se alquila habitación

 A. A la hora de alquilar un piso o una habitación en un piso compartido, para ti ¿qué características debe cumplir? Coméntalo con un compañero.

Tiene que ser...	Tiene que estar...	Tiene que tener...
– barato	– bien comunicado	– ascensor
– luminoso	– amueblado	– jardín o terraza
– muy grande	– cerca de la universidad	– conexión a internet
– ...	– ...	– ...

CD1
40
B. Ahora vas a escuchar a Alejandra. ¿Qué cosas son importantes para ella?

C. ¿Cuál de estos anuncios es el mejor para Alejandra? Discútelo con un compañero.

HABITACIÓN EN ARGÜELLES-MONCLOA. Se alquila habitación a estudiante —preferiblemente chica —tranquila, ordenada, limpia y respetuosa. Para vivir con la dueña de la casa y tres estudiantes más. Piso céntrico de 60 m² y luminoso. Habitación sin amueblar. Conexión a internet en toda la casa. 300 euros. Gastos de electricidad y agua caliente incluidos. Depósito de un mes. Teléfono 679 26 28 74.

HABITACIÓN AMUEBLADA EN RESIDENCIA DE ESTUDIANTES. A cinco minutos de la universidad. Ambiente internacional. Cocina compartida. Habitación luminosa, tranquila y con conexión a internet. 200 € al mes. Depósito de un mes.

ESTUDIO de 30 m². 550 € al mes + agua caliente y luz. Moderno. Da a un patio interior. A cinco minutos de la estación de metro de Ventas. Amueblado. Televisión, DVD y equipo de música.

HABITACIÓN EN CHALET PARA COMPARTIR. Piso de 100 m² con 3 habitaciones. Se alquila habitación de 15 m². 306 € al mes, con depósito de 612 €. El precio incluye los gastos de calefacción. Segundo piso sin ascensor. Edificio antiguo y con encanto, en buen estado. Zona residencial a las afueras de la ciudad. Muy tranquilo. Aire acondicionado, calefacción, cocina equipada, comedor, lavadora, terraza, televisión y conexión a internet.

 D. ¿Y tú? ¿Qué anuncio prefieres? ¿Por qué? Coméntalo con un compañero.

● Yo prefiero la residencia porque es lo más barato y seguro que es divertido.
○ Pues yo... no sé, no me gusta compartir la cocina.

✳ **CONDICIONES**
· contrato
· precio
· fianza
· gastos incluidos
· internet

SITUACIÓN
· zona
· piso

DESCRIPCIÓN
· es... nuevo/ exterior/luminoso/ grande...
· está... amueblado/ en buen estado/ bien comunicado...
· tiene terraza/ balcón...

3. Llamo por el anuncio

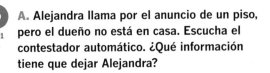
CD1
41
A. Alejandra llama por el anuncio de un piso, pero el dueño no está en casa. Escucha el contestador automático. ¿Qué información tiene que dejar Alejandra?

CD1
42
B. Alejandra habla después con el dueño. ¿Qué preguntas puede hacerle sobre el piso? Escríbelas con un compañero y comprobad con la grabación.

C. Vuelve a escuchar y fíjate en la información que recibe Alejandra sobre el piso. Toma notas y compáralas después con las de un compañero.

D. Ahora prepárate para llamar e informarte sobre el piso que te ha interesado del apartado **A.** Tu compañero va a ser el dueño del piso. Podéis grabar la conversación con vuestro mp3 o móvil y luego escucharos. ¿Qué tal ha salido la conversación? Comentadlo juntos y luego intercambiad los papeles. ¿Habéis mejorado algunos errores en la segunda grabación?

4. Llama a Roberto

A. Candela está preparando una cena en su casa. ¿A quién crees que escribe estos mensajes?

1. Laura, una mujer que ayuda con el trabajo de casa
2. Martín, un amigo que va a la cena
3. Juan, el novio de Candela

A

Oye, nos vemos hoy a las 21h en mi casa. Por favor, sé puntual, que mañana tenemos que levantarnos pronto. ¡Y trae las fotos de Grecia!

B

Como hoy llego tarde a casa, ¿puedes hacerme dos favores? No he tenido tiempo de regar las plantas esta mañana, ¿puedes regarlas tú, por favor? Y llama a Roberto para invitarlo a la cena de esta noche; yo no tengo su número. Por cierto, me preguntas en tu mail si puedes coger mi coche esta tarde. Claro, cógelo, no hay problema. Ah, oye, te reenvío el mensaje de Pilar. Léelo y me llamas luego, ¿de acuerdo?

¡Mil gracias, amor!

C

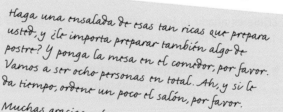

Haga una ensalada de esas tan ricas que prepara usted, y ¿le importa preparar también algo de postre? Y ponga la mesa en el comedor, por favor. Vamos a ser ocho personas en total. Ah, y si le da tiempo, ordene un poco el salón, por favor.

Muchas gracias y hasta mañana.

B. Vuelve a leer los textos y subraya las expresiones con las que Candela pide a otras personas que hagan algo. ¿Cuáles te parecen más directas?

C. ¿Sabes cuál es el infinitivo de estos verbos?

1. llama _____   3. haga _____   5. ordene _____   7. trae _____

2. lee _____   4. ponga _____   6. sé _____   8. coge _____

D. Ahora, pídele tres cosas a tu compañero. Él debe contestarte. Luego intercambiáis los papeles. Puedes fijarte en cómo se piden las cosas en los mensajes del apartado **A.**

· ¿Dígame? / ¿Sí?
· Buenas tardes, quería hablar con…, por favor? ¿está…, por favor?
· Sí, un momento, ¿de parte de quién?
· No, no está, lo siento. ¿Quiere dejarle algún recado?
· No, gracias, ya llamo más tarde.
· Sí, ¿puede decirle que ha llamado …?

· ¿Puedo coger tu coche esta tarde?
· Sí, claro, cógelo.

· ¿Te importa + infinitivo…?
· Por favor, + imperativo
· ¿Podrías + Infinitivo?
· ¿Puedes + Infinitivo?
· Sí, cómo no.
· De acuerdo, ahora mismo.
· Lo siento, no puedo, es que…
· Me gustaría pero…

llama	llame
llamad	llamen
lee	lea
leed	lean
escribe	escriba
escribid	escriban
pon	ponga
poned	pongan
sé	sea
sed	sean
haz	haga
haced	hagan

5. Mi mueble preferido

A. ¿Tienes estos muebles y artículos de hogar en tu casa? ¿En qué habitación tienes cada uno? ¿Y tu compañero? ¿Coincides con él?

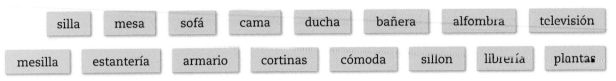

silla mesa sofá cama ducha bañera alfombra televisión

mesilla estantería armario cortinas cómoda sillón librería plantas

 B. ¿Cuál es tu mueble preferido en tu casa? ¿Por qué? Cuéntaselo a un compañero.

C. Fíjate ahora en este plano de una casa después de la mudanza. Como ves, hay un poco de desorden. ¿Qué cosas están fuera de lugar? Haz una lista en tu cuaderno junto con un compañero.

· encima de
· debajo de
· a la derecha de
· a la izquierda de
· delante de
· detrás de
· enfrente de
· junto a

Hay una silla encima de la cama, en el dormitorio.

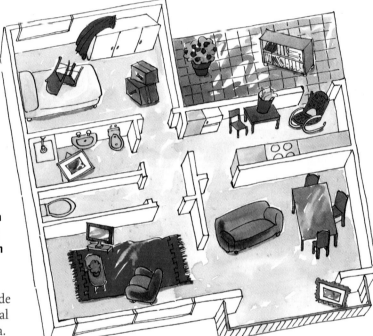

D. Ahora, da instrucciones a tu compañero para ordenar la casa. Él va a dibujar la nueva disposición de los muebles en el mapa.

· llevar
· coger
· poner
· mover
· colocar
· quitar

● La silla que está encima de la cama, cógela y llévala al comedor, junto a la mesa.

 E. ¿Quieres añadir tu toque personal a la decoración? Piensa en tres cosas que puedes poner en la casa para decorarla y coméntalas con un compañero.

● En el salón puede quedar bien una alfombra de colores.
□ Sí, y en el comedor, muchas plantas.

 F. ¿Cómo es tu casa? Descríbesela a tu compañero, que la va a dibujar. Luego cambiáis. ¿Coincidís en algunas cosas? ¿Creéis que hay rasgos típicos de las viviendas de estudiantes?

6. Busco habitación

 A. Escribe un anuncio para buscar piso, pon tu nombre y cuélgalo en la clase.

 B. Coge el anuncio de algún compañero y ofrécele un piso. Él decidirá si le interesa alquilarlo.

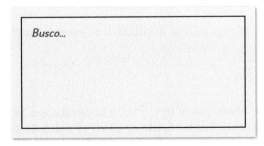
Busco...

7. El primer día de universidad

 Así es el primer día de clase de Andrés. ¿Es parecido en tu universidad?

Andrés estudia Economía y esta es su primera semana en la facultad. Normalmente, le gusta levantarse con tiempo, ducharse y arreglarse tranquilamente, pero hoy el despertador no ha sonado y no quiere llegar tarde, así que se lava la cara y los dientes, se viste rápidamente y baja al bar de la esquina, donde pide un café con leche que se bebe en un minuto, mientras ve las noticias de la mañana. Después coge su Vespa y se va a la universidad. El campus está muy animado, lleno de estudiantes, y Andrés disfruta viendo tantas caras nuevas. Antes de entrar en clase se fija en los carteles de la entrada, donde los estudiantes protestan por la subida de las tasas universitarias y la dificultad de encontrar una vivienda barata. Parece una facultad muy activa.

Cuando llega a clase, está ya casi llena y hay muy pocos sitios libres. Los últimos estudiantes se quedan de pie. Unos minutos más tarde llega la profesora, que parece bastante seria. Les presenta primero el programa de la asignatura, luego les explica cuándo y cómo son los exámenes y les dice que existe la posibilidad de presentar un trabajo escrito o hacer una presen-

tación en clase, y por último les recomienda una bibliografía específica. Cuando termina, les dice que su clase comienza la semana siguiente y se despide.

Como tiene un rato libre, Andrés baja a la cafetería a desayunar. Allí se encuentra con unas antiguas amigas del instituto que estudian otras carreras. Parece que los estudiantes se sienten un poco desorientados, falta información y los horarios no están claros aún. En otras mesas se ven estudiantes de otros cursos: escuchan música, juegan a las cartas, conversan... parecen relajados. Está claro que estudiar en la universidad no es tan serio como a veces se cree.

Después de desayunar, Andrés va a la siguiente clase, pero se repite lo mismo que en la clase anterior, así que a las 13 h Andrés ha terminado y se puede ir a casa hasta mañana...

8. Mis cosas

 A. ¿En qué orden haces tú estas cosas? ¿Las haces por la mañana o por la noche? ¿Cuántas veces al día? Cuéntaselo al resto de la clase.

ducharse	arreglarse	acostarse	lavarse los dientes
vestirse	levantarse	afeitarse	peinarse

 B. ¿Cómo es un día en la facultad para ti? Coméntalo con un compañero. Podéis utilizar estas preguntas como guía. ¿Habéis descubierto algo curioso sobre vuestro compañero?

- ¿A qué hora te levantas?
- ¿Qué haces antes de ir a clase?
- ¿Cómo vas a la universidad?
- ¿Cuál es tu asignatura favorita?
- ¿A qué hora sales de la facultad?
- ¿Haces alguna actividad por las tardes?
- ¿Qué haces los fines de semana?

C. Escribe ahora un texto como el de la actividad 7 sobre tu primer día de curso.

· primero
· después
· por último
· cuando + Presente de Indicativo
· antes de + sustantivo/infinitivo
· después de + sustantivo/Infinitivo
· hasta
· mientras + verbo
· durante + sustantivo

· todos los días
· normalmente
· a veces
· algunos días
· una vez a la semana
· dos veces al mes

9. La llamada

CD1
43-44

A. Andrés busca piso y hace dos llamadas para informarse sobre los anuncios que ha leído. Completa la tarjeta para cada piso con la información que escuchas en la grabación.

PISO 1
TAMAÑO:
NÚMERO DE HABITACIONES:
AMUEBLADO:
CALEFACCIÓN:
AIRE ACONDICIONADO:
COMUNICACIONES:
PRECIO DEL ALQUILER:
DIRECCIÓN:

PISO 2
TAMAÑO:
NÚMERO DE HABITACIONES:
AMUEBLADO:
CALEFACCIÓN:
AIRE ACONDICIONADO:
COMUNICACIONES:
PRECIO DEL ALQUILER:
DIRECCIÓN:

CD1
45

B. Ahora escucha a Andrés hablando con un amigo. ¿Por qué piso se decide? ¿Por qué?

10. Recados

CD1
46

A. Mariana deja un mensaje en el contestador a su hijo Manuel con algunos recados. ¿Qué tiene que hacer Manuel? Anótalo.

CD1
47

B. ¿Cuáles de los recados ha hecho Manuel cuando llega su madre a casa? Escucha la conversación y consulta tus notas.

11. Personas diferentes, casas diferentes

 A. Las palabras no siempre tienen el mismo valor en todas las culturas. En un minuto, escribe todo lo que tú relacionas con la palabra **casa**. Puede ser también en tu lengua. Luego, compara tus notas con las de otros compañeros. ¿Hay cosas curiosas?

 B. ¿Cuáles de estas afirmaciones se pueden aplicar en tu país? Coméntalo con un compañero.

1. En el portal de los edificios se puede leer el nombre de las personas que viven en cada piso.
2. La gente prefiere alquilar una casa a comprarla.
3. Hay muchos barrios cerrados.
4. Hay muchas urbanizaciones con chalets adosados.
5. Los estudiantes comparten pisos.
6. La gente con una buena posición económica tiene una casa en el campo o en la playa.

- En mi país no hay barrios cerrados. La gente vive normalmente en edificios de pisos.
- En mi país sí hay barrios y urbanizaciones cerrados y vigilados.

C. Vas a leer un texto sobre la vivienda en algunos países del mundo hispanohablante. Busca la información relacionada con las afirmaciones del apartado **B** y amplíala. ¿Coincide con la situación de tu país?

En las ciudades españolas, la mayoría de las personas viven en un piso, es decir, un apartamento de más de una habitación que está en un edificio de varias plantas. Puede tener uno o varios dormitorios, un salón comedor, una cocina y un baño. Además, puede tener un estudio o despacho de trabajo. Por lo general, los bloques de viviendas se organizan en pisos (primero, segundo, tercero…) y puertas (A, B, C…). Solo algunas personas ponen una placa con su nombre en la puerta de su casa o en su buzón de correo, pero nunca se puede leer el nombre fuera del edificio. En Argentina, mucha gente vive en "departamentos" y, al contrario que en España, son cada vez más frecuentes los barrios cerrados por los problemas de inseguridad.

Son típicas las "casas chorizo", que son casas antiguas (de unos 100 años) con un pasillo muy largo al que dan todos los departamentos.

En muchas ciudades españolas hay urbanizaciones con chalets adosados, es decir, casas en fila, normalmente todas iguales. Suelen tener dos pisos y un pequeño jardín individual. Normalmente tienen un área común con piscina y una zona para practicar deporte. Entre la clase media-alta es común tener una casa en la playa o en la montaña para pasar los fines de semana y las vacaciones. En América Latina, estas casas se llaman fincas, haciendas o estancias.

En España, muchos jóvenes viven en casa de sus padres hasta que tienen una pareja estable y una posición económica segura. Entonces, compran su propia casa. La mayor parte de los españoles prefiere comprar una vivienda a alquilarla, pero tienen que pagar la hipoteca casi toda su vida. Los estudiantes, sin embargo, viven en pisos compartidos o en residencias. En Argentina, por el contrario, mucha gente prefiere alquilar una casa porque es más barato que comprarla. En los últimos años, Buenos Aires se ha

convertido en la ciudad preferida de estudiantes de toda Europa y América Latina. Ellos, igual que en España, comparten casas o viven en familias.

El crecimiento demográfico y los movimientos migratorios han causado grandes cambios en las ciudades de América Latina. Por lo general, todavía existen los barrios de casas bajas, donde los vecinos se conocen, con mercados y pequeños negocios de comestibles. Y siempre hay un bar cerca, en la esquina, y por supuesto, una plaza. Sin embargo, millones de personas no pueden permitirse una vivienda. Las villas miseria son la otra cara de este mundo: sin trabajo y sin educación, estas personas tienen que vivir en condiciones de pobreza de las que es difícil salir.

D. Busca en el texto todas las palabras relacionadas con la vivienda y clasifícalas de forma que te ayude a aprenderlas.

E. ¿Qué otros tipos de vivienda hay en el mundo? ¿Qué sabes de ellas?

12. Hoy ha sido un buen día

 A. Andrés escribe un email a su padre hablándole de su primer día de clase, pero cambia algunos datos. Subraya la información que no coincide con la del texto de la actividad **7**.

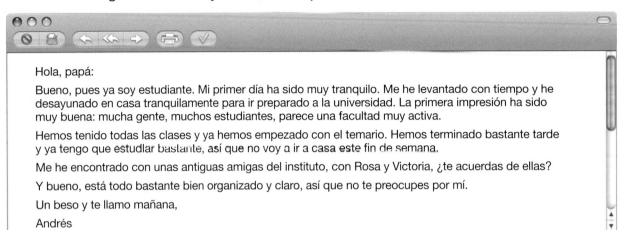

Hola, papá:

Bueno, pues ya soy estudiante. Mi primer día ha sido muy tranquilo. Me he levantado con tiempo y he desayunado en casa tranquilamente para ir preparado a la universidad. La primera impresión ha sido muy buena: mucha gente, muchos estudiantes, parece una facultad muy activa.

Hemos tenido todas las clases y ya hemos empezado con el temario. Hemos terminado bastante tarde y ya tengo que estudiar bastante, así que no voy a ir a casa este fin de semana.

Me he encontrado con unas antiguas amigas del instituto, con Rosa y Victoria, ¿te acuerdas de ellas?

Y bueno, está todo bastante bien organizado y claro, así que no te preocupes por mí.

Un beso y te llamo mañana,

Andrés

B. Señala en el texto las frases que se refieren a hechos del pasado. ¿Qué tiempo verbal se usa? ¿Entiendes cómo se forma? Coméntalo con tus compañeros.

C. Ahora corrige la información del texto que no coincide con la realidad.

 D. Esta noche, en casa, escribe un texto sobre el día de hoy. Incluye no solo los datos objetivos sino también tus impresiones y todo lo que te parezca interesante. El próximo día, coméntalo con algún compañero.

13. Cartas al director

 A. Lee esta carta al director que ha escrito una chica joven que quiere comprar un piso. ¿Cómo se siente? ¿Entiendes su postura?

¡Menuda decepción con los pisos!

Soy una persona joven, soltera y en edad de emanciparse, pero a día de hoy parece imposible. Vas a las inmobiliarias y todo son facilidades, pero cuando dices que te lo quieres comprar tú sola... prácticamente se ríen y te ven como una loca.

Con el perfil de joven, soltero/a y con unos padres con los que puedas vivir, no merecemos poder comprarnos un piso. Y lo último ya fue lo de ayer. Después de esperar la cola correspondiente para entregar la solicitud de compra-alquiler de pisos en la EMV, me dicen que no puedo optar a venta porque mis ingresos no llegan a 11 800 €. Y la verdad, me hago bastantes preguntas. ¿Los solteros jóvenes no tenemos derecho a poder comprarnos un piso? ¿Dónde están las ayudas que prometen para los jóvenes? (...)

20minutos.es

B. ¿Cuáles son las principales quejas de esta joven? ¿Estás de acuerdo con lo que dice?

 C. ¿Sucede esto en tu país? ¿Es fácil o difícil comprar un piso? ¿Y conseguir ayudas? Coméntalo con el resto de la clase.

14. Los jóvenes y la vivienda

A. En tu país, ¿es tan caro vivir en la capital como en otra ciudad? ¿Cuáles son las zonas más caras? ¿Y las más baratas? ¿Por qué? Háblalo con tus compañeros.

- En Francia, la ciudad más cara es París. Es imposible comprar un piso en el centro.
- ¿Y cuál es la ciudad más barata?

· ¿Qué ciudad es la más barata?
· De todas las ciudades, ¿cuál es la más barata?

 B. Vas a leer un texto acerca del precio de la vivienda en España según las diferentes comunidades autónomas. Fíjate en los datos que contiene y completa el gráfico.

Los jóvenes españoles tienen que dedicar el 62,4% de su sueldo a la compra de una vivienda

Según el presidente del Consejo de la Juventud de España, Mario Esteban, la vivienda todavía es un problema para los jóvenes porque los precios no les permiten tener su propio piso. De media, los menores de 35 años tienen que dedicar el 62,4% de su sueldo para comprar una vivienda. Los bancos, sin embargo, no permiten un endeudamiento superior al 30% de los ingresos mensuales. Por ello "los jóvenes no pueden abandonar el domicilio familiar" o tienen que pedir un crédito que tienen que pagar durante toda su vida.

Madrid, la comunidad más cara

Según los datos de un estudio publicado por el Consejo de la Juventud, Madrid es la comunidad autónoma donde la vivienda es más cara. Los jóvenes tienen que invertir el 76,6% de su sueldo para comprar una vivienda. En segundo lugar está el País Vasco, con un 75,2%. Lo siguen las Islas Baleares, con un 72,7%, y Cataluña y Canarias,

donde los jóvenes tienen que invertir un 65,5% de lo que ganan. En el otro extremo está Extremadura, la comunidad más barata, con un 36,2%. La sigue Galicia (47,6%), Castilla y León (47,7%) y Castilla-La Mancha (49%).

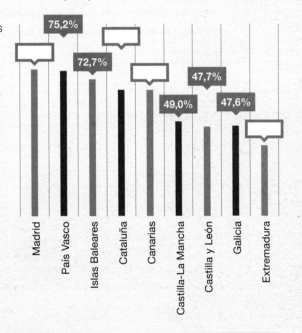

¡Equivocarse es de sabios!

- Cuando escribo un texto uso sinónimos, deícticos o pronombres para no repetir las mismas palabras.

A las seis de la tarde llego a casa.
A las seis de la tarde > A esa hora llegan también Laura y Juan.
Busco un piso y quiero un piso céntrico > lo quiero céntrico.

 Intento mejorar mi expresión escrita y recurro a todos los medios que tengo a mi alcance para escribir textos más ricos.

15. Familias de palabras

A. Una familia de palabras es un grupo de palabras con la misma raíz y significados relacionados. Fíjate en las siguientes familias. ¿Con qué lugares de la casa las relacionas?

> 1. habitar, habitable, hábitat, hábito

> 2. cocer, cocinar, cocinero, cocinilla, cocido

> 3. pasar, pasaje, paso, paseo, pasajero, paseante, pasado

> 4. bañar, bañarse, bañera, bañador

> 5. comer, comida, comedero, comensal

Si conoces una palabra de una familia, puedes deducir el significado de otras de la misma familia. Los sufijos te ayudan también a saber si se trata de un verbo, un sustantivo, un adverbio, etc. Esto también te puede ayudar a comprender su significado.

B. Por grupos, escoged una de las familias. ¿Qué palabras conocéis? Buscad las nuevas en el diccionario y compartid el resultado con el resto de la clase.

C. De las palabras anteriores, escoge cinco nuevas que quieres aprender y escribe una frase en tu cuaderno con cada una que te ayude a recordar su significado.

	cocinar: Me encanta cocinar los domingos por la tarde.

16. Inventario

A. Haz una lista de todas las cosas que tienes en la habitación donde trabajas o estudias. ¿Sabes dónde tienes cada una? Escríbelo.

	Tengo muchos libros. Los tengo en la estantería, al lado de la cama.
	...

B. Piensa en tres cosas que has escrito y dile a tu compañero dónde las tienes, pero no le digas qué cosas son porque él tiene que adivinarlo. Después él va a hacer lo mismo.

- ● Están al lado de la cama, en la estantería...
- ○ Mmm... ¿Son libros?
- ● ¡Sí, muy bien!

17. Cuando voy a estudiar...

Cuando te pones a estudiar, ¿qué haces y en qué orden? Díselo a un compañero.

- encender el ordenador
- preparar un café
- abrir la ventana
- buscar el diccionario
- ponerme ropa cómoda
- buscar lápiz y papel
- apagar el móvil

● Yo, antes de sentarme, ordeno los libros y preparo un café. Después...

Para memorizar los nombres de cosas que utilizas normalmente, puedes relacionarlos con el momento, el lugar y la actividad para la que los usas.
Si además escribes una frase en la que aparezcan, los recordarás mucho mejor.

18. ¿Con qué frecuencia?

A. **¿Con qué frecuencia haces estas cosas? Ordénalas en la tabla y compara después tus hábitos con los de tu compañero.**

- llamar por teléfono a casa
- ir a la facultad
- fumar
- subir y bajar escaleras
- tomarse una cerveza
- desayunar tranquilamente
- estudiar en la biblioteca
- levantarse tarde
- hacer deporte
- salir de fiesta
- ir al supermercado
- visitar a la familia
- ir a la cafetería de la universidad
- comer mucho
- coger el autobús
- lavarse los dientes
- cenar con amigos
- ducharse con agua caliente
- lavarse el pelo
- quedar con amigos

· **Nunca** estudio en la biblioteca.
· **No** estudio en la biblioteca **nunca**.

nunca	a veces (x días a la semana/al mes)	todos los días

B. **Fíjate en las actividades que haces todos los días y ordénalas por orden cronológico. Añade otras tres actividades que no aparecen en la lista.**

C. **Fíjate en el ejemplo y añade información sobre cómo y dónde haces las cosas que has descrito en el apartado B. Luego escribe un texto utilizando los conectores primero, antes de, después, etc.**

Me levanto y tomo un café → Me levanto de mal humor y tomo un café en la cocina.

Recuerda que hay muchos diccionarios que puedes consultar en línea. Simplemente escribe en el navegador: **diccionario español** y seguro que aparecen muchos.

1. El Imperativo afirmativo (I): verbos regulares

	comparar	leer	escribir
tú	compara	lee	escribe
usted	compare	lea	escriba
vosotros	comparad	leed	escribid
ustedes	comparen	lean	escriban

El Imperativo en español se usa para pedir que alguien haga algo, para dar consejos o instrucciones y para dar órdenes.

Para la segunda persona del singular (**tú**) se forma quitando la **–s** a la forma correspondiente del Presente. Para la forma **vosotros** se sustituye la **–r** del Infinitivo por **-d**. Y para las formas **usted** y **ustedes**, se sustituye la última vocal de la forma del Presente.

Los pronombres van detrás del verbo en Imperativo y forman con él una sola palabra.

○ *Llámame esta tarde.*

2. El Imperativo afirmativo (II): verbos irregulares

Verbos irregulares en la primera persona

poner	hacer	decir	tener	ser	venir	ir	salir
pon	haz	di	ten	sé	ven	ve	sal

Verbos con formas especiales

	ir	ser
tú	ve	sé
usted	vaya	sea
vosotros	id	sed
ustedes	vayan	sean

Los verbos que tienen la primera persona del Presente irregular, tienen esa raíz irregular en Imperativo para las formas de **usted** y **ustedes**.

3. Marcadores de secuencia

primero	luego	después	por último

○ *He ido __primero__ a la facultad porque tenía clase hasta las 12 h y __luego__ he pasado por casa de Carlos a por los apuntes de Historia Contemporánea. __Después__...*

4. Locuciones adverbiales de lugar

encima de	debajo de	a la izquierda / derecha de	junto a

○ *¿Me ayudas a recoger? Coge la silla que está __encima de__ la cama y llévala al comedor.*

5. Marcadores para situar una acción en el tiempo

cuando + Presente de Indicativo	❏ Normalmente estudio <u>cuando vuelvo</u> de la facultad.
antes de + sustantivo / Infinitivo	❏ Tengo que devolver los libros <u>antes del jueves</u>. ❏ No me gusta hacer deporte <u>antes de cenar</u>.
después de + sustantivo / Infinitivo	❏ Siempre leo un poco <u>después de la cena</u>. ❏ Siempre leo un poco <u>antes de acostarme</u>.

6. El Participio: verbos regulares e irregulares

trabajar	comer	salir
trabaj**ado**	com**ido**	sal**ido**

Se forma añadiendo **-ado** a la raíz de los verbos en **-ar** e **-ido** a los acabados en **-er** o **-ir**.
Algunos verbos tienen un Participio irregular.

escribir → **escrito**	romper → **roto**	volver → **vuelto**
hacer → **hecho**	decir → **dicho**	ver → **visto**
poner → **puesto**	abrir → **abierto**	morir → **muerto**

7. El Pretérito Perfecto con participios regulares e irregulares

haber		Participio
he **has** **ha** **hemos** **habéis** **han**	+	**escrito** **comido** **cantado**

Se forma con el Presente del auxiliar **haber** y el Participio del verbo que conjugamos.

El Participio en el Pretérito Perfecto es una forma invariable.

❏ Mis padres han ido de vacaciones a Ibiza. > ~~Mis padres han idos de vacaciones a Ibiza.~~

Usamos el Pretérito Perfecto para referirnos a acciones o hechos ocurridos en un momento indefinido del pasado. No se dice cuándo sucede la acción porque no interesa o porque no se sabe. Suele ir acompañado de marcadores: **ya**, **todavía no**, **siempre**, **nunca**, **muchas veces**...

❏ <u>Ya</u> he leído el periódico.

El Pretérito Perfecto también se usa para referirnos a acciones pasadas sucedidas en un periodo de tiempo que incluye el momento presente o está muy cerca de él. Suele ir acompañado de marcadores como **hoy**, **esta mañana**, **esta semana**, **este año**...

❏ <u>Hoy</u> me he levantado tardísimo y he perdido el autobús.

Entre el auxiliar y el Participio no se coloca nada. Los pronombres van delante del auxiliar.

La he llamado esta mañana > ~~He la llamado~~.

El uso del Perfecto en español es limitado desde un punto de vista geográfico. Hay zonas donde apenas se usa: en ciertas zonas del norte de España, en Canarias y en muchas zonas de Latinoamérica. En estos casos se usa el Pretérito Indefinido.

¿Llamaste a Javier esta mañana?

6

Cuando estuve en Buenos Aires...

En esta unidad voy a aprender a...

Comprensión oral y escrita

- Comprender el relato de experiencias.
- Comprender un diario de viaje.
- Comprender campañas de prevención.
- Comprender un texto sobre costumbres de un país.

Expresión oral y escrita e interacción oral

- Escribir sobre experiencias.
- Expresar opiniones y valoraciones sobre las costumbres de otros países.
- Expresar habilidad.
- Expresar que se sabe algo (**es verdad que, es obvio que, es cierto que, todo el mundo sabe...**).
- Escribir un diario de viaje.

Y voy a trabajar...

Recursos léxicos y gramaticales

- Algunos usos de **ser** y **estar**.
- Los pronombres indefinidos.
- El Imperativo negativo.
- El Pretérito Indefinido: verbos regulares e irregulares.
- Marcadores de Pretérito Indefinido: **todos los días, a veces, algunos días**...
- El **se** impersonal.
- **Conocer** + lugar / **a** + una persona.
- Formación de palabras con sufijos: **-dad, -ión**... y el género según la terminación.

1. ¿En qué países has estado?

A. ¿Has estado alguna vez en un país extranjero? ¿Dónde? Márcalo en el mapa.

 B. ¿Cómo es la vida allí? Coméntalo con tus compañeros.

- Yo he estado en Cuba, y allí la vida es más tranquila que aquí.
- ○ Yo no he estado nunca en Cuba, pero he viajado algunas veces a Latinoamérica y...

C. Después de escuchar a tus compañeros, ¿te parece que hay costumbres que se repiten en varios países? ¿Cuáles?

Muchas veces, hablar con otras personas de un país o cultura ayuda a ver esa cultura desde diferentes puntos de vista y no quedarse solo en los prejuicios más extendidos.

 D. ¿En qué país te gustaría hacer las siguientes cosas? Rellena la tabla.

	¿Dónde?	¿Por qué?
pasar una semana de vacaciones		
trabajar un verano		
vivir un año		

 E. Busca en la clase alguien que quiere ir a los mismos países que tú y pregúntale sus razones. ¿Coincidís?

2. Experiencias

 A. Lee las experiencias de estos estudiantes españoles. ¿Te identificas con alguno?

 Elena. A mí me resultó bastante difícil mi último año de carrera. Estuve en Helsinki y me costó mucho estudiar en otra lengua. Además no conseguí adaptarme al clima. De todas formas, no me arrepiento de nada. Fue una experiencia inolvidable, aunque a veces dura; es difícil estar un año entero sin tus amigos y tu familia.

 Vicente. Yo acabo de volver de Irlanda. He estado nueve meses en Cork. Ha sido divertidísimo: he conocido a muchos irlandeses y a otros estudiantes Erasmus. Lo que más me ha gustado ha sido la universidad: es completamente diferente a la universidad en España. Me ha encantado conocer otro sistema de estudios. Quiero volver el año que viene.

 Juan Carlos. Yo estuve el año pasado en Salzburgo. Lo pasé fenomenal, sobre todo porque conocí a mucha gente nueva e hice amigos de todo el mundo. Este año quiero viajar para visitarlos. Algún día me gustaría volver a Salzburgo, pero esta vez a trabajar.

 El Pretérito Perfecto es un tiempo verbal que se utiliza sobre todo en España, aunque poco en algunas regiones del noroeste. En el resto del mundo hispanohablante, se suele usar el Indefinido en su lugar. Fíjate:

· Este fin de semana <u>he ido</u> al cine. > España

· Este fin de semana <u>fui</u> al cine. > Latinoamérica y algunas regiones de España

B. Fíjate en los tiempos verbales que se utilizan. Rellena la tabla con las formas de los verbos y añade el Infinitivo.

Presente	Pretérito Indefinido	Pretérito Perfecto
tienen – tener	*viví – vivir*	*he estado – estar*

C. Fíjate en estas frases. ¿Entiendes cuándo se utiliza cada tiempo verbal? Coméntalo con un compañero.

- Yo **estuve** el *año pasado* en Salzburgo.
- **He estado** *este semestre* en Cork.

D. Piensa en tu último viaje y termina estas frases según tu experiencia.

- Durante aquel viaje, visité/conocí/vi…
- Fue una experiencia…
- Comí…
- Me pareció maravilloso/impresionante/duro…
- Eché de menos…

· ¿Conoces Roma?
· ¿Conoces **a** Santi?

3. Un día en mi viaje

A. Lee este fragmento del diario de viaje de Vicente en el que narra su primer día en la universidad. ¿Crees que le está gustando el viaje? ¿Por qué?

B. Piensa en alguno de tus viajes y escribe una página del diario de viaje. Puedes incluir la siguiente información.

- qué cosas has hecho / hiciste
- qué lugares has visitado / visitaste
- con quién has estado / estuviste
- cómo valoras ese día

 Para escribir el texto, elabora primero el borrador. Luego léelo y piensa en formas de ampliar la información y dar riqueza al texto. Por ejemplo:

Hemos hecho una excursión a… > *Hemos hecho una excursión <u>de seis horas</u> a…*

Domingo 7 de octubre

Ayer estuve en una fiesta de bienvenida. ¡Tengo la sensación de que voy de fiesta en fiesta continuamente! Me lo pasé genial. Conocí a un grupo de irlandeses y alemanes bastante locos y muy divertidos y estuvimos toda la noche charlando. Hoy los he visto en la universidad y hemos ido a tomar un café después de clase. Mañana quiero hacer una excursión por los alrededores, me han dicho que hay un parque natural precioso y me gustaría conocerlo.

4. Campañas de prevención

A. Estos son los carteles de tres campañas de prevención. ¿Sabes qué tema trata cada una? Discútelo con tus compañeros.

- Yo creo que el primer eslogan se refiere a…
- □ Bueno, también puede ser de…

B. Ahora lee los folletos de dos de las campañas. Como ves, faltan los verbos en Imperativo. Escribe los anuncios introduciendo los verbos donde corresponda.

1. no bebas

2. tómala

3. deja

4. no te olvides

5. lleva

6. ponlo

7. toma

8. protege

9. convence

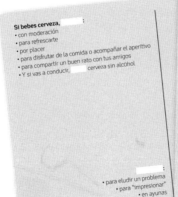

Si bebes cerveza, _____ :
- con moderación
- para refrescarte
- por placer
- para disfrutar de la comida o acompañar el aperitivo
- para compartir un buen rato con tus amigos
- Y si vas a conducir, _____ cerveza sin alcohol

- para eludir un problema
- para "impresionar"
- en ayunas
- si estás tomando fármacos o sedantes
- mezclando diferentes bebidas alcohólicas

Por un uso responsable del preservativo

Con miedos no se disfruta
Para pasarlo bien no podemos tener en la cabeza el temor al embarazo o al contagio de una infección.

_____ siempre un preservativo contigo
Es importante tenerlo a mano porque no sabes en qué momento lo vas a necesitar.

No te cortes y _____ con gracia
El preservativo forma parte del juego erótico. ¡Ah! Y _____ de comprobar que no esté caducado ni deteriorado.

Ahora, tres por un euro. Es una iniciativa de Salud Pública del Gobierno de Aragón en colaboración con los Colegios Oficiales de Farmacéuticos de Aragón.

_____ tu presente, conservarás tu futuro
es el eslogan de esta campaña,
pero seguro que tú también tienes el tuyo.

¡ _____ a un amigo o amiga
a usar preservativo!

_____ tu propio eslogan en la web
www.protegetupresente.com

Hay importantes premios para los ganadores y sorteos entre todos los participantes.

GOBIERNO DE ARAGON
Departamento de Salud y Consumo

C. En grupos de cuatro, elegid la campaña que más os interese y contestad a las siguientes preguntas. Después, exponed vuestras conclusiones al resto de la clase.

- ¿Cómo es la situación entre los jóvenes de vuestros países con respecto a este tema?
- ¿Qué problemas existen relacionados con ese tema?
- ¿Ha habido cambios en los últimos años?
- ¿Qué creéis que se puede hacer para prevenir?

Infinitivos en -ar
toma>no tomes
tome>no tome
tomad>no toméis
toman>no tomen

Infinitivos en -er, -ir
bebe>no bebas
beba>no beba
bebed>no bebáis
beban>no beban

- En mi país **se consume** poca droga.
- En mi país **se hacen** muchas campañas de sensibilización.
- **Se puede** poner más transporte público por la noche.
- **Se pueden** regalar preservativos.

5. La gente joven y sus valores

A. ¿Estás en contra o a favor de las siguientes cosas? Háblalo con un compañero.

- de vivir con tu pareja sin casarte
- de ser padre soltero o madre soltera
- de la educación religiosa en las escuelas
- de la educación sexual de los jóvenes
- del consumo moderado de drogas
- de la prohibición de fumar en todos los lugares públicos

> · Estoy a favor de…
>   porque…
> · Estoy en contra de…
>   porque…

- Yo estoy a favor del consumo moderado de drogas como el alcohol o el tabaco.
- Pues yo estoy en contra porque me parecen peligrosas.

B. Fíjate en esta estadística acerca de la posición de los jóvenes españoles frente a algunos temas sociales. ¿Qué porcentajes crees que hay en tu país? Coméntalo con un compañero.

Casi el 80% de la juventud española define su posición política como de centro (36%) o de izquierda (40%). Estas son las cifras de una encuesta en la que han participado 3 000 estudiantes universitarios de los últimos cursos en toda España.

A FAVOR...	EN CONTRA...	TIENEN CONFIANZA EN...
de vivir con una persona sin estar casado con ella 88%	de la legalización de la marihuana 43%	la Iglesia Católica 29%
del matrimonio homo-sexual 79%	del aborto 30%	los políticos 34%
de la adopción por parte de parejas homosexuales 68%	de que se pueda ser padre sin tener una pareja estable 22%	los ecologistas 61%
de la llegada de inmigran-tes a España 53%		las ONG (organizaciones no gubernamentales) 70%

> Si hay un aspecto que me resulta difícil y en el que hago muchos errores, le pido a mi profesor que me dé más ejercicios para practicarlo. Además, intento detectar de dónde vienen mis errores para poder corregirlos después.

¡Equivocarse es de sabios!

- Cuando uso los verbos **ser** y **estar**, me aseguro de que lo hago correctamente: con **ser** expreso características y con **estar**, estados.

> *Hoy hemos hecho una excursión fascinante a unas ruinas romanas.*
> *Este país es maravilloso y ¡tiene tanta cultura!*
> *Estoy muy cansada, pero muy contenta.*

6. El Sirvinacuy

A. ¿Cómo debe ser tu pareja ideal? Háblalo con un compañero y completa la lista con otras cualidades importantes para ti.

- Para mí, un hombre tiene que ser atractivo, pero no me importa su edad.
- Pues para mí, una mujer tiene que ser sobre todo divertida e inteligente.

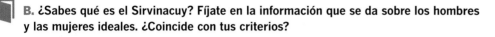

- saber hablar ruso/tocar la guitarra/bailar tango/cocinar...
- ser buena persona/ trabajador/honrado/ guapo/inteligente/ divertido/despistado...
- tener buen aspecto/ veinte años/muchas cualidades/una vida interesante/buena figura...

B. ¿Sabes qué es el Sirvinacuy? Fíjate en la información que se da sobre los hombres y las mujeres ideales. ¿Coincide con tus criterios?

El Sirvinacuy o matrimonio a prueba es una antigua costumbre incaica que todavía existe entre los campesinos de los Andes. Se trata de un período de convivencia entre la novia y el novio, personas que se sienten atraídas física y espiritualmente. Las personas comienzan a vivir juntas sin estar casadas, pero solo si los padres están de acuerdo, ya que según la costumbre andina, son los mayores quienes se ocupan de los asuntos matrimoniales. La virginidad, que es tan importante en otras sociedades, aquí no lo es. Para estos pueblos, la mujer ideal tiene un busto abundante y caderas anchas, es fuerte para trabajar en el campo, es buena, sabe tejer y cuidar el ganado y tiene más de quince años. El hombre ideal, por su parte, es trabajador y honrado, y no bebe mucho.

Los padres van con el novio a casa de la novia y son ellos quienes piden su mano. Después se hace una gran fiesta y se encierra a los novios en una habitación. Entonces comienza la luna de miel. Normalmente, después de un tiempo la pareja se casa, pero otras veces, el Sirvinacuy no funciona. En ese caso, las consecuencias negativas son normalmente para la mujer, aunque hay hombres que prefieren una mujer con experiencia matrimonial. El Sirvinacuy tiene unas normas que hay que respetar: tanto el hombre como la mujer deben demostrar que son capaces de vivir juntos y que están preparados para formar una familia.

C. Completa la tabla con las expresiones del texto formadas con el verbo ser o estar.

ser...	estar...
fuerte	de acuerdo

D. ¿Qué te parece esta tradición? En tu país, ¿hay alguna tradición curiosa relacionada con la vida en pareja o con el matrimonio? Cuéntaselo a tus compañeros.

E. ¿Y tú? ¿Qué cosas sabes hacer? Escribe cinco cosas que sabes hacer y cómo: regular, bien, bastante bien, muy bien o fenomenal. Rellena esta tarjeta.

1. Sé cocinar muy bien.
2.
3.
4.
5.

F. Busca en la clase a una persona que sepa hacer lo mismo que tú e igual de bien.

- ¿Sabes hablar francés?
- Sí, lo hablo bastante bien.
- Qué bien. Yo también.

7. Así lo cuentan

 A. Escucha a estos estudiantes que han estado en el extranjero. Fíjate bien en lo que dicen y completa la tabla.

CD1
48-52

¿Qué es lo que esperas oír cuando alguien te cuenta un viaje? Si piensas en ello y activas este conocimiento, te será más fácil reconstruir después la información que escuchas. Esta estrategia la puedes aplicar a otros tipos de textos orales.

	Dónde estuvo	Cuándo estuvo	Qué hizo	Cómo fue la experiencia	Aspectos positivos	Aspectos negativos
María						
Jorge						
Enrique						
Eva						
Iván						

 B. ¿Cuál te parece la experiencia más interesante? ¿Por qué? Coméntalo con tus compañeros.

- Para mí, la experiencia más interesante es la de Eva.
- ¿Sí? ¿Por qué?
- Pues porque...

8. En la cafetería

 A. Esucha lo que cuenta Veronika sobre su Erasmus en España. Según ella, ¿cómo es la universidad en este país? ¿Y compartir piso? ¿Y conocer a otros estudiantes?

CD1
53

Si lees las frases antes de escuchar la grabación, después solo tendrás que reconocerlas.

☐ *El sistema de asignaturas es libre y yo, como estudiante, puedo elegir las que me interesan.*

☐ *Todos los estudiantes toman nota de lo que explica el profesor durante la clase.*

☐ *En las clases hay muchos debates y actividades prácticas.*

☐ *Es fácil compartir piso con chicos españoles.*

☐ *Es muy fácil conocer a otros estudiantes en las fiestas de la universidad.*

 B. Vuelve a escuchar la grabación y cambia las informaciones anteriores para que se refieran todas a España. Compara tus correcciones con las de un compañero.

CD1
53

9. Erasmus, un balance positivo

A. Esto es lo que han escrito algunos estudiantes en el foro Erasmus de una universidad española. ¿A quién crees que le ha resultado más fácil vivir en el extranjero? ¿Y más difícil? ¿Por qué?

(1) **¡Hola a todos!** 😊 Este semestre he estado en Brighton, en Inglaterra. Mi experiencia ha sido muy buena. Hay cosas que me han gustado mucho (la comida no, desde luego), como el paisaje y la naturaleza, que he conocido en varios viajes por el país. También me han gustado los pubs y el sistema universitario, tan diferente al nuestro. Ha sido realmente interesante. Pero la verdad es que ha sido también duro porque el invierno es muy largo y llueve muchísimo. He echado mucho de menos mi tierra y esos colores tan típicos que se ven desde la ventana del avión cuando llegas a casa: verde, amarillo y ese marrón tan vivo que no existe en Inglaterra. ¡Pero he descubierto muchos tonos de verde que no existen en el sur de España! ⚙

(2) **¡Hola!** 💬 😊 Yo estoy estudiando en Gröningen, Holanda, y si hay algo que admiro es que aquí casi todo el mundo habla bastante bien inglés (y francés, alemán y español). Los holandeses tienen mucha facilidad para las lenguas. En cambio, en España poca gente domina varios idiomas. La verdad es que estudiar en el extranjero está siendo una experiencia fantástica. Vivo en una residencia de estudiantes con gente de muchos países: ingleses, alemanes, rusos, italianos, españoles y holandeses. Casi siempre hablamos en inglés, porque es la lengua que sabemos todos. Pero pienso quedarme un semestre más y mudarme a un piso compartido con estudiantes holandeses. ¡Así practico un poco el holandés! Es la mejor manera de aprender y de conocer más la cultura. Echo de menos a mi gente, pero estoy contenta porque sé que voy a llevarme una experiencia para contarla toda la vida.

(3) **¡Hola!** 👤 Está claro que no hay nada mejor que salir de casa para deshacerse de prejuicios y estereotipos sobre las culturas. Berlín me ha encantado y la vida de estudiante en Alemania es genial. Tienen muchas más vacaciones que nosotros en España: después de dos meses de vacaciones de invierno entre febrero y abril, ahora tenemos casi una semana por Pentecostés, y luego, otros dos meses de verano. Aquí, si eres estudiante tienes muchas ventajas. En primer lugar, la matrícula de la universidad es mucho más barata que en España, y con el carné de estudiante se puede ir gratis al centro de deportes del campus. Hay muchos ordenadores a nuestra disposición durante todo el día y también se pueden aprender muchísimas lenguas por muy poco dinero: ¡desde chino a húngaro, pasando por el guaraní o el quechua! La calidad de la enseñanza es muy buena: hay muchos menos estudiantes por clase y las carreras tienen un enfoque más práctico que en España. ¿Desventajas del país? ¡El clima! Es verdad que hace frío y que el invierno es duro y gris. Pero a todo te acostumbras. 👍

(4) **¡Hola, gente!** 😊 La verdad es que me han parecido muy interesantes vuestras contribuciones al foro y ver que todos hemos pasado más o menos por lo mismo y hemos comprobado que desde que pones los pies fuera de casa la vida no es un camino de rosas. Yo estuve el año pasado en el norte de Francia, y la verdad es que me resultó muy difícil. Allí, la gente lleva otro ritmo de vida y yo no conseguí adaptarme del todo. De todas formas, no me arrepiento de nada de lo que he hecho hasta ahora y creo que me sirve para apreciar mucho más mi país. Me ha gustado vivir fuera una temporada, pero para mí es muy importante vivir cerca de mi familia. 💚

✳
· Es cierto que...,
  pero por otra parte...
· Está claro que...
· Es obvio que...

· Supongo que...
· Todo el mundo sabe que...
· Es un hecho conocido
  que...

· Pienso que ...
· Creo que...
· Me parece que...

· Un aspecto positivo es...
· Lo negativo es (que)...

B. ¿Cuáles son los aspectos positivos y negativos de vivir un tiempo en el extranjero? ¿Te gustaría ir a vivir a algún país? ¿Tienes amigos extranjeros en tu país? ¿Cómo ven la experiencia? Coméntalo con tus compañeros.

10. Viajes que te cambian la vida

A. ¿Sabes quién fue este personaje? ¿Qué sabes de él? Coméntalo con un compañero.

- Bueno, sí, esta foto es de... que fue famoso por...
- ¿Seguro? Yo creo que es...

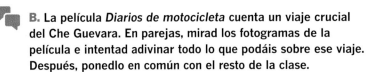

B. La película *Diarios de motocicleta* cuenta un viaje crucial del Che Guevara. En parejas, mirad los fotogramas de la película e intentad adivinar todo lo que podáis sobre ese viaje. Después, ponedlo en común con el resto de la clase.

- medio de transporte
- quién
- por dónde
- condiciones
...

C. Lee ahora la sinopsis de la película. ¿Coincide con vuestras hipótesis?

Diarios de motocicleta

En 1952, dos jóvenes argentinos, Ernesto Guevara y Alberto Granado, comienzan un viaje para descubrir la verdadera América Latina. Ernesto es un joven estudiante de Medicina de 23 años de edad, especializado en leprología. Alberto es un bioquímico de 29 años. La película muestra a dos jóvenes en su viaje de descubrimiento por el continente latinoamericano.

Los dos amigos salen de Buenos Aires en una antigua motocicleta Norton de 500cc del año 1939, «la poderosa». La moto se avería y los viajeros continúan en autostop. Poco a poco, van tomando contacto con una Latinoamérica diferente, que se muestra en las personas que encuentran en su viaje.

Su ruta los lleva hasta Machu Picchu, donde las majestuosas ruinas y la extraordinaria presencia de la cultura inca los impresionan profundamente. Cuando llegan a San Pablo, un lugar en la selva amazónica donde hay un asilo de leprosos, se quedan con ellos un tiempo y ayudan a tratarlos. En ese momento los dos viajeros comienzan a reflexionar sobre el valor del progreso como lo definen algunos sistemas económicos, que dejan a tantas personas en la miseria, y comienzan a convertirse en los hombres que van a ser en el futuro. Allí se define el camino ético y político de sus vidas.

11. El diario

A. Vas a leer varios fragmentos del diario del Che acerca de su experiencia en San Pablo. Antes, intenta relacionar cada palabra con su definición.

1. asilo	**a.** estudio, investigación, análisis
2. refrigerador	**b.** que tiene mucha barriga, tripa
3. tribu	**c.** arma de fuego que se usa para cazar
4. caserío	**d.** persona que no está sana, que no goza de buena salud
5. barrigón	**e.** nevera. Electrodoméstico para conservar los alimentos fríos
6. escopeta	**f.** lugar benéfico donde vive o se ayuda a gente
7. enfermo	**g.** grupo social étnico o cultural
8. examen	**h.** casa grande en una zona rural

B. Ahora coloca cada palabra en el fragmento de diario que le corresponde.

1. Hay 600 _____ que viven en sus típicas casitas de la selva, independientes, haciendo lo que quieren y ejerciendo sus profesiones libremente, en una organización que ha tomado sola su ritmo y características propias. (...) El respeto que le tienen al doctor Bresciani es notable y se ve que es el coordinador de la colonia.

2. Nuevamente el día martes visitamos la colonia. Visitamos la parte sana del _____, que tiene una población de unas 70 personas. Faltan las comodidades fundamentales que recién van a ser instaladas este año: luz eléctrica todo el día, _____, en fin, un laboratorio; hace falta un buen microscopio, un laboratorista...

3. El domingo por la mañana visitamos una _____ de indios, los yaguas. Después de treinta minutos de caminar llegamos a un _____ de una familia. Los chicos son _____ y algo esqueléticos, pero los viejos no presentan ningún signo de avitaminosis[1], al contrario de lo que sucede entre la gente que vive en el monte. La base de su alimentación la constituyen las yucas, los plátanos y el fruto de una palmera, mezclado con animales que cazan con _____. Sus dientes están totalmente cariados[2]. Hablan su dialecto propio, pero entienden castellano, algunos.

4. Nuevamente el día martes visitamos la colonia; acompañamos al doctor Bresciani en sus _____ de sistema nervioso a los enfermos. Está preparando un estudio de las formas nerviosas de la lepra basado en 400 casos.

---

1. enfermedad producida por la falta de vitaminas
2. que tienen caries

Ernesto Che Guevara, *Ernesto Guevara: Diarios de motocicleta, notas de viaje por América Latina*. Ocean Press, 2004

C. ¿Y tú? ¿has participado en algún proyecto voluntario o has tenido alguna experiencia que te haya marcado mucho? Cuéntasela a un compañero.

D. Piensa en esa experiencia y escribe una página de diario. Toma el del Che como modelo.

12. Es una persona muy responsable

A. Ya conoces los siguientes adjetivos. ¿Puedes formar su sustantivo siguiendo el ejemplo de la tabla?

-dad		-ismo		-ez	
responsable	*responsabilidad*	idealista	*idealismo*	honrado	*honradez*
oportuno		nervioso		sencillo	
bueno	¡Ojo! *bondad*	pesimista		viejo	¡Ojo! *vejez*
sensible		egoísta		sensato	
creativo		racista			
pasivo		optimista			
moderno		...			
serio					
...					

-ión		-ía		-eza	
ambicioso	*ambición*	simpático	*simpatía*	triste	*tristeza*
comprensivo		alegre		torpe	
pasional		apático		...	
preocupado		...			
...					

B. Los sustantivos de la tabla anterior designan cualidades. ¿Puedes añadir otros? Clasifícalos según su terminación y añade el adjetivo correspondiente.

C. ¿Cuáles de las cualidades anteriores son masculinas y cuáles femeninas?

D. ¿Cuáles de las cualidades anteriores son positivas y cuáles negativas? Completa la tabla.

Fijarte en la terminación de una palabra te puede resultar útil para saber su género.

cualidades positivas	cualidades negativas

E. De los adjetivos anteriores, ¿cuáles puedes combinar con el verbo **ser**, cuáles con **estar** y cuáles con ambos?

ser	estar	ser y estar

F. ¿Y tú? ¿Cómo eres? Y, ¿cómo te sientes hoy? Cuéntaselo a un compañero.

● Yo soy alegre y optimista, pero hoy estoy un poco preocupado...

13. En otros idiomas

A. Muchas veces puedes deducir el significado de una palabra porque se parece a su equivalente en otras lenguas. Mira la tabla y complétala hasta donde puedas.

en español	en inglés	en francés	en ...
	young	jeune	
	discover	découvrir	
	student	étudiant	
	continent	continent	
	motorcycle	motocyclette	
	different	différent	
	culture	culture	
	time	temps	

B. ¿Puedes añadir otras palabras a la lista?

14. Diez consejos

Un compañero de clase va a estudiar un año en el extranjero. ¿Qué diez consejos le darías? Redáctalos y luego compártelos con el resto de la clase. ¿Cuáles son los que más se repiten?

1. *No tengas miedo de utilizar la lengua del país.*
2. *Intenta mantener una actitud positiva.*
3. *...*

15. Cosas nuestras

Completa estas frases con tu información personal. Luego coméntalo con un compañero. ¿Te ha sorprendido algo de lo que te ha dicho?

1. Yo nunca he...
2. Siempre he querido...
3. El año pasado estuve en...
4. Mi mejor viaje fue...
5. Lo más interesante de esta semana ha sido...

· hoy/esta semana/este año/esta mañana/ nunca + Pretérito Perfecto

· ayer/el año pasado/ en 2003 + Pretérito Indefinido

1. Algunos usos de **ser**

expresar cualidades del sustantivo	▢ *Los zapatos que me han regalado <u>son</u> verdes.*
expresar ubicación de un evento ya mencionado	▢ *La cena <u>es</u> en casa de Anna.*
identificar algo o a alguien	▢ *Esta chica de la foto <u>es</u> mi novia.*

2. Algunos usos de **estar**

expresar estados especiales en un momento concreto	▢ *Marta <u>está</u> muy nerviosa por los exámenes.*
expresar ubicación en el espacio	▢ *La Facultad de Economía <u>está</u> en el campus norte.*

3. Los pronombres indefinidos

Sin relación con un sustantivo	
alguien / nadie	▢ *¿Hay <u>alguien</u> en casa?* ● *Parece que no hay <u>nadie</u>.*
algo / nada	▢ *¿Hay <u>algo</u> interesante en el cine?* ● *No. Hoy no hay <u>nada</u> interesante.*
Relacionados con un sustantivo	
alguno/a/os/as / ninguno/a	▢ *¿Hay <u>algún</u> problema con el ejercicio?* ● *No he visto <u>ninguno</u>.* ▢ *¿Te parecen fáciles estos ejercicios?* ● *<u>Algunos</u> sí, otros no.* ▢ *¿Tienen <u>alguna</u> pregunta?* ● *Por el momento, <u>ninguna</u>.* ▢ *¿Comprendes todas las reglas gramaticales?* ● *<u>Algunas</u> sí y otras no.*

Alguien y **nadie** se refieren a personas. **Algo** y **nada** se usan para referirnos a cosas.

Cuando **alguno** o **ninguno** preceden a un sustantivo masculino singular, pierden la terminación **–o**.

Cuando **nada**, **nadie**, o **ningún/-o/-a/-os/-as** se colocan detrás del verbo, a su vez va negado por un **no** anterior.

▢ *<u>No</u> he estado <u>nunca</u> en China. / No he estado alguna vez en China.*

▢ *<u>No</u> gano <u>nada</u> con este negocio. / No gano algo con este negocio.*

▢ *Aquí <u>no</u> me conoce <u>nadie</u>. / Aquí no me conoce alguien.*

▢ *<u>No</u> necesito <u>ningún</u> consejo, sé hacerlo yo solo. / No necesito algún consejo, sé hacerlo yo solo.*

4. El Imperativo negativo

	tú	usted	nosotros/as	vosotros/as	usted
bajar	no bajes	no baje	no bajemos	no bajéis	no bajen
dar	no des	no dé	no demos	no deis	no den
decir	no digas	no diga	no digamos	no digáis	no digan
dormir	no duermas	no duerma	no durmamos	no durmáis	no duerman
leer	no leas	no lea	no leamos	no leáis	no lean
pedir	no pidas	no pida	no pidamos	no pidáis	no pidan
poner	no pongas	no ponga	no pongamos	no pongáis	no pongan
salir	no salgas	no salga	no salgamos	no salgáis	no salgan
sentarse	no te sientes	no se siente	no nos sentemos	no os sentéis	no se sienten
sentirse	no te sientas	no se sienta	no nos sintamos	no os sintáis	no se sientan
ser	no seas	no sea	no seamos	no seáis	no sean
subir	no subas	no suba	no subamos	no subáis	no suban
tener	no tengas	no tenga	no tengamos	no tengáis	no tengan
venir	no vengas	no venga	no vengamos	no vengáis	no vengan

Las formas de **usted** y de **ustedes** son idénticas a las del Imperativo afirmativo.

Los verbos acabados en **–ar** cambian la **a** de la terminación del Presente por una **e**.

Los verbos acabados en **–er** y en **–ir** cambian la **e** de la terminación del Presente por una **a**. Menos la forma de **vosotros** de los verbos acabados en **–ir** que cambia la **i** de la terminación por **a**.

Los verbos que en Presente son irregulares en la primera persona mantienen esa raíz irregular en Imperativo negativo. Excepto la forma de **vosotros** de los verbos **mentir**, **sentir**, **preferir** (que cambian la **e** de la raíz por **i**) y **dormir** y **morir** (que cambian la **o** de la raíz por **ue**).

Algunos verbos con formas especiales

	ser	estar	ir
tú	no seas	no estés	no vayas
usted	no sea	no esté	no vaya
vosotros	no seáis	no estéis	no vayáis
ustedes	no sean	no estén	no vayan

Con el Imperativo negativo, los pronombres tienen que ir delante del verbo.

*No **la** llames por la mañana, que está trabajando.*

5. El Pretérito Indefinido (I): verbos regulares

viajar	nacer	vivir
viaj**é**	nac**í**	viv**í**
viaj**aste**	nac**iste**	viv**iste**
viaj**ó**	nac**ió**	viv**ió**
viaj**amos**	nac**imos**	viv**imos**
viaj**asteis**	nac**isteis**	viv**isteis**
viaj**aron**	nac**ieron**	viv**ieron**

Usamos el Pretérito Indefinido para referirnos a acciones pasadas que suceden dentro de un espacio temporal concreto.

▢ *El año pasado <u>acabé</u> la carrera.*

También usamos este tiempo para referirnos a nuevas acciones que hacen que continúe el relato.

▢ *La gata estaba dormida, pero <u>hubo</u> un ruido y <u>se asustó</u>. Entonces...*

6. El Pretérito Indefinido (II): verbos irregulares

Verbos con cambio vocálico **e → i** y **o → u**

pedir	dormir
pedí	dormí
pediste	dormiste
p**i**dió	d**u**rmió
pedimos	dormimos
pedisteis	dormisteis
p**i**dieron	d**u**rmieron

Verbos irregulares más importantes con su raíz irregular

haber	→	**hub-**	querer	→	**quis-**		
poder	→	**pud-**	venir	→	**vin-**		-e
saber	→	**sup-**	hacer	→	**hic-**		-iste
poner	→	**pus-**	decir	→	**dij-**		-o
caber	→	**cup-**	traer	→	**traj-**	+	-imos
tener	→	**tuv-**	conducir	→	**conduj-**		-isteis
estar	→	**estuv-**	producir	→	**produj-**		-ieron
andar	→	**anduv-**	traducir	→	**traduj-**		

Los verbos **decir**, **traer** y los acabados en **-ucir** pierden la **i** de la desinencia en la 3ª p. del plural.

Verbos **ir** y **ser**

Estos dos verbos tienen la misma forma para todas las personas
en Pretérito Indefinido.

ir	ser
fui	fui
fuiste	fuiste
fue	fue
fuimos	fuimos
fuisteis	fuisteis
fueron	fueron

7. Marcadores de Pretérito Indefinido

ayer	el viernes	el año pasado	en marzo
anoche	el martes	la semana pasada	en 1982
anteayer	…	…	el 10 de octubre
…			…

8. El **se** impersonal

Una de las formas de expresar impersonalidad en español es con la construcción **se + verbo**
en tercera persona.

▫ *El español <u>se habla</u> en muchos países.*

Usamos esta construcción cuando no queremos decir quién realiza la acción
o no lo sabemos, cuando queremos generalizar, para dar instrucciones
y para hablar de costumbres, hábitos y normas.

▫ *Las Olimpiadas de Barcelona <u>se celebraron</u> en 1992.*

▫ *La tortilla de patata <u>se hace</u> con huevos, patata, aceite y sal.*

▫ *En verano <u>se va</u> mucho a la playa.*

▫ *En la biblioteca no <u>se puede</u> hablar por teléfono.*

Cuando el verbo lleva Objeto Directo, si el sustantivo que expresa el Objeto Directo es plural,
el verbo va en tercera persona del plural y, si el sustantivo es singular, el verbo va en tercera
persona del singular.

▫ *En España <u>se hablan</u> cuatro lenguas: español, vasco, catalán y gallego.*

▫ *En mi Universidad <u>se estudia</u> español.*

En la lengua escrita,
sobre todo en textos
académicos, se utiliza
esta forma muy a
menudo.

*En mi trabajo **se
describe** la situación de
la población latina en
California. En primer
lugar, **se explican** los
objetivos. A continuación,
se cuestionan algunas
teorías tradicionales
y finalmente, **se
proponen** algunas líneas
futuras de investigación.*

Tortilla: lleva patata, aceite y sal. Falta…

7

¡A la mesa!

En esta unidad voy a...

Comprensión oral y escrita

- Comprender de qué está hecho un plato.
- Leer un foro sobre la sobremesa.
- Escuchar información sobre hábitos alimentarios.
- Entender un menú y una conversación entre clientes y camarero en un restaurante.
- Leer relatos sobre la infancia en blogs y biografías.
- Leer artículos periodísticos sobre comida rápida.

Expresión oral y escrita e interacción oral

- Describir un plato y acordar un posible menú.
- Hablar sobre costumbres y hábitos alimentarios.
- Participar en un blog sobre la comida y la infancia.
- Hablar sobre la infancia.
- Resumir un artículo periodístico.
- Escribir recomendaciones para comer sano.

Y voy a trabajar...

Recursos léxicos y gramaticales

- El Subjuntivo: expresiones para formular deseos.
- El Gerundio (II).
- El Imperfecto de Indicativo: verbos regulares e irregulares.
- El superlativo: el sufijo **-ísimo/a/os/as**.
- La formación de antónimos.

Paella: lleva marisco, pollo, cebolla, pimentón, azafrán, perejil y ajo. Falta…

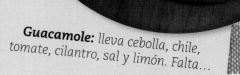

Guacamole: lleva cebolla, chile, tomate, cilantro, sal y limón. Falta…

1. ¡A comer!

A. Anota todo lo que se te ocurra en relación con el tema de la comida. En parejas, comparadlo y ordenadlo en un asociograma.

B. ¿Conoces los platos de estas fotografías? ¿Con qué países los relacionas?

C. En cada plato falta un ingrediente de la cesta, ¿sabes cuál es? Coméntalo con un compañero.

- Yo creo que la tortilla lleva ajo, ¿no?
- No, ajo, no, puede llevar cebolla, creo.

D. ¿Conoces otros platos típicos del mundo hispanohablante? Con un compañero escoged uno y decid al resto de la clase qué ingredientes lleva.

Ceviche: lleva pescado o marisco, sal, cilantro, tomate, chile, cebolla y pimienta. Falta…

Pastel de carne: lleva patata, cebolla, harina, huevo, aceite y sal. Falta…

2. ¿Nos trae la carta, por favor?

CD1 54

A. Javier, Sandrine y Alessandra han ido a comer a un restaurante. Escucha su conversación y di qué ha comido cada uno.

CD1 54

B. Vuelve a escuchar la conversación y contesta a las siguientes preguntas.

1. ¿Es lo mismo una tapa que una ración?
2. ¿Qué quería tomar en realidad Alessandra?
3. ¿Les ha gustado la comida? ¿Por qué?

CD1 54

C. Escucha de nuevo la audición y fíjate en las expresiones que se utilizan para hacer las siguientes cosas.

- Pedir la carta ⟶ *¡Camarero, la carta, por favor!*
- Pedir una recomendación
- Pedir lo que se va a tomar
- Hacer un comentario sobre la comida
- Ofrecer vino u otra cosa
- Pedir la cuenta

3. Sobremesa

A. ¿Sabes qué significa "sobremesa"? Coméntalo con un compañero.

B. Lee las intervenciones de este foro. ¿Entiendes ahora la palabra? ¿Coincide con tus suposiciones?

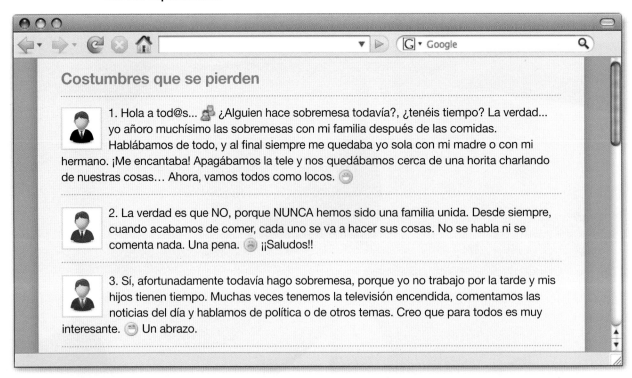

Costumbres que se pierden

1. Hola a tod@s... 🙋 ¿Alguien hace sobremesa todavía?, ¿tenéis tiempo? La verdad... yo añoro muchísimo las sobremesas con mi familia después de las comidas. Hablábamos de todo, y al final siempre me quedaba yo sola con mi madre o con mi hermano. ¡Me encantaba! Apagábamos la tele y nos quedábamos cerca de una horita charlando de nuestras cosas... Ahora, vamos todos como locos. 😄

2. La verdad es que NO, porque NUNCA hemos sido una familia unida. Desde siempre, cuando acabamos de comer, cada uno se va a hacer sus cosas. No se habla ni se comenta nada. Una pena. 😞 ¡¡Saludos!!

3. Sí, afortunadamente todavía hago sobremesa, porque yo no trabajo por la tarde y mis hijos tienen tiempo. Muchas veces tenemos la televisión encendida, comentamos las noticias del día y hablamos de política o de otros temas. Creo que para todos es muy interesante. 😊 Un abrazo.

C. ¿Y tú, haces sobremesa? ¿Qué importancia tienen los horarios de las comidas en tu vida? Coméntalo con tu compañero y con el resto de la clase.

- Yo no tengo tiempo para hacer sobremesa, pero me gustaría.
- Pues yo...

4. Menú del día

 A. Lee este menú de un restaurante colombiano. ¿Qué te gustaría comer hoy?

- A mí me gustaría probar los envueltos de pescado.
- Yo prefiero papas rellenas con carne...

✳ RESTAURANTE ✳ CASA VIEJA ✳
MENÚ TÍPICO COLOMBIANO

Sopas, entradas y acompañamientos

Arepas *(masas de harina de maíz y queso)*	7,50 €
Crema de choclo	4,00 €
Envueltos de pescado	6,50 €
Papas rellenas con carne	3,50 €
Plátano maduro con queso	4,00 €
Tostadas de plátano verde con guacamole	5,50 €

Platos principales

Ajiaco de Santafé de Bogotá *(sopa de papa, crema, pollo y aguacate)*	13,00 €
Bandeja paisa *(plato con carne, arroz, plátano, huevo y chorizo)*	15,00 €
Ropa vieja *(carne revuelta con huevo)*	10,00 €
Sancocho de cola o de pescado *(sopa con carne o pescado y plátano verde)*	13,00 €
Plato costeño *(arroz con coco, pescado frito y plátano verde)*	14,00 €

Postres

Flan de mango	3,50 €
Papaya rellena	5,00 €
Salpicón *(macedonia de frutas tropicales)*	4,00 €

Bebidas con alcohol

Aguardiente del Valle	1,50 €
Champús *(bebida con maíz y frutas tropicales)*	3,40 €
Cerveza	2,20 €

Bebidas sin alcohol

Zumos naturales	4,00 €
Limonada	2,30 €
Champús *(bebida con maíz, frutas y canela)*	3,75 €

> ⚙ Recuerda que algunas cosas se llaman de manera diferente en los distintos países de habla hispana. Por ejemplo, para la comida del mediodía en España se usa "comer", pero en muchos países de América Latina se usa "almorzar".

 B. En pequeños grupos tenéis que organizar una comida con un presupuesto de 65 euros para estas tres personas. Tened en cuenta sus gustos.

Alicia: es vegetariana	**Ricardo:** le gustan los sabores exóticos	**Joaquín:** le gusta la carne, pero no el pescado

5. Propina

Esta es la fotografía de una propina en España. Como ves, se deja en la mesa. ¿Cómo se hace en tu país? ¿Cuánto se suele dejar? ¿Tú dejas propina normalmente?

6. Los sabores de mi infancia

A. ¿Qué sabores o comidas te recuerdan a tu infancia? Coméntalo en clase.

 B. En este blog aparecen muchos platos que seguramente no conoces. Léelo y relaciona las siguientes definiciones con su nombre.

1. Bebida espesa de color violeta hecha con harina de maíz negro, mora y especias
2. Tipo de patatas de bolsa que toma su nombre de una marca
3. Bollos de harina, huevos, leche y pasas
4. Helados tradicionales que toman su nombre de una marca
5. Tipo de madalenas

La cocina de mis abuelas

Aunque mi mamá cocina bastante bien, los sabores que más recuerdo son los de la comida de mis abuelas, en Colombia. Recuerdo incluso la loza que usaban. La sopa de tomate de mi abuela paterna, con papas fosforito, me volvía loco. También recuerdo las papas fritas de mi abuela materna y muchos postres como las fresas con crema y la papaya con azúcar, o los muffins que vendían cerca del Jardín Botánico. Pero lo que más me gustaba de todo eran los deliciosos helados San Jerónimo. Mmmm, riquísimos.

COMENTARIOS

Todavía me acuerdo de los 2 de noviembre de mi infancia, cuando celebrábamos el día de finados. Mi madre amasaba muchísimas guaguas de pan, por los abuelos y por cada uno de los vecinos muertos. A la guagua del primer aniversario le ponía ojos de chocolate.

Más tarde nos vestíamos de fiesta y todos juntos visitábamos las tumbas, poníamos flores de muchos colores e invitábamos a los conocidos a almorzar a casa. Volvíamos rápido para hacer la colada morada con mucha fruta: piña, frutillas, mora, maíz negro, papaya, hierbas aromáticas y mucho azúcar. La abuela la ponía sobre el fuego para servirla muy, muy caliente, y nos decía: *"¡Así se acuerdan de que están vivos!"*.

Lucía (Ecuador)

 C. Escribe un comentario para este blog sobre algún recuerdo de tu infancia relacionado con la comida.

Yo siempre recuerdo las croquetas que hacía mi tía Loli. Todos los domingos íbamos a comer a su casa y...

7. Cuando era pequeño...

 A. En este fragmento la escritora y editora Esther Tusquets describe su infancia en la posguerra española. ¿Crees que fue una época feliz para ella?

> *¿Los elementos positivos de mi infancia?...*
> No iba a un colegio de monjas, iba al Colegio Alemán, donde las chicas estudiábamos con los chicos. En mi casa había muchísimos libros, me encantaba ir al cine, pasábamos los veranos en el mar, en mi familia no existían los sentimientos de culpa... Pero entonces, como ahora, nada me ha gustado tanto como que en los libros, en el cine, en el teatro me cuenten historias.

Esther Tusquets, *Habíamos ganado la guerra*, Ed. Bruguera, 2008

 B. ¿Cuáles de estas cosas hacías cuando eras pequeño? Coméntalo con un compañero.

- ● Yo también iba a un colegio mixto. En mi país no se separa a los chicos de las chicas.
- ○ Ah, ¿no? Pues en el mío es muy frecuente...

C. Hablad de vuestra infancia en grupos de tres. Las siguientes preguntas pueden ayudaros. Toma notas de lo que te cuentan tus compañeros porque luego las vas a necesitar.

- ¿Dónde vivías? ¿Con quién?
- ¿Cómo era tu casa?
- ¿Con quién o con qué jugabas?
- ¿Cómo celebrabas tu cumpleaños?
- ¿Cuál era tu comida preferida?
- ¿Qué querías ser de mayor?

- ● Mi casa era bastante grande y tenía jardín. ¡Me encantaba!
- ○ Pues yo vivía en...

D. ¿Habéis encontrado puntos en común o alguna cosa sorprendente de la infancia del otro? Con las notas que has tomado, prepara un pequeño guión para contárselo al resto de la clase.

Cuando alguien te cuenta algo, se espera que reacciones de alguna manera: puedes mostrar interés, sorpresa o empatía, o indicar que no has entendido algo. Anima a tu interlocutor a seguir hablando. Puedes utilizar los recursos que aparecen en el recuadro de abajo.

· Ah, ¿sí?
· Ah, ¿no?
· ¿Y?/¿Y eso?
· ¿Y cómo... ?
· ¿Y entonces?
· No he entendido bien.

¡Equivocarse es de sabios!

- Me aseguro de que mi exposición tiene una estructura clara y de que las ideas están bien conectadas.
- Cuando detecto un error busco la forma correcta y lo corrijo.
- Por otra parte, experimento con la lengua y me arriesgo a cometer algún fallo para conseguir expresar lo que quiero.

8. ¿A qué hora se come en tu país?

A. En muchos países, los horarios se organizan alrededor de las comidas. ¿Es así en tu país? ¿A qué horas se come y se cena?

- En mi país, lo más importante es la cena, hacia las 6 o las 7 de la tarde.
- □ Pues en mi país casi no se cena.

CD1
55-64

B. Diez hispanoamericanos cuentan a qué hora se almuerza y se cena en su país. Escucha lo que dicen y completa la tabla.

	Venezuela	México	Cuba	Argentina	Honduras	Costa Rica	Colombia	Bolivia	Puerto Rico	Chile
Almuerzo:										
Cena:										

CD1
65

C. David, un chico español, habla de sus comidas en un día cualquiera. Escucha y escribe a qué hora es cada una de ellas.

Desayuno:	Café:	Bocadillo:
Comida:	Merienda:	Cena:

No olvides que lo que necesitas en este caso es solo la información referida a los horarios de frecuencia. Concéntrate en ella.

D. Y tú, ¿cuántas comidas haces al día? ¿Qué tipo de alimentos comes en cada una de ellas? Coméntalo con el resto de la clase.

9. Me encanta la fruta

CD1
66-68

A. Fíjate en estas fotografías. Tres personas hablan sobre sus hábitos alimentarios. ¿Qué fotografía le corresponde a cada una? Lee la estrategia antes de hacer la actividad.

Cuando hagas actividades como esta, fíjate primero en las fotografías y piensa qué vocabulario necesitas para describirlas. Durante la audición solo tienes que reconocer las palabras clave y relacionarlas con la fotografía correspondiente.

B. ¿Cuál de estas imágenes representa mejor tus hábitos de comida? ¿Por qué? Coméntalo con un compañero.

- Yo me identifico con la imagen de la chica que come sandía. ¡Me encanta la fruta!
- □ A mí también.

10. Diccionario de diferencias

A. Estos son algunos nombres de alimentos del español de España y su equivalente en algunos países de América Latina. Intenta relacionarlos utilizando tus conocimientos y tu intución y comprueba después con el texto.

España:

| boniato | maíz | albaricoque | judías | infusión | mantequilla | aguacate | calabaza |

América Latina:

| palta | damasco | manteca | choclo | zapallo | papa dulce | frijoles | té de hierbas |

A de alfajor: dulce relleno de chocolate o fruta que se elabora en Latinoamérica y en España. Es originario de los pueblos árabes y su nombre proviene de la palabra árabe *al-hasú*, que en español significa "relleno".

B de boniato: el boniato o batata (papa dulce) es una planta originaria de la América tropical. En México y Perú se utiliza para mermeladas y postres.

C de caña: en América Latina por lo general se refiere a la caña de azúcar o un aguardiente de caña, pero en España es un vaso chico de cerveza.

Ch de choclo (VOZ QUECHUA): maíz, elote, mazorca de maíz. Alimento básico de la cocina de México y de toda América Central.

D de damasco: (Argentina, Chile, Uruguay), chabacano (México), albaricoque (España).

E de empanadas: están hechas de carne, verdura o atún, envueltas en una masa. Se cocinan al horno o se fríen.

F de frijoles: (México, Cuba, Costa Rica), poroto (Argentina), alubia, judía (España).

G de guinda: fruta o cáscara del grano de café (Argentina, Costa Rica), cereza confitada (España).

H de humita o tamal: hojas de choclo rellenas de maíz.

I de infusión: (España) té de hierbas.

J de judías: chauchas (Argentina, Uruguay), poroto verde (Chile), ejote (México), vainita (Venezuela, Perú, Ecuador), habichuela (Colombia).

L de lomo: carne de cerdo o de ternera de la zona inferior de las costillas. Bife (Argentina).

M de manteca y mantequilla: la manteca es en Argentina lo que la mantequilla es en España y en otros países latinoamericanos. En España: manteca es la grasa de cerdo.

N de natillas: dulce hecho con yema de huevo, azúcar y leche.

Ñ de ñame: planta que produce un tubérculo comestible similar a la batata por el sabor.

O de oliva: o aceituna.

P de palta: o aguacate.

Q de queque: pastel, bizcocho (América Central).

R de refrigerio: comida ligera que se toma, generalmente, entre las comidas principales. Tentempié (España).

S de seta: hongo (América Latina). Se llama seta a todos los hongos que tienen forma de sombrilla, comestibles o no.

T de tortilla: las tortillas de maíz (pan plano y redondo) son especialmente importantes en la gastronomía mexicana y de América Central, con ellas se hacen sus populares tacos, quesadillas, burritos y enchiladas. En España la tortilla está hecha de varios huevos batidos y luego fritos, en forma más o menos redonda. Si solo tiene huevos, entonces es una tortilla a la francesa. Es especialmente conocida la tortilla de patatas.

T de tinto: un tinto en Colombia no es un vaso de vino, como en España, sino una tacita de café negro.

U de ullpo, ullpú: harina de maíz tostada con agua fría y azúcar (a veces se le añade también leche). También se hace con harina de trigo. Muy popular en Chile.

V de vaquero (PARAGUAY): hace referencia a un fiambre elaborado con carne de pollo y relleno de varios condimentos. Se arrolla y se sirve en rodajas. En otros países se llama matambre (Argentina y Uruguay). En España se dice pan de carne.

Y de yerba mate: su hoja se muele y se seca para preparar la infusión "mate", típica costumbre de los países del Cono Sur (Chile, Argentina, Uruguay y Paraguay). Era muy consumido por los indios guaraníes.

Z de zapallo (VOZ QUECHUA): nombre usado en Argentina, Uruguay, Chile y Honduras para nombrar la calabaza. El zapallo está presente en las gastronomías de Latinoamérica tanto en comidas saladas como dulces. En España se dice calabaza.

B. De todos estos productos, ¿cuáles conocías? ¿Los has probado?

11. Comida rápida

A. ¿Qué te sugiere el título de esta actividad? Piensa en palabras y expresiones relacionadas y escríbelas en un asociograma.

B. Fíjate en los titulares de estos dos artículos. ¿Qué relación ves entre ellos? ¿De qué crees que van a tratar los textos? Coméntalo con un compañero.

C. Vas a leer uno de estos textos y tu compañero el otro. Subraya la información más importante para resumirle después el contenido. Puedes utilizar un guión como este.

- Especialistas u organizaciones que respaldan la información del texto
- Preferencias de la gente joven
- Razones para el consumo de comida rápida
- Relación entre comida y salud
- Medidas para prevenir el sobrepeso

GENERACIÓN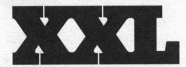

Hoy los niños presentan enfermedades que antes se diagnosticaban únicamente a los adultos. Según el Instituto Mexicano del Seguro Social, en 10 años México va a ser el país con más sobrepeso del mundo si no se toman medidas.

México ocupa actualmente el segundo lugar en el mundo en cuanto a sobrepeso, según la Organización Mundial de la Salud (OMS).

Cada vez es más frecuente ver a un niño de siete u ocho años con el peso de un adulto, con 60 kilos. Casi el 70% de los mexicanos, algo más de 70 millones de personas, tiene problemas con el peso. Según la Encuesta Nacional de Salud de este año, en el 40% de los casos se trata de obesidad, y en el 30%, de sobrepeso.

La razón hay que buscarla principalmente en la influencia de la comida rápida o "comida chatarra" en la dieta tradicional mexicana, especialmente en las zonas urbanas.

México es el primer consumidor mundial por persona de hamburguesas, pizzas y refrescos. Y esto hace que las personas consuman menos alimentos sanos. Según un estudio del doctor Robles Valdés,

un refresco de cola de los años 50 contenía 195 mililitros y 85 calorías, mientras que en los años 90 del siglo XX eran unos 600 mililitros y 350 calorías, más del 400% más; una hamburguesa de 333 calorías aumentó a más de 600. Y así ha sucedido con todos los alimentos procesados [...].

Hay que preocuparse más por los casos de niños y adolescentes. Los datos más recientes son alarmantes:
— En los últimos siete años la obesidad en niños que cursan la educación primaria en México ha crecido un 33% y se estima que el 61% de la población nacional sufre de sobrepeso.
— El 26% de los niños de entre 5 y 11 años padecen obesidad por el consumo de productos con alto contenido de calorías y la falta de ejercicio físico.

"El deporte es la forma más barata de evitar enfermedades por sobrepeso u obesidad", afirma el doctor Sergio Gadea Gómez.

Cada vez más comida rápida

Los jóvenes españoles lo tienen claro: prefieren una pizza a unas lentejas, y mejor una hamburguesa que una ensalada. ¿Que esas comidas son menos saludables? A esas edades, el buen sabor es lo más importante. Con esas premisas es fácil entender otro dato: casi el 40% reconoce que nunca incluye en su dieta alimentos considerados sanos.

Estas son algunas de las cifras extraídas de un estudio llevado a cabo por un grupo de trabajo de seis doctores del centro de salud Carbonero el Mayor de Segovia. El estudio, realizado sobre una población de 3 130 jóvenes, subraya la necesidad de "adoptar medidas para acercar a los adolescentes a una dieta saludable".

Según el citado informe, el 73% de los jóvenes de entre 14 y 20 años come a diario o casi a diario pollo frito, bocadillos, pizza, patatas fritas o ganchitos (el 56% de los adolescentes). El 85% reconoce que "varios días a la semana mi dieta es de todo menos saludable". Casi el 40% cree que no lo es nunca.

Para la doctora Marta Moya de la Calle, la alimentación de los jóvenes "se aleja cada vez más de la dieta mediterránea porque optan por comidas rápi-

El 75% de los jóvenes de entre 14 y 20 años consume comida rápida cada día. El 45,5% reconoce que también cada día toma bebidas azucaradas y bollería industrial. La cifra positiva es que más de la mitad asegura que toma fruta y verdura todos los días.

das, con precios moderados y estilo informal". Esta comida, además, se ofrece "a cualquier hora del día" y "se identifica plenamente con el estilo de vida que la publicidad intenta transmitir a los adolescentes", señala.

Pero ¿qué hacer para que los jóvenes abandonen la práctica de consumir con frecuencia comida rápida? El doctor Santos y la doctora Moya lo tienen claro: hay que educar a los jóvenes, y en esto tiene mucho que decir el médico de familia. "Tenemos que promocionar

los hábitos saludables en las escuelas", señala Julio César Santos.

Los médicos de familia están preocupados. En los consultorios aparecen cada vez con más frecuencia niños y adolescentes con exceso de peso. Y a la pregunta de si hacen ejercicio con cierta regularidad, la respuesta más frecuente es "no". De hecho, el 32% de los adolescentes de entre 12 y 19 años no practica nunca ejercicio físico intenso, pese a que a un 21,4% se lo han recomendado en su centro de salud.

Una forma de prepararse para leer un texto en una lengua extranjera es pensar antes en toda la información que ya se conoce con respecto al tema del que trata el texto. Pensar previamente en las palabras o en el contenido del texto ayuda a comprender y a reconocer la información.

D. Resúmele a tu compañero el artículo que has leído. Puedes consultar tus notas.

E. Ahora entre los dos pensad una lista de recomendaciones para evitar el sobrepeso y exponedla en clase. Los recursos del cuadro lateral pueden ayudaros.

· Es recomendable…
· Es mejor…
· Algo importante es…
· Es fundamental…
· No + recomendación
· Si quieres… , tienes que / puedes…

12. ¡Qué recuerdos!

A. Marta cuenta en su blog un recuerdo curioso de su infancia. ¿Te ha sucedido algo parecido alguna vez?

Un recuerdo especial

Me acuerdo especialmente de las celebraciones en familia que hacíamos cuando era niña. Hace muchísimo tiempo, pero las recuerdo perfectamente. Los fines de semana comíamos todos en casa de la abuela. Los mayores comían en la mesa principal y los niños nos sentábamos en una mesa pequeña. Éramos ocho niños: mis hermanos, mis primos y yo. Yo era la más pequeña. Mis primos eran divertidísimos, pero también muy traviesos. Un día nos pusieron un plato de una cosa que yo no conocía, y mis primos me dijeron que eran alitas de pollo. Las probé, me encantaron y me comí un plato llenísimo. Todos se miraban con caras raras, pero yo no sabía qué pasaba. Al final me confesaron que eran ancas de rana. ¡Me había comido un plato entero de ancas de rana! Bueno, tengo que confesar que estaban buenísimas.

B. Marca los superlativos que aparecen en el texto. ¿De qué adjetivos derivan? Completa esta tabla.

Hay varias técnicas eficaces para ampliar vocabulario. Una de ellas es aprender una palabra acompañada de su antónimo.

superlativo	adjetivo	antónimo
muchísimo	mucho	poco

C. Ahora busca diez adjetivos en los textos de la unidad, forma su superlativo y busca su antónimo.

13. Prefijos y antónimos

A. Crea el antónimo de estos adjetivos con los prefijos **in-** o **des-** y completa
la tabla como en el ejemplo.

adjetivo	antónimo	frase
cómodo	*incómodo*	*¿Quieres un cojín? Esa silla es muy incómoda.*
compuesto		
conocido		
correcto		
directo		
empleado		
informado		
olvidable		
ordenado		
orientado		
tolerante		

B. Como has visto, los prefijos **in-** y **des-** indican a menudo lo contrario del adjetivo
al que acompañan, pero esto no siempre es así. "Inteligente", por ejemplo, no es lo contrario
de "teligente". Busca las palabras que funcionan así y escribe su antónimo.

| independiente | inteligente | inseguro | impaciente | descubrir | describir |

| desaparecer | desconocer | imperfecto | irresponsables | insuficiente | interesante |

"independiente" es lo contrario de "dependiente"

....

....

> **Recuerda:** el prefijo **in-** se convierte en **im-**
> delante de **b** o **p**. Por ejemplo, **paciente /**
> **impaciente**. Si la palabra empieza por **r-**,
> se convierte en **ir-**. Por ejemplo,
> **irresponsable**.

14. Comida rápida ayer y hoy

 ¿Te gustaba la comida rápida de pequeño? ¿Y ahora? Escribe un texto sobre tu relación
con la comida rápida en tu infancia y hoy en día.

1. El Subjuntivo: expresiones para formular deseos

Usamos la estructura **que + Subjuntivo** para expresar deseos en una situación concreta.

- *¡Que cumplas muchos más!*

- *¡Que tengas mucha suerte!*

- *¡Que aproveche!*

2. El Gerundio (II)

Para presentar acciones durante su desarrollo, utilizamos el verbo **estar** (en Pretérito Perfecto, Pretérito Indefinido o Pretérito Imperfecto) **+ Gerundio**.

- *¿Dónde estaba usted la noche del robo?*
- *Aquí, en casa. Estaba viendo una película en la televisión.*

- *¿Y su marido tampoco escuchó nada?*
- *No, porque en ese momento estaba durmiendo.*

Se emplea la perífrasis **seguir + Gerundio** para referirse a una acción que continúa a partir de un momento dado.

- *Mi novia vivía en Madrid y yo estudiaba en Barcelona. Al final, tuvimos que terminar la relación. Pero nos llevábamos muy bien y seguíamos llamándonos y viéndonos muchos fines de semana.*

El Gerundio también se puede emplear como adverbio. En ese caso va solo y expresa la forma en la que se realiza una acción.

- *¡Qué bien te veo! ¿Cómo te mantienes tan en forma?*
- *Pues haciendo deporte dos veces por semana y comiendo sano.*

- *Un idioma se aprende practicándolo.*

- *Explicó los resultados del estudio utilizando un lenguaje muy accesible.*

- *Relativizó el problema diciendo que no había pruebas consistentes.*

> **Si hablas inglés:**
>
> **Seguir + Gerundio**: to continue o to go on + doing something
>
> - *Seguíamos viéndonos los fines de semana* → *Martha and I went on seeing each other every weekend.*

3. El Imperfecto de Indicativo: verbos regulares e irregulares

viajar	comer	salir
viaj**aba**	com**ía**	sal**ía**
viaj**abas**	com**ías**	sal**ías**
viaj**aba**	com**ía**	sal**ía**
viaj**ábamos**	com**íamos**	sal**íamos**
viaj**abais**	com**íais**	sal**íais**
viaj**aban**	com**ían**	sal**ían**

El Pretérito Imperfecto casi no tiene irregularidades. Solo los verbos **ir**, **ver** y **ser** son irregulares.

ser	ver	ir
era	**veía**	**iba**
eras	**veías**	**ibas**
era	**veía**	**iba**
éramos	**veíamos**	**íbamos**
erais	**veíais**	**ibais**
eran	**veían**	**iban**

4. Algunos usos del Imperfecto

Describir personas, situaciones o cosas en el pasado.

- ▢ *Mi colegio <u>era</u> muy pequeño. <u>Tenía</u> solo un piso y no <u>tenía</u> gimnasio, ni comedor. En total <u>había</u> unos 150 alumnos.*

Hablar de acciones regulares o que se repiten en el pasado (lo que se hacía normalmente, en general, siempre, todas las semanas...)

- ▢ *Todavía me acuerdo de los 2 de noviembre de mi infancia, cuando <u>celebrábamos</u> el Día de Finados. Mi madre <u>amasaba</u> muchísimas guaguas de pan, por los abuelos y por cada uno de los vecinos muertos. A la guagua del primer aniversario le <u>ponía</u> ojos de chocolate.*

- ▢ *Cuando Lars <u>estudiaba</u> en Buenos Aires, <u>iba</u> a clase todas las tardes. De lunes a viernes <u>hacía</u> el mismo camino: <u>iba</u> con la línea A hasta Puán y después <u>caminaba</u> unas cuadras hasta la facultad. Todos los días <u>protestaba</u> por lo mismo: ¡el ruido de la calle Rivadavia! Y siempre <u>decía</u> que le gustaba todo, la ciudad, la gente, la comida, pero al ruido no se <u>acostumbraba</u> nunca...*

La elección entre Imperfecto e Indefinido depende de cómo queremos presentar las acciones que relatamos y de su función en el relato. No depende de la duración que tienen las acciones.

*El sábado **estaba** viendo la televisión en casa y Marta me **llamó** para invitarme a cenar.*

("estaba viendo la televisión" describe las circunstancias de "me llamó Marta para invitarme a cenar".)

*El sábado **estuve** viendo la televisión y Marta me **llamó** para invitarme a cenar.*

(Informo del hecho de ver la televisión y de que Marta me llamó.)

8

Aquel día...

En esta unidad voy a aprender a...

Comprensión oral y escrita

- Comprender biografías de personajes del mundo hispano.
- Comprender relatos del pasado.
- Comprender anécdotas del pasado.
- Distinguir entre el resumen del argumento de una película y su valoración.

Expresión oral y escrita e interacción oral

- Describir una acción durante su desarrollo.
- Describir personas, lugares y situaciones en el pasado.
- Hablar de cambios desde el pasado hasta ahora.
- Escribir la biografía de un personaje y mi biografía lingüística.
- Narrar hechos y anécdotas del pasado.

Y voy a trabajar...

Recursos léxicos y gramaticales

- Algunos usos de las preposiciones **para**, **en**, **con**, **sin**, **a**, **de**, **desde**, **hasta** y **por**.
- **Estar** + Gerundio.
- Contraste entre el Pretérito Imperfecto y el Pretérito Indefinido.
- Los marcadores temporales para la duración (**desde...hasta**, **desde que...**, etc.).
- El Presente Histórico.
- Uso de mecanismos de cohesión (deícticos, pronombres personales, sinónimos...).

1. Momentos inolvidables

A. Mira esta foto. ¿De qué momento es? Intenta imaginar cómo se sienten estas personas. ¿Crees que este es uno de los grandes momentos de la vida?

B. En parejas, pensad en otros momentos especiales de la vida de una persona y después, ponedlo en común con el resto de la clase.

C. Ahora piensa en algunos de los momentos más importantes de tu vida y anótalos. Anota también otros acontecimientos inventados. Después, léeselos al resto de la clase, ellos intentarán adivinar qué cosas te han sucedido de verdad y cuáles no. ¿Lo han adivinado?

- Viví tres meses en Tailandia.
- El año pasado me tocaron seis mil euros en la lotería.

● Yo creo que sí estuviste tres meses en Tailandia, pero que no te tocó la lotería.

2. Una vida en imágenes

A. ¿Qué está haciendo Carolina en estas fotografías? Relaciona cada una con el pie de foto que le corresponde.

a. Volando en parapente   b. Visitando las pirámides en Egipto

c. Estudiando para los exámenes finales   d. Montando en monociclo

e. Haciendo surf   f. Tomando algo con mi mejor amiga

 B. Escucha la grabación y ordena las fotos según el orden en que tuvieron lugar.

CD1
69

C. Busca entre tus fotos algunas divertidas o de momentos importantes y tráelas a clase. Luego cuéntale a tus compañeros qué estás haciendo en ellas y por qué te parecen divertidas o importantes.

✱
estar + hablando/
comiendo/escribiendo

● En esta foto estoy bailando en una fiesta de la universidad. Fue muy importante porque allí conocí a mi novia.

3. El cásting

A. Lee estos anuncios y fíjate en las fotografías. ¿Quién encaja en cada caso?

1. La productora Mundomedia busca a una chica morena, de pelo liso y delgada, para un anuncio de televisión. Interesadas, llamar al **660 834 455**.

2. Buscamos a un hombre de unos 60 años, con barba y pelo canoso para representar el papel de un campesino en una serie de televisión. Contacto: **info@globovista.com**

3. Se busca mujer joven, de pelo largo y rizado para un anuncio de champú. Peso y estatura indiferentes. Llamar mañanas al **91 436 50 90**.

B. Ahora fíjate en estas fotografías. Son de las personas anteriores, pero de hace unos años. ¿Sabes quién es quién? ¿Crees que estas personas han cambiado mucho con los años? ¿Qué cambios observas? Coméntalo con un compañero.

● Yo creo que la chica rubia es... porque las dos tienen el pelo rizado y...

 C. Y tú, ¿cómo eras a los 6 años? ¿Y a los 15 años? ¿Y a los...? Cuéntaselo a un compañero. ¿Teníais cosas en común?

● Yo, a los 9 años llevaba gafas, y lo odiaba.
○ Yo también, pero a mí no me importaba.

D. ¿Y cómo eres ahora? ¿Has cambiado mucho? Coméntalo con tus compañeros.

● A mí antes me gustaba ir vestido de negro, pero ahora ya no.
○ Pues yo antes llevaba el pelo largo y lo sigo llevando largo.

4. Dos artistas de Latinoamérica

 A. Vas a leer las biografías de dos artistas: Fernando Botero y Frida Kahlo. ¿Sabes algo de ellos? Coméntalo con tus compañeros antes de leer los textos.

Fernando Botero (1932-)

Este pintor y escultor colombiano nació en Medellín en 1932, pero se trasladó a Bogotá cuando comprendió que la pintura era su pasión. Bogotá era la ciudad más viva del país: (1   ) y el joven Fernando entró en contacto con ellos. A los 20 años viajó a Europa para estudiar Arte. Sin embargo, él afirma: "En realidad, me considero un autodidacta. Trabajé tres años en escuelas de Bellas Artes, pero nunca tuve profesor. Aprendí leyendo, yendo a museos y pintando". (2   ) y la exposición de Botero resultó un fracaso. Viajó después, en 1960, a Nueva York, (3   ). Tras unos comienzos difíciles, comenzó por fin a tener éxito. Después de unos años en Nueva York, donde nació su hijo Pedrito, (quien murió trágicamente a los cuatro años), se trasladó a París y comenzó a trabajar en la escultura. (4   )

Se le considera uno de los artistas más importantes de América Latina. Los personajes de sus cuadros se caracterizan porque son extremadamente gordos y con cabezas desproporcionadas. Con su trabajo, Botero quiere hacer un comentario satírico sobre las condiciones sociales y políticas de su país. Ha expuesto sus obras en Estados Unidos y en muchas capitales europeas como Madrid, París o Berlín.

Frida Kahlo (1907-1954)

Magdalena Carmen Frida Kahlo Calderón, la pintora mexicana más famosa de la historia, nació en Coyoacán, México, en 1907. El comienzo de su arte es trágico: cuando tenía 16 años sufrió un accidente que la obligó a permanecer en cama durante muchos meses. (5   ), así que comenzó a pintar. Sus cuadros, llenos de fantasía y muy influidos por el arte popular mexicano, representan su experiencia personal. El famoso poeta surrealista André Bretón calificó su obra de surrealista, pero Frida afirmó "(6   ). Nunca pinté mis sueños. Pinté mi propia realidad". Al casarse con Diego Rivera protagonizó uno de los matrimonios más famosos de la historia del arte. Era la llamada "unión entre un elefante y una paloma", (7   ) Fue un matrimonio lleno de amor, pasión, odio e infidelidades.

En 1953 la Galería de Arte Contemporáneo de la Ciudad de México organizó la primera exposición importante de obras de Frida en su país. (8   ), y lo hizo en una ambulancia, sin levantarse de la cama. Murió un año después, en 1954, tras muchos sufrimientos físicos. Sus últimas palabras fueron: "Espero alegre la salida y espero no volver jamás".

B. En los textos del apartado anterior faltan algunos fragmentos. Coloca cada uno en el lugar que le corresponde.

(A) Eran los años 70.

(B) porque Diego era enorme y obeso, y Frida era baja, pequeña y delgada.

(C) donde el clima era más favorable a sus obras

(D) Su salud era ya muy mala, pero ella quería asistir a su exposición por todos los medios

(E) Al volver a Bogotá, el país estaba muy influido por la vanguardia francesa

(F) Durante ese tiempo no podía levantarse de la cama

(G) en ella vivían los intelectuales colombianos de la época

(H) Creían que yo era surrealista, pero no lo era.

 C. Lee ahora los textos enteros. Señala las acciones, las descripciones y las circunstancias que rodean las acciones. ¿Qué tiempo verbal se utiliza en cada caso?

D. Con un compañero, piensa en un título para cada texto.

 E. Busca información sobre otro artista o personaje interesante del mundo hispanohablante y escribe un texto sobre él. Busca fotografías para ilustrarlo. Entre todos, podéis hacer un álbum de artistas o personajes famosos.

5. Mi biografía lingüística

 A. ¿Cuántas lenguas hablas? ¿Dónde y cómo las has aprendido? ¿Hablas todas en los mismos contextos e igual de bien? Coméntalo con un compañero.

 B. Las preguntas del apartado anterior son algunas de las que aborda la biografía lingüística, uno de los documentos incluidos en llamado "Portfolio Europeo de las Lenguas". Completa este formulario con tu información personal para escribir tu biografía lingüística. Al final, puedes guardar el documento en tu dossier para el portfolio.

 Contesta con frases cortas y concéntrate en los elementos relevantes de tu formación y de tus experiencias.

1. ¿Qué idiomas has aprendido? (durante cuánto tiempo, con qué fines, qué tipo de cursos has hecho, qué nivel has alcanzado, qué certificados has obtenido)

2. ¿Con qué lenguas has crecido?

3. ¿En qué zonas lingüísticas has vivido? ¿Durante cuánto tiempo?

4. ¿Cuándo y con quién utilizas esas lenguas?

5. ¿En qué idiomas haces estas cosas: ver la televisión, escuchar la radio, ver películas, escuchar música, leer libros o prensa, navegar por internet, etc.?

6. ¿Cómo ha sido tu aprendizaje? ¿Qué experiencias han sido las más importantes? ¿Qué dificultades has encontrado al aprender idiomas?

- desde 2000 hasta 2006
- a partir de septiembre
- desde hace 5 años
- hace 5 años

6. Cruzar el charco

 A. Lee esta cita de Octavio Paz. ¿Qué crees que quiere decir?

"Los mexicanos descienden de los aztecas, los peruanos de los incas, y los argentinos... de los barcos".

 B. Ahora vas a leer el testimonio de una argentina, Graciela, sobre su familia. ¿Qué te parece la historia? Coméntalo con un compañero.

Mi abuelo español era de un pueblo de Galicia, de Vivero. Quizás por eso me llamo Vázquez. El apellido de mi mamá es Costabeber. Mi abuelo italiano era de Génova, mi abuelita italiana del Véneto, y la española de León. ¡Se puede decir que soy una argentina típica! La parte española de la familia emigró a Buenos Aires a principios del siglo pasado, la italiana también. Mi abuelo italiano llegó en 1926. Te voy a contar por qué.

  Mi abuelo Gilberto tenía seis hermanos. Vivían bastante bien. Sin embargo, siempre discutían por cuestiones de dinero. Tanto discutían que ya ni se hablaban. Es por eso que una noche de enero de 1925 tomaron una decisión: para no discutir más repartieron su fortuna en partes iguales pero con una condición: uno de ellos se quedaba en Italia y todos los demás tenían que emigrar.

- A mí me parece que tomaron una decisión muy radical, ¿no?
- Sí, y muy dura.

 C. ¿Hay alguna historia curiosa o interesante en tu familia? Cuéntasela a tus compañeros.

7. ¿Qué pasó?

CD1
70

A. Graciela empieza a contar una anécdota sobre su familia. Escucha lo que dice. ¿Qué crees que pasó después?

CD1
71

B. Ahora escucha la historia entera y comprueba si coincide con tu final.

C. Vuelvo a escuchar el audio y fíjate en las reacciones de la persona que escucha a Graciela. ¿Le hace preguntas? ¿La interrumpe? ¿Termina a veces sus frases? ¿Esto es igual en tu cultura?

D. Piensa en una anécdota tuya o de tu familia y cuéntasela a un compañero. Después, cuando él te cuente la suya, acuérdate de mostrar interés por la historia.

> ⚙️
> En una conversación entre hispanohablantes son frecuentes los solapamientos de los turnos de palabra. Esto es una forma de mostrar interés por lo que dicen los interlocutores y evitar silencios que se consideran incómodos.

8. Momentos especiales de la vida

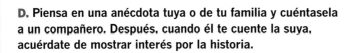
CD1
72-75

Escucha a estas personas hablando de los momentos más importantes de su vida y completa la tabla.

	¿Qué sucedió?	¿Dónde estaba?	¿Cómo fue?	¿Por qué es importante para él/ella?
Carolina				
Agustín				
Laia				
Pablo				

9. ¿Qué estás haciendo ahora?

CD1
76-79

Escucha la grabación y escribe qué está haciendo cada una de estas personas.

1. Pablo: _____

2. Irene: _____

3. Juan Carlos: _____

4. Berta: _____

10. Luis Sepúlveda

 A. Luis Sepúlveda es autor de libros como *El viejo que leía novelas de amor.* ¿Has oído hablar de él? ¿Conoces otros escritores latinoamericanos? Háblalo con tus compañeros.

 B. Lee la biografía de este escritor y organiza la información según las categorías de la tabla.

> ⚙
> Recuerda que hay diferentes formas de leer, dependiendo de la finalidad con la que te acerques a un texto. Lees de una forma si quieres tener una visión general, y de otra si te interesa una información puntual. Tenlo en cuenta antes de leer un texto.

El escritor, periodista, director de teatro y de cine Luis Sepúlveda, "Lucho" para los amigos, nació en Ovalle, Chile, en 1949. Estudió en la Facultad de Arte de la Universidad de Chile y durante su juventud fue militante de las Juventudes Comunistas y más tarde de la Federación Juvenil Socialista. También fue dirigente en la Federación de Estudiantes de Chile y durante el Gobierno de Salvador Allende, que gobernó desde 1970 hasta el golpe de Estado de 1973, formó parte de la escolta del Presidente.

Después del golpe militar del 11 de septiembre de 1973, el Gobierno del Dictador Pinochet lo encarceló y lo condenó a 28 años de cárcel, pero gracias a la presión de Amnistía Internacional salió de la cárcel en 1977. La experiencia de la cárcel fue fundamental en su vida, y en su libro de viajes *Patagonia Express* la describe así: "dos años y medio de mi juventud los pasé encerrado en una de las más miserables cárceles chilenas, la de Temuco. Lo peor de todo no era el encierro en sí mismo, pues dentro la vida proseguía, y a veces más interesante que fuera. Los "prigué" —prisioneros de guerra— de mayor preparación —y ahí estaba todo el cuerpo docente de las universidades del sur— formaron varias academias, y así muchos de los prigué aprendimos idiomas, matemáticas, física cuántica, historia universal, historial del arte, historia de la filosofía (...). Lo peor llegaba cuando, más o menos cada quince días, nos llevaban al regimiento Tucapel para los interrogatorios. Entonces comprendíamos que por fin llegábamos a ninguna parte".

Más tarde viajó a Nicaragua, donde luchó con la Brigada Internacional Simón Bolívar hasta que consiguieron derrocar al dictador Somoza, y en junio de 1980 viajó a Hamburgo, en Alemania, donde trabajó como asistente de dirección en el teatro de la ciudad. Unos años después comenzó a estudiar Ciencias de la Comunicación en la Universidad de Heildelberg, que terminó en 1987. Trabajó después como periodista en Angola, Mozambique, Cabo Verde y El Salvador. En 1984 se unió a Greenpeace y participó en varias acciones de la organización ecologista. Actualmente vive en Gijón, España.

Uno de sus libros más famosos es *El viejo que leía novelas de amor*, que cuenta la historia de un hombre viejo que lleva una vida libre y sencilla en la región amazónica y disfruta leyendo novelas de amor con mucho sufrimiento y finales felices, y que un día tiene que demostrar que los indios shuar no son responsables de la muerte de un cazador blanco. La historia muestra la otra cara del llamado progreso.

actividades artísticas	actividades políticas	experiencias importantes en su vida	libros que ha escrito

 C. ¿Cómo te parece su vida? ¿Por qué? Escoge los adjetivos que mejor la describen y coméntalo con un compañero.

tranquila	apasionante	divertida	peligrosa

activa	comprometida	dura

> ✱
> • durante su juventud
> • después del golpe militar
> • más tarde
> • en junio de 1980
> • un día
> • desde (que)....
> • hasta (que)...
> • hasta que + verbo

 D. ¿Conoces otras personas con una vida interesante? Escribe la biografía de una de ellas.

11. El cartero y Pablo Neruda

A. ¿Cómo te imaginas la vida en una isla del sur de Italia en los años 30? ¿Cuánta gente crees que sabía leer? ¿Crees que un cartero era necesario? Conversa con tus compañeros.

- ● Yo creo que la vida era bastante tranquila y que mucha gente trabajaba en el campo.
- ▢ ¿Tranquila? Yo creo que no porque…

B. Imagina que un poeta famoso llega a una isla de pescadores. Habla con un compañero y haced hipótesis sobre las siguientes cuestiones.

- ¿Por qué está ahí el poeta?
- ¿Cómo es su vida allí?
- ¿Qué relación tiene con la gente de la isla?

- ● Yo creo que un poeta va a una isla para buscar inspiración.
- ▢ Sí, o a lo mejor solo quiere descansar.

C. Lee la sinopsis de la película *El cartero y Pablo Neruda*, que refleja un período en la vida del poeta Pablo Neruda. ¿Te interesa la historia? ¿Te gustaría ver la película? Háblalo con un compañero.

A veces, para narrar una historia en pasado se utiliza el Presente. Es el llamado **Presente Histórico**. En las sinopsis es muy habitual.

Mario Ruópolo, hijo y nieto de pescadores en una pequeña isla de Nápoles, no quiere continuar con el oficio familiar. Sin embargo, la isla ofrece pocas posibilidades laborales para el joven napolitano. Un día ve una oferta de trabajo: "se necesita cartero". El destinatario de las cartas es una sola persona: el poeta chileno Pablo Neruda, recién llegado a la isla tras su exilio de Chile por razones políticas. El poeta no viene solo, sino con su mujer, Matilde. Aunque ambos llevan una vida aislada, sin contacto con los habitantes de la isla, poco a poco nace una amistad entre el poeta y el cartero. El punto de unión son las palabras y la poesía como herramienta para entender y cambiar la propia vida: Mario, enamorado de la hermosa Beatrice, pide ayuda a Pablo Neruda para conquistarla. El poeta, al principio reacio, decide ayudar al cartero y se da cuenta de que también él puede aprender de un hombre sencillo.

Se trata de una película sincera y tierna que consigue unir dos mundos aparentemente alejados. Llena de detalles y matices sentimentales, es un homenaje al valor de las palabras y su poder para cambiar la vida de las personas. Muy recomendable.

D. Vuelve a leer el texto. ¿Qué parte narra el argumento de la película? ¿En cuál se hace una valoración? ¿Por qué lo sabes?

E. Fíjate ahora en estas frases. ¿A qué o a quién se refieren las palabras marcadas en negrita?

1. Mario Ruópolo, hijo y nieto de pescadores en una pequeña isla de Nápoles, no quiere continuar con **el oficio familiar**.

2. La isla ofrece pocas posibilidades laborales para **el joven napolitano**.

3. El poeta no viene solo, sino con su mujer, Matilde. Aunque **ambos** llevan una vida aislada, sin contacto con los habitantes de la isla...

4. Mario, enamorado de la hermosa Beatrice, pide ayuda a Pablo Neruda para conquistar**la**.

5. El poeta, al principio reacio, decide ayudar al cartero y se da cuenta de que también él puede aprender de **un hombre sencillo**.

Recuerda que cuando hablamos o escribimos, utilizamos mecanismos que dan cohesión al texto y que evitan la repetición de las ideas: pronombres, deícticos, sinónimos, etc. Fíjate siempre en estos mecanismos e intenta utilizarlos en tus producciones.

F. ¿Conoces otros libros que se han convertido en película? ¿Qué te gustó más, el libro o la película? Háblalo con tus compañeros.

- *Harry Potter*, por ejemplo.
- Es verdad. A mí me gustó más el libro porque yo me imaginaba al protagonista de otra manera.

G. Ahora, en grupos de tres, vais a escribir un texto acerca de otro libro que se ha convertido en película. A continuación tenéis un guion que os puede resultar útil.

- Recopilad información sobre la obra originaria y su autor.
- Presentad y describid a los personajes de la historia y el argumento de la obra.
- Explicad cómo la obra fue adaptada al cine, a la música, etc.
- Valorad tanto el libro como la película.

H. Presentad vuestro trabajo a la clase. Podéis elegir a un miembro del grupo para que haga de portavoz.

Soy consciente de mi estilo de aprendizaje, y aprovecho este conocimiento para desarrollar estrategias que me ayudan a hacer menos fallos.

¡Equivocarse es de sabios!

- Cuando escribo, pienso en la finalidad de mi texto y en el destinatario.
- Puedo distinguir entre la descripción de una persona o una situación y las acciones que tienen lugar, y escojo el tiempo verbal adecuado en cada caso.
- Estructuro mi texto y utilizo conectores para unir las ideas.
- Evito la repetición de palabras utilizando sinónimos y otros mecanismos.
- Corrijo las tildes y las faltas de ortografía.

12. Una vida en palabras

A. A lo largo de esta unidad has leído algunos textos relacionados con la vida de varias personas. Vuelve a leerlos y anota al menos diez palabras relacionadas con las biografías. Añade después al menos quince que tú conozcas, aunque no aparezcan en esta unidad. Céntrate en el vocabulario de las unidades que ya has estudiado.

- trabajar

B. Poned en común vuestras propuestas y elaborad un asociograma conjunto en la pizarra.

BIOGRAFÍAS

C. Ahora, busca aquellas palabras del asociograma relacionadas con los diferentes momentos en la vida de una persona y clasifícalas en esta tabla.

infancia	juventud	edad adulta	vejez

13. Preposiciones

A lo largo del curso has ido aprendiendo el uso de varias preposiciones. ¿Puedes escribir expresiones, verbos, dichos, frases hechas, etc. que se formen con estas preposiciones? Puedes mirar en las unidades anteriores y en tus apuntes del curso.

a

¿Vamos al cine?

....

....

de

....

....

....

en

....

....

....

> Una de las mejores técnicas para memorizar las preposiciones es aprender las expresiones en las que aparecen. Así las aprendes en un contexto.

con

Agua con gas

....

....

sin

....

....

....

por

El tren pasa por Segovia.

....

....

para

....

....

....

desde

Vivo aquí desde los 3 años.

....

....

hasta

....

....

....

14. El pelo rubio

Agrupa estas palabras por categorías y luego compara con la clasificación de tu compañero. ¿Coincidís?

rubio   azules   bajo   bigote   delgado   mayor

gafas   rizado   largo   barba   calvo   liso

marrones   pelirrojo   gordito   moreno   castaño

verdes   joven   negros   ondulado   alto   corto

1. Algunos usos de las preposiciones **para, en, con, sin, a, de, desde, hasta** y **por**

para	**destino** ◦ *El autobús para Alicante sale de la plataforma cuatro.* **finalidad** ◦ *Aprendo español para leer literatura latinoamericana.* **destinatario** ◦ *Este regalo es para ti. Lo he comprado en Estambul.* **fecha límite** ◦ *El trabajo es para el miércoles.*
por	**movimiento a través de un espacio** ◦ *El sofá no cabe por la puerta.* **movimiento dentro de un espacio** ◦ *Me gusta ir a correr por el parque.* **causa** ◦ *Se ha suspendido el concierto por la lluvia.* **localización en el tiempo** ◦ *Prefiero estudiar por la tarde.*
en	**medio de transporte** ◦ *Me da mucho miedo viajar en barco.* **ubicación** ◦ *La leche está en la nevera.* **interior de un periodo de tiempo** ◦ *En diciembre siempre paso unos días con mi familia.*
con	**compañía** ◦ *Voy a ir al cine con mi hermana.* **acompañamiento** ◦ *Por las mañanas siempre desayuno un té con leche.* **instrumento** ◦ *Hay que hacer el examen con boli negro o azul.* **modo** ◦ *Siempre vas con prisas por la mañana. ¿Por qué no te levantas antes?* **componentes** ◦ *¿Tienes ordenador con webcam?*
sin	**ausencia** ◦ *¿Tomas el café sin azúcar?*
a	**dirección** ◦ *Vamos a la universidad.* **distancia** ◦ *La parada del metro está a 100 metros.* **modo** ◦ *Estos zapatos están hechos a mano.* **OD de persona** ◦ *Todavía no he llamado a Marta.* **+ hora** ◦ *El concierto es a las 10 h.*

de	**procedencia** ◻ *Soy <u>de</u> Barcelona.* **lejos/cerca de** ◻ *El gimnasio está muy cerca <u>de</u> la universidad.* **+ día/noche** ◻ *En invierno, cuando salgo de trabajar ya es <u>de</u> noche.* **material** ◻ *Estos vasos son <u>de</u> plástico.* **pertenencia** ◻ *¿<u>De</u> quién es esta chaqueta?* ● *<u>De</u> Manu.* **género** ◻ *No me gustan las películas <u>de</u> terror.*
desde	**punto de origen** ◻ *El tren va <u>desde</u> Zaragoza hasta Madrid.* **punto inicial en el tiempo** ◻ *Vivo en Buenos Aires <u>desde</u> 1998.*
hasta	**punto de llegada** ◻ *El autobús llega <u>hasta</u> la biblioteca.* **punto final** ◻ *Estamos de vacaciones <u>hasta</u> el día 15.*

Las preposiciones **de** y **a** se contraen con el artículo **el**.

de + el → del
a + el → al

2. Estar + Gerundio

Con **estar + Gerundio** expresamos acciones o situaciones como algo temporal o no definitivo.

◻ <u>*Estoy trabajando*</u> *en un estudio de arquitectos.*

También podemos expresar estas acciones o situaciones con Presente de Indicativo y marcadores temporales: **desde hace unos meses**, **en estos momentos**...

◻ *Desde hace cuatro meses <u>trabajo</u> en un estudio de arquitectos.*

Para expresar acciones que se están desarrollando en el momento en el que hablamos, usamos **estar + Gerundio**.

◻ *Lidia <u>está haciendo</u> la comida. ¡Qué bien huele!*

Para presentar acciones que se desarrollan en el pasado, usamos **estar + Pretérito Perfecto**, **Pretérito Indefinido**, **Pretérito Imperfecto** o **Pretérito Pluscuamperfecto**. Las reglas de uso son las de los tiempos correspondientes.

◻ <u>*He estado*</u> *toda la tarde <u>jugando</u> con un vídeojuego.*

◻ *¿Dónde estaba usted la noche del robo?*
● *Aquí, en casa. <u>Estaba viendo</u> una película en la televisión.*

Para expresar una acción que se está desarrollando cuando hablamos, no podemos usar otros tiempos verbales.

~~Lidia hace la comida. ¡Qué bien huele!~~

3. Contraste entre el Pretérito Imperfecto y el Pretérito Indefinido

Pretérito Imperfecto	Pretérito Indefinido
describir una situación: ¿Cómo era?	**narrar un hecho: ¿Qué pasó?**
▢ *Durante su enfermedad, mi padre no <u>hablaba</u> ni <u>quería</u> comer nada.*	▢ *Al día siguiente no me <u>dejaron</u> salir a la calle: mi madre <u>fue</u> al hospital y <u>volvió</u> triste.*
costumbres en el pasado	
▢ *Cuando <u>era</u> pequeña siempre <u>íbamos</u> de vacaciones al mar. <u>Alquilábamos</u> una casa en la playa y <u>nos quedábamos</u> dos meses. Después, cuando <u>empezaban</u> las clases, <u>volvíamos</u> a la ciudad.*	
acciones duraderas en el pasado	**acciones acabadas**
▢ *Cuando <u>vivía</u> en Alemania, <u>iba</u> a la universidad y <u>estudiaba</u> alemán.*	▢ *<u>Viví</u> tres años en Argentina antes de volver a España.*
▢ *En aquella época <u>pensaba</u> quedarme y terminar la carrera en Alemania.*	
acciones interrumpidas por una nueva acción	**acciones que interrumpen otras acciones**
▢ *En Chile <u>gobernaba</u> Allende cuando tuvo lugar el golpe de Estado de 1973.*	▢ *En Chile gobernaba Allende cuando <u>tuvo</u> lugar el golpe de Estado de 1973.*
acción que no se ha realizado aún o no ha terminado	**acción que se ha realizado o ha terminado**
▢ *Cuando <u>llegaba</u> a casa me di cuenta de que me había dejado la cartera en la universidad.*	▢ *Cuando <u>llegué</u> a casa <u>me di</u> cuenta de que me había dejado la cartera en la universidad.*
▢ *Cuando <u>cruzaba</u> la calle alguien me llamó.*	▢ *Cuando <u>crucé</u> la calle alguien me llamó.*
acciones paralelas	
▢ *Víctor <u>hacía</u> prácticas en un hospital mientras <u>estudiaba</u> Medicina.*	

Si hablas inglés:

▢ *Víctor hacía prácticas en un hospital <u>mientras estudiaba</u> Medicina.*
  ...<u>while he was studying</u> Medicine.

▢ *Ella <u>vivía</u> en Chile cuando comenzó la dictadura en 1973.*
  ...<u>was living</u> in Chile.

▢ *<u>Estábamos viendo</u> una película y de repente la interrumpieron para informar sobre la crisis.*
  We <u>were watching</u> a movie...

4. Marcadores temporales para la duración

hace	Se refiere al tiempo transcurrido entre el momento en que ocurrió un hecho y el momento en el que se habla.	▫ *Me casé <u>hace</u> cinco meses.*
desde + fecha **desde que + verbo**	Se refiere al momento en el que inicia una acción o situación.	▫ *Vivo en Montevideo <u>desde</u> 2006.* ▫ *Vivo en Berlín <u>desde que</u> acabé la carrera.*
hasta	Se refiere al límite temporal de una acción o situación.	▫ *Tengo clase <u>hasta</u> las once.*
desde hace	Se refiere al tiempo transcurrido desde el inicio de una acción o situación que continúa en el presente.	▫ *Paula y Agus son novios <u>desde hace</u> ocho años.*
desde... hasta...	Se refiere al momento en que comienza y termina una acción o situación.	▫ *Estuvimos de viaje <u>desde</u> el 15 de septiembre <u>hasta</u> el 20 de noviembre.*
a partir de	Se refiere al momento en que inicia una acción o situación.	▫ *<u>A partir de</u> 1990 los medios de comunicación en México pasaron a manos de empresas privadas.*

Si hablas inglés:

▫ *Vivo en Valencia <u>desde</u> 2009* → *I live in Valencia <u>since</u> 2009.*

▫ *Vivo en Valencia <u>desde hace</u> dos años* → *I've been living in Valencia <u>for</u> two years.*

▫ *Me mudé a Valencia <u>hace</u> dos años* → *I moved to Valencia two years <u>ago</u>.*

9

Haciendo memoria

En esta unidad voy a aprender a...

Comprensión oral y escrita

- Comprender el relato de hechos del pasado.
- Comprender textos biográficos.
- Comprender fragmentos de novela histórica y social.
- Extraer información relevante de una entrevista (en la radio y en un texto periodístico).

Expresión oral y escrita e interacción oral

- Hablar de acontecimientos históricos.
- Hablar de circunstancias y acciones anteriores a un hecho pasado.
- Mostrar que se sigue un relato con interés.
- Describir el carácter de alguien.
- Escribir la biografía de un escritor.
- Describir una época del pasado.
- Escribir un acróstico.

Y voy a trabajar...

Recursos léxicos y gramaticales

- El Presente de Subjuntivo: formas y uso.
- El Pluscuamperfecto: formas y uso.
- Expresar valoraciones y opiniones: **Me parece absurdo que..., No es normal que..., Lo normal es que..., Es cierto que..., Me parece increíble que...,**
- Expresar deseo: **Quiero que...**
- Expresar necesidad: **Necesito que...**
- Expresar duda, incertidumbre, posibilidad, probabilidad: **Quizás, Tal vez, Seguramente, Probablemente, Es seguro que..., Estoy seguro de que...**
- Conectores para relatar: **entonces, después, luego...**

Mi año en España

Mmmmm... la paella que comimos en las fiestas del pueblo de Diego.

Ana en su desfile más importante. ¡Qué nerviosa estaba!

La Semana Santa de Almagro. ¡Menuda experiencia!

Este soy yo celebrando el Mundial
con mis compañeros de piso.

...RGES

AÑO 2060...

¿TE ACUERDAS CUANDO ALLÁ POR 2011
EL AVE HACÍA MADRID-VALENCIA EN 90 m.?

¿QUÉ DIRÍAN NUESTROS ABUELOS
DE ESTE CHEmagnetic QUE LO HACE
EN 16 m.?

NO SE LO
CREERÍAN...

Lo primero que busco
cuando abro el periódico:
la tira gráfica.

1. Cultura

A. Fíjate en el cuaderno de viaje de Richard. ¿Cuáles de estas cosas asocias con cultura? Discútelo con un compañero.

B. ¿Qué otras cosas son cultura en tu opinión? Haz una lista y ponla en común con el resto de la clase. Intentad llegar a un acuerdo entre todas las propuestas.

> La pintura
>
> ...

C. A partir de la discusión del grupo, escribid una definición en parejas de lo que es cultura. Volved a mirarla cuando acabéis la unidad y modificadla si lo creéis necesario.

> Cultura
>
> La cultura es...

2. ¿Sabes de cultura de España y Latinoamérica?

 A. Haz este test. ¿Cuántos puntos has sacado?

1. ¿Qué personaje mexicano dijo "la tierra es de quien la trabaja"?
a) Emiliano Zapata
b) Frida Kahlo
c) Moctezuma

2. ¿Qué civilización construyó la ciudad peruana de Machu Picchu?
a) Los mayas
b) Los incas
c) Los aztecas

3. ¿Qué futbolista argentino se conoce como "la Pulga"?
a) Diego Maradona
b) Leo Messi
c) Juan Martín del Potro

4. ¿Cuál es el instrumento por excelencia del tango argentino?
a) La guitarra
b) El piano
c) El bandoneón

5. ¿Quién fue el principal artífice de la revolución cubana de 1959?
a) Salvador Allende
b) Fidel Castro
c) Fulgencio Batista

6. ¿En qué guerra lucharon Argentina e Inglaterra en 1982?
a) En la guerra de las Malvinas
b) En la guerra de Independencia
c) En la guerra de la Patagonia

7. ¿Quién de estas personas no es un director de cine español?
a) Javier Bardem
b) Pedro Almodóvar
c) Alejandro Amenábar

8. ¿Qué religiones convivían en España en la Edad Media?
a) La musulmana y la cristiana
b) La judía, la budista y la cristiana
c) La judía, la musulmana y la cristiana

9. ¿Qué cuadro de Picasso se considera el comienzo del cubismo?
a) El Guernica
b) Las señoritas de Avignon
c) El arlequín

10. ¿Qué escritor peruano ganó el Premio Nobel en el año 2010?
a) Gabriel García Márquez
b) Isabel Allende
c) Mario Vargas Llosa

SOLUCIONES

1a, 2b, 3b, 4c, 5b, 6a, 7a, 8c, 9b, 10c

VALORACIÓN

ENTRE 7 Y 8 RESPUESTAS CORRECTAS: ¡Eres un experto! Seguro que puedes contar cosas interesantes a la clase sobre estos y otros acontecimientos. ¿Te animas?

ENTRE 4 Y 6 RESPUESTAS CORRECTAS: Te suenan muchos datos, pero no has profundizado demasiado en la cultura de España y Latinoamérica. Ahora puedes hacerlo. Pregúntale a tu profesor por algún dato interesante.

ENTRE 1 Y 3 RESPUESTAS CORRECTAS: No te interesa mucho la cultura, ¿no? ¿Sabes quizás otras cosas sobre el mundo de España y Latinoamérica: negocios, ciencia, geografía, etc.? ¡Compártelas con tus compañeros!

· También he leído…
· Según algunas fuentes…
· Un hecho fundamental fue…

Mientras un compañero expone, escucha lo que dice, compara su opinión con la tuya y haz algún comentario o pregunta. Así mantienes el flujo de la conversación y demuestras tu interés por el tema.

 B. En grupos de cuatro escoged un país y preparad un test. Después, pasádselo al resto de la clase. ¿Cuánto saben vuestros compañeros sobre "vuestro" país?

 C. Ahora, en grupos de tres, escoged un tema que os interese de la cultura del mundo hispanohablante y buscad información sobre él. Después, presentádsela a la clase. Podéis ayudaros de fotografías, vídeos, música, etc.

3. Mafalda: un cómic para niños y adultos

A. Lee esta viñeta de Mafalda, uno de los personajes más famosos del dibujante argentino Quino. ¿Cómo describirías a Mafalda? Escoge entre los siguientes adjetivos o añade otros.

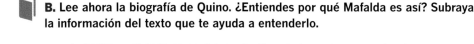

infantil · triste · curiosa · inteligente · comprometida · aburrida · enfadada · irónica · divertida · superficial

B. Lee ahora la biografía de Quino. ¿Entiendes por qué Mafalda es así? Subraya la información del texto que te ayuda a entenderlo.

Quino

Joaquín Salvador Lavado (Quino) nació en Mendoza en 1932, hijo de emigrantes españoles. En 1945 comenzó a estudiar en la Escuela de Bellas Artes de Mendoza, pero su padre murió poco después, y Quino dejó la escuela al año siguiente. Quería dibujar historietas cómicas. La primera fue un anuncio de una tienda de sedas, y siguió dibujando hasta que por fin publicó su primera página de humor en el semanario *Esto Es*. Esto significó un paso importante en su carrera, ya que los años anteriores habían sido muy duros para el dibujante.

En 1963 publicó *Mundo Quino*, su primer libro. Poco después, una empresa de electrodomésticos le encargó una campaña de publicidad y de ella nació Mafalda, su personaje más famoso. La campaña no se publicó, pero Mafalda había nacido y Quino continuó con su cómic. Mafalda es una niña preocupada por la política internacional y la huma-

nidad en general. Se trata de un cómic que pueden leer tanto niños como adultos. En 1973, Quino decidió abandonar a Mafalda porque, según él, "se le habían agotado las ideas". Se dedicó entonces a hacer tiras de humor donde los protagonistas son gente normal, aunque dentro de sus vidas normales también hay escenas surrealistas o alegóricas. El humor de Quino tiene a menudo contenido social, es ácido y a veces cínico, pero también está lleno de ternura. En una edición posterior de *Mundo Quino* se explica por qué:

"Como papá y mamá son españoles, 'todos los españoles son personas estupendas'. Pero a los cuatro años (1936), el pequeño Quino descubre que existen por ahí unos españoles malísimos que están asesinando a los españoles buenos. (...) El pequeño Quino ya va a la escuela y aprende que los que son buenos de verdad son los argentinos. Para intentar solucionar esta situación, el pequeño Quino empieza a dibujar, en silencio. Hablando se pueden de-

cir cosas incorrectas sobre el bien y el mal. Al final de 1939, el panorama se complica: los ingleses, que eran malísimos porque habían robado las Malvinas y Gibraltar, ahora son buenos porque defienden al mundo de la agresión alemana, italiana y japonesa (1941). También los norteamericanos son buenos. (...) En 1954, cuando se da cuenta de que los italianos, los alemanes y los japoneses no son tan malos, y de que los ingleses, los norteamericanos y los franceses tampoco son tan buenos, se va a vivir a Buenos Aires, donde empieza a publicar sus dibujos. En 1960, Quino se casa con Alicia, de origen italiano, y descubre que este pueblo es estupendo. Su carrera como humorista se afirma con Mundo Quino (1963), su primer libro, y en 1964 nace Mafalda, una niña que intenta resolver el problema de quiénes son buenos y quiénes son malos en este mundo".

Mundo Quino, 1998, Ediciones La Flor, Buenos Aires.

C. ¿Qué acontecimientos históricos hacen cambiar a Quino de opinión acerca de quién es bueno y quién es malo? ¿Por qué?

D. Fíjate en estas frases del texto y en las acciones o circunstancias marcadas en negrita. ¿Describen circunstancias y acciones anteriores, simultáneas o posteriores a las acciones marcadas en cursiva? Coméntalo con tus compañeros y con tu profesor.

- Quino *decidió abandonar* a Mafalda porque, según él, **"se le habían agotado las ideas"**.
- Esto *significó un paso importante* en su carrera, ya que los años anteriores **habían sido muy duros** para el dibujante.

· en 1945
· al año siguiente
· poco después
· por fin
· entonces
· a los cuatro años

había
habías
había + Participio
habíamos
habíais
habían

4. Detalles

A. Piensa en tres cosas curiosas o interesantes que has hecho últimamente y escríbelas en frases.

Ayer fui a ver la última película de Almodóvar.

B. Ahora, cuéntaselas a un compañero. Él te va a hacer preguntas. Añade algunas circunstancias anteriores, simultáneas o posteriores.

- ● Ayer fui a ver la última película de Almodóvar.
- ○ ¿Y qué tal?
- ● Pues, fenomenal. Había leído malas críticas, pero a mí me encantó, como siempre.

5. El deporte rey

A. ¿Qué importancia tiene el fútbol en tu país? ¿Te parece que el deporte es cultura? Discútelo con tus compañeros.

B. Lee esta entrevista a un sociólogo que analiza el papel del fútbol en la sociedad. ¿Con qué afirmaciones estás de acuerdo? Señálalas y coméntalas con tu compañero.

"En el fútbol todos son iguales al empezar el partido y gana el mejor"

El sociólogo argentino y experto en culturas populares, Martín Caruana, analiza el papel del fútbol hoy en día.

¿Por qué es tan importante un mundial de fútbol? Es cierto que tiene una enorme importancia, pero no es solo por el juego del fútbol en sí, sino porque tiene una enorme fuerza simbólica.

¿Simbólica en qué sentido? Bueno, lo que está en juego es la camiseta. La camiseta simboliza la bandera y esta simboliza la patria.

Entonces, ¿el fútbol es una manifestación de patriotismo? No necesariamente. También la identificación puede ser regional. Por ejemplo, en Italia son más interesantes los problemas entre el norte y el sur que la selección italiana. En España, la selección que ganó el mundial de 2010 se vio por unos como "la selección de la concordia" porque juntaba jugadores de equipos tradicionalmente rivales como el Madrid o el Barça, pero otros no estaban de acuerdo con esta etiqueta. Me parece absurdo que se utilicen etiquetas que tienden a dar un carácter político al fútbol. Me parece peligroso.

Un tema que se relaciona continuamente con el fútbol es la violencia... Así es. Es normal que se relacione, porque realmente las pasiones que desata en ocasiones están fuera de control. Esto tiene que ver con la forma de ser de los aficionados. Quiero que quede claro que la mayoría son pacíficos, pero es cierto que hay algunos que piensan que su deber moral es pelearse con todo el mundo que no está con su equipo. Es increíble que piensen así en el año 2010, pero algunos lo hacen.

¿Qué se despierta cuando juega un equipo pequeño contra otro grande y poderoso? Pues la tradición de David contra Goliat, del pequeño contra el poderoso. El encanto del fútbol se basa en la llamada "ilusión democrática": el fútbol se inventa en Inglaterra a mediados del siglo XIX, y en este mismo momento se inventan también los regímenes democráticos. El objetivo es diseñar sistemas que permiten competir en igualdad de condiciones. En el fútbol todos son iguales al empezar el partido y gana el mejor. El encanto del fútbol es que es posible que un equipo pequeño gane un gran campeonato.

Aunque, en realidad, no es cierto que sea así, ya que los equipos más poderosos tienen más dinero para comprar a los mejores jugadores y acaban ganando siempre, ¿no? Sí, eso sucede a veces, pero la posibilidad existe.

Según un importante sociólogo, puede ser que la victoria española del mundial de 2010 tenga un efecto positivo sobre la crisis económica que vive el país. ¿Qué opina de esto? Sinceramente, me parece ridículo que alguien diga algo así. No veo qué relación puede tener. Aunque tal vez sí tenga un efecto positivo en el ánimo de la población y por lo tanto, una relación indirecta. Lo veremos.

¿Considera que el fútbol es "el opio del pueblo"? Creo que eso se decía sobre todo en los años 60, pero cada vez hay más consenso en que el fútbol no son simplemente veintidós jugadores detrás de un balón, sino que es un prisma que permite observar una gran cantidad de hechos sociales, culturales, políticos y económicos muy importantes. Por eso es cada vez más importante la llamada "sociología del fútbol".

C. Fíjate en las expresiones subrayadas del texto. ¿Cuáles se utilizan para expresar inseguridad o duda, cuáles para expresar deseos, cuáles para expresar posibilidad y cuáles para valorar u opinar sobre una afirmación previa? En parejas, completad la tabla.

duda o inseguridad	deseo y necesidad	posibilidad y probabilidad	opinión y valoración
tal vez			Me parece absurdo que
...			...

D. A continuación, fíjate en estas citas sobre el fútbol. ¿Con cuál de ellas estás de acuerdo? ¿Por qué? Coméntalo con un compañero. Puedes utilizar las expresiones del apartado anterior y las que aparecen en el recuadro lateral.

1 "El fútbol es una guerra simbólica."

MARIANO GRONDONA, PENSADOR ARGENTINO

2 "El fútbol es un juego al que se juega con el cerebro."

JOHAN CRUYFF, ANTIGUO ENTRENADOR DEL BARÇA

3 "Un país habrá llegado al grado máximo de su civismo cuando en él se celebren partidos sin árbitros."

JOSÉ LUIS COLL, HUMORISTA ESPAÑOL

4 "El fútbol es popular porque la estupidez es popular."

JORGE LUIS BORGES, ESCRITOR ARGENTINO

5 "Todo cuanto sé con mayor certeza sobre la moral y las obligaciones de los hombres, se lo debo al fútbol."

ALBERT CAMUS, ESCRITOR FRANCÉS

6 "El deporte se divide en dos: el fútbol y el resto."

LUIS ARAGONÉS, ANTIGUO ENTRENADOR DE LA SELECCIÓN ESPAÑOLA

7 "¿Cómo vas a saber lo que es la vida, si jamás jugaste al fútbol?"

GONZALO GRASSI

8 "El fútbol es el único fenómeno social no impulsado por Estados Unidos."

ANTOINE LABBO, SOCIÓLOGO FRANCÉS

Expresiones que requieren Subjuntivo:
· Es probable que...
· Es posible que ...
· Puede ser que...
· Lo más seguro es que...

Expresiones que requieren Indicativo:
· Seguro que...
· Estoy seguro de que...

Expresiones que requieren Subjuntivo o Indicativo:
· Quizá...
· Tal vez...
· Seguramente...
· Posiblemente...
· Probablemente...

- No es cierto que el fútbol sea una guerra. A mí me parece muy exagerado.
- Hombre, hay dos enemigos y solo puede ganar uno...

¡Equivocarse es de sabios!

- Al corregir mis textos o narrar un hecho, presto atención al uso de los pasados y distingo entre descripciones y acciones.

  Antes vivía en un pueblo pequeño, pero la vida era un poco aburrida, así que hace dos años me mudé a la ciudad.

- Sé cuáles de las expresiones que sirven para comentar se utilizan con Indicativo y cuáles con Subjuntivo.

  Creo que el correo electrónico ha supuesto un gran avance, pero me parece preocupante que cada vez se escriba menos a mano.

Cuando me doy cuenta de que hago muchos errores, corrijo primero los que afectan a frases o párrafos enteros y después los que se refieren a palabras o formas verbales.

6. El misterio de Nazca

A. ¿Sabes qué se ve en estas fotos? Coméntalo con tus compañeros.

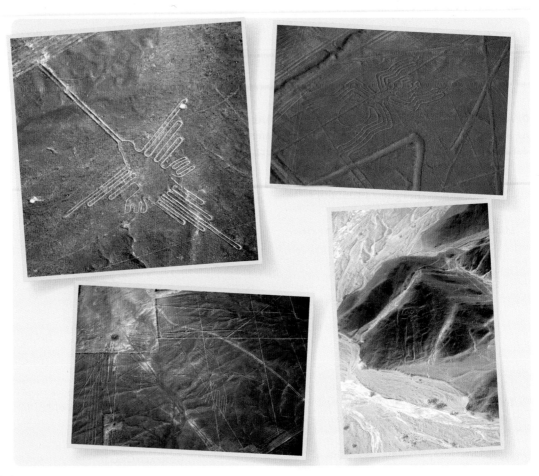

 B. Vas a escuchar una entrevista sobre las Líneas de Nazca. Completa la ficha.

CD1
80

Hay emisoras de radio que dan noticias varias veces al día. Por ejemplo, para España puedes escuchar los diferentes canales de Radio Nacional de España (Radio 5 Todo Noticias o Radio Exterior). Aunque el contenido cambia, la estructura es siempre la misma: de lo general a lo más específico. Esto te ayudará para profundizar en tu comprensión.

LÍNEAS DE NAZCA

Qué son:

Dónde están:

Quién las hizo:

Qué significado o función tenían:

Por qué son tan sorprendentes:

C. ¿Has oído hablar de otros misterios? Cuéntale lo que sabes sobre ellos al resto de la clase.

● Yo he oído hablar del monstruo del lago Ness. Según la leyenda…

7. Las tinieblas de tu memoria negra

A. Vas a leer información sobre el escritor Donato Ndongo-Bidyogo, pero antes, ¿de dónde crees que es? ¿Por qué?

Donato Ndongo-Bidyogo

B. Ahora, lee el texto. ¿Qué información te sorprende o te parece interesante de su biografía? Háblalo con un compañero.

El escritor, periodista y político Donato Ndongo-Bidyogo nació en Niefang, Guinea Ecuatorial, en 1950. Fue al colegio de los misioneros en Niefang, e hizo los primeros cursos del bachillerato en el Centro Laboral "La Salle", en Bata. En 1965 se trasladó a España para continuar el bachillerato.

Durante la década de 1980, fue director adjunto del Colegio Mayor Universitario «Nuestra Señora de África», en Madrid. Más tarde fue director adjunto del Centro Cultural Hispano-Guineano de Malabo y hasta el año 2000 fue director del Centro de Estudios Africanos de la Universidad de Murcia. En 2005 comenzó a trabajar como profesor visitante de la Universidad de Missouri en Columbia, con un seminario sobre literatura africana de expresión española.

Como periodista fue durante diez años delegado de la Agencia de Noticias Española EFE en África central. En 1983 fundó el Partido del Progreso de Guinea Ecuatorial, junto con Severo Moto. En 1994 se exilió en España por oposición al Gobierno de Teodoro Obiang. Actualmente vive en este país y es Ministro de Exteriores en el Gobierno de Guinea Ecuatorial en el Exilio.

Como escritor, su novela más famosa es *Las tinieblas de tu memoria negra*, "una autobiografía de su generación", irónica y mordaz, en la que la mirada inocente de un niño muestra las contradicciones del régimen colonial.

C. En su novela *Las tinieblas de tu memoria negra*, Donato Ndongo describe la situación de Guinea Ecuatorial durante el colonialismo. Lee este fragmento de la novela. ¿Qué opinión tiene el narrador sobre su padre y sobre los colonizadores españoles? Discútelo con tu compañero.

Mi padre era un negro alto, delgado, con un carácter muy firme, que había decidido en un momento impreciso de su vida pactar con el colonizador blanco. Se había construido una casa grande de cemento con techo de cinc que se distinguía desde lejos como un inequívoco signo de distinción (...). Había sido uno de los primeros, si no el primero, de la comarca, en abrir una finca de café, símbolo de un nuevo tiempo que anunciaba la modernidad. (...) Mi padre había abandonado, a la vista de todos pero imperceptiblemente, la tradición para insertarse en la civilización.

Donato Ndongo, *Las tinieblas de tu memoria negra*, Editorial Fundamentos, Madrid, 1987

D. ¿Cuáles son tus escritores preferidos? ¿Qué obras han escrito? Escribe la biografía de uno de ellos. Puedes buscar la información que necesites en internet.

Cuando escribas un texto a partir de información encontrada en internet o en otras fuentes, no te limites a cortar y pegar. Asimila la información y redáctala con tus propias palabras.

8. Ramona, adiós

 A. Vas a leer un fragmento adaptado de la novela *Ramona, adiós*, de Montserrat Roig. Pero antes, lee la presentación de su autora y de su estilo literario. ¿Te interesa este tipo de literatura? ¿Por qué? Háblalo con un compañero.

La escritora catalana Montserrat Roig (Barcelona, 1946-1991) escribía "prosa de ideas", tanto de tipo histórico como periodístico. Comprometida con la cultura catalana y el feminismo, comenzó a escribir en los años 60. Su novela *Ramona, adiós* forma parte de un ciclo de varias novelas que tratan sobre la historia de la pequeña burguesía barcelonesa desde finales del siglo XIX hasta los años setenta del siglo XX, sobre todo en los últimos momentos del franquismo. En los textos, las mujeres son protagonistas, y se tratan temas como las relaciones entre las mujeres, los roles sociales que se les adjudican, la sexualidad femenina, la dificultad de encontrar el propio yo femenino, el papel de la literatura en esta búsqueda, las relaciones de poder entre los sexos, etc.

- A mí me interesa la prosa de ideas. Te hace reflexionar.
- Pues a mí me aburre. Yo quiero libros que sean entretenidos.

 B. Ahora lee el fragmento de la novela. ¿Cuáles de los temas del apartado **A** aparecen en ella? ¿Cómo se tratan? Discútelo con un compañero.

Barcelona, década de los sesenta, plena época franquista, una familia de la pequeña burguesía. La madre abrió la puerta del dormitorio.

MADRE:	Niña, ¿no sabes qué hora es?
HIJA:	No, acabo de despertarme.
MADRE:	Ya lo veo. Es muy tarde, son las doce menos cuarto. Vamos, levántate. Esta noche tampoco has dormido en casa.
HIJA:	No es verdad. He llegado tarde pero he dormido aquí.
MADRE:	No he oído la puerta. No me mientas. ¡Suerte tienes que papá está en Madrid!
HIJA:	Pues a mí ¡me da igual que esté en Madrid o en la India!
ABUELA:	Niña, no hagas enfadar a mamá.

Por qué tenía que opinar la abuela. La cosa se complicaba.

HIJA:	No la hago enfadar, protesta por la hora a la que llego y, en cambio, no he podido dormir por culpa de tu rosario.
MADRE:	Mundeta, ¿se puede saber qué te pasa?
ABUELA:	Cuando yo tenía tu edad...
HIJA:	Me importa un bledo tu juventud.
ABUELA:	¡Niña!
MADRE:	No hay nada que hacer, mamá. Es así desde que va a la universidad. Ha cambiado completamente.
HIJA:	¡Ya estamos en lo de siempre! ¿Por qué no puedo vivir tranquila?
MADRE:	Venga, dejémoslo. Esperemos a que llegue papá...
HIJA:	Mira, mamá, precisamente ahora que no está papá te quiero decir una cosa.
MADRE:	Ay, eso sí que no. No quiero que me metas en estas discusiones. Al final la culpa siempre la tengo yo.
HIJA:	No te hagas la víctima. Tengo que irme porque la policía puede venir a buscarme.

Montserrat Roig, *Ramona, adiós*, Argos Vergara, Barcelona, 1980 (fragmento adaptado)

C. Vuelve a leer el texto y corrige la información falsa de este resumen. Compara luego con las correcciones de un compañero.

> Mundeta está discutiendo con su madre y su abuela. Ha llegado muy tarde y además ha dormido en casa de su novio. Su padre está trabajando en Barcelona. Está muy nerviosa porque intenta explicar a su familia que se encuentra en una situación complicada. Su madre no quiere escucharla ni saber qué está pasando. Quiere encontrar ya una solución, pero eso es precisamente lo que Mundeta quiere evitar. La abuela tampoco entiende por qué Mundeta tiene problemas. Solo le interesa que sea educada y no discuta con su madre.

 D. ¿De qué crees que quiere hablar Mundeta con su madre y por qué no quiere su madre? Coméntalo con tu compañero.

- ● Yo creo que quiere hablar de su situación en la universidad.
- □ Pero parece que tiene problemas con la policía, ¿no?

E. La novela se desarrolla durante los años 60 en España. ¿Qué sabes de esta época? En grupos de tres, buscad información sobre el tema y compartidla con el resto de la clase. Las siguientes preguntas os pueden servir de guía.

- ¿Cómo se vivía?
- ¿Qué sistema político había?
- ¿Cómo era la vida de las mujeres?
- ¿Y la de los hombres?

F. En grupos de tres, volved a leer el texto del apartado **B**, repartíos los papeles y haced una lectura dramatizada de la escena. Pensad en la entonación y el estado de ánimo de cada personaje.

9. Dominó de palabras

A. Con tu compañero, vas a jugar al dominó. Para ello, fotocopiad y recortad las fichas y unid aquellas que tienen una relación entre ellas: por temas, por significado (sinónimos y antónimos), etc. En cada caso, justificad vuestras asociaciones.

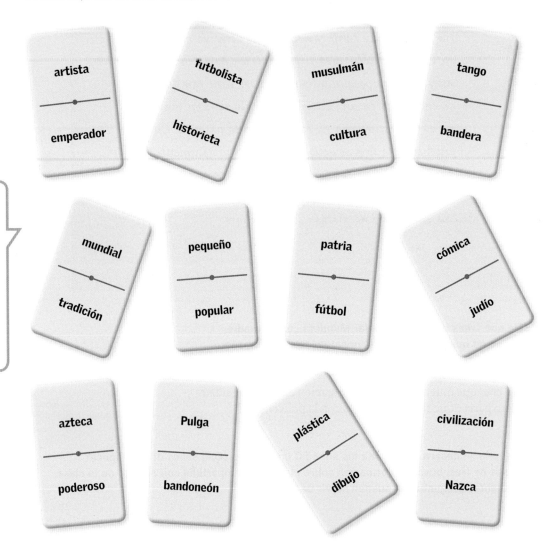

Ordenar la información y relacionarla con información conocida te ayuda a recordarla mejor. Puedes agrupar las palabras bajo una característica común, relacionarlas con un texto o con un contexto, agruparlas por categorías…

B. ¿Recuerdas en qué contexto aparecen las palabras anteriores a lo largo de la unidad? Háblalo con un compañero.

- Creo que *Pulga* aparecía en el test de cultura.
- Sí, para hablar de un futbolista, ¿no?

C. ¿Recordáis otras palabras de esta unidad? Haced una lista. Luego, comparadla con la de otra pareja. ¿Podéis establecer relaciones entre las palabras?

10. Palabras encadenadas

Vamos a jugar a las palabras encadenadas. Uno dice una palabra, y el de al lado debe decir una palabra que comience por la última sílaba de la palabra anterior.

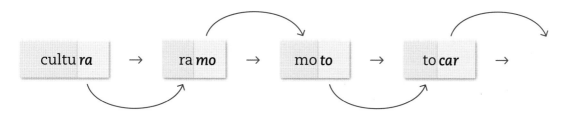

cultu *ra* → ra *mo* → mo *to* → to *car* →

11. Acrósticos

A. Un acróstico es una palabra o una frase incluida en una composición literaria, que se puede leer de forma vertical o diagonal. Lee este acróstico de Rosa Luengo. ¿Te gusta?

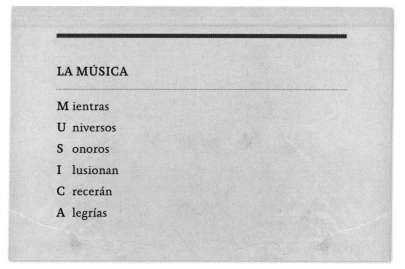

LA MÚSICA

M ientras
U niversos
S onoros
I lusionan
C recerán
A legrías

Rosa Luengo

B. Ahora, por parejas, vais a hacer un acróstico para la palabra **cultura**. Luego, compartidlo con el resto de la clase. ¿Qué acróstico es el más original?

CULTURA

C
U
L
T
U
R
A

1. El Presente de Subjuntivo (I): verbos regulares

trabajar	leer	escribir
trabaje	lea	escriba
trabajes	leas	escribas
trabaje	lea	escriba
trabajemos	leamos	escribamos
trabajéis	leáis	escribáis
trabajen	lean	escriban

Los verbos en **–ar** cambian la vocal temática del Presente de Indicativo por **e**. Y los verbos en **–er** y en **-ir** cambian la vocal temática del Presente de Indicativo por **a**.

2. El Presente de Subjuntivo (II): verbos irregulares

Verbos con cambio vocálico **o → ue**

poder	mostrar	contar	dormir	morir
pueda	muestre	cuente	duerma	muera
puedas	muestres	cuentes	duermas	mueras
pueda	muestre	cuente	duerma	muera
podamos	mostremos	contemos	durmamos	muramos
podáis	mostréis	contéis	durmáis	muráis
puedan	muestren	cuenten	duerman	mueran

Verbos con cambio vocálico **i → ie**

querer	entender	sentir	preferir
quiera	entienda	sienta	prefiera
quieras	entiendas	sientas	prefieras
quiera	entienda	sienta	prefiera
queramos	entendamos	sintamos	prefiramos
queráis	entendáis	sintáis	prefiráis
quieran	entiendan	sientan	prefieran

Los verbos con irregularidades de cambio vocálico **e → ie** y **o → ue** en Presente de Indicativo, tienen estas irregularidades en Presente de Subjuntivo en las mismas personas.

pedir	traer	tener	decir	hacer	salir	conocer
pida	traiga	tenga	diga	haga	salga	conozca
pidas	traigas	tengas	digas	hagas	salgas	conozcas
pida	traiga	tenga	diga	haga	salga	conozca
pidamos	traigamos	tengamos	digamos	hagamos	salgamos	conozcamos
pidáis	traigáis	tengáis	digáis	hagáis	salgáis	conozcáis
pidan	traigan	tengan	digan	hagan	salgan	conozcan

Los verbos que en Presente de Indicativo tienen cambio vocálico **e → i** y muchos otros que presentan otra irregularidad en la primera persona, la presentan también en todas las personas del Presente de Subjuntivo.

⚠️ Los verbos en **–ir** que diptongan, también presentan cambio vocálico en la primera y la segunda persona del plural.

dormir
duerma
duermas
duerma
durmamos
durmáis
duerman

sentir
sienta
sientas
sienta
sintamos
sintáis
sientan

Otros verbos irregulares

ser	estar	haber	ir	ver	saber	dar
sea	esté	haya	vaya	vea	sepa	dé
seas	estés	hayas	vayas	veas	sepas	des
sea	esté	haya	vaya	vea	sepa	dé
seamos	estemos	hayamos	vayamos	veamos	sepamos	demos
seáis	estéis	hayáis	vayáis	veáis	sepáis	deis
sean	estén	hayan	vayan	vean	sepan	den

3. Usos del Presente de Subjuntivo

En las subordinadas relativas cuando no conocemos la identidad o la existencia del antecedente.

◻ *¿Conoces a alguien que <u>viva</u> en París?*

En las subordinadas con **cuando** si la frase introducida por **cuando** se refiere al futuro.

◻ *Cuando <u>acabe</u> de estudiar, iré al cine.*

En la frase subordinada de una oración subordinada sustantiva cuando el verbo de la frase principal expresa un sentimiento o un deseo, o transmite una orden o un consejo.

◻ *Luis quiere que <u>vayamos</u> a su fiesta, pero le fastidia que Nuria no <u>pueda</u> ir.*

El verbo de la oración subordinada va en Subjuntivo cuando el de la principal emite una valoración o un juicio de una acción que realiza un sujeto determinado.

◻ *Es bueno que <u>duermas</u> ocho horas el día antes del examen.*

Si en la oración principal de una subordinada se cuestiona o se niega la veracidad de lo que se expresa, entonces en la oración subordinada usamos el Subjuntivo.

◻ *No creo que Beatriz <u>llegue</u> puntual.*

Si el sujeto de las dos frases es el mismo, el verbo de la frase subordinada va en Infinitivo.

4. El Pluscuamperfecto: formas y uso

Participio		Participio
había		cambiado
habías		leído
había	+	salido
habíamos		hecho
habíais		dicho
habían		roto

El Pluscuamperfecto se forma con el Pretérito Imperfecto del verbo **haber** y el Participio del verbo principal.

Se utiliza para marcar que una acción pasada es anterior a otra ya mencionada.

◻ *Cuando llegué al cine, la película ya <u>había empezado</u>, pero entré de todas formas.*

10

La felicidad

En esta unidad voy a aprender a...

Comprensión oral y escrita

- Entender diferentes opiniones sobre un tema.
- Interpretar un diagrama.
- Resumir textos conocidos con ayuda de esquemas.
- Comprender los elementos centrales de una conferencia sobre un tema conocido.

Expresión oral y escrita e interacción oral

- Dar un consejo o hacer una propuesta.
- Discutir en grupo sobre un tema, pedir aclaraciones y referirse a lo dicho.
- Explicar la interpretación personal de una idea.
- Comentar un texto y una opinión de otro.
- Presentar un tema y citar una fuente.
- Referirse al autor y a la información de un texto.
- Hablar de hábitos y costumbres, así como de opiniones sobre la felicidad.
- Expresar sorpresa: **¡Qué extraño!**, **¿De verdad?**...

Y voy a trabajar...

Recursos léxicos y gramaticales

- Las oraciones subordinadas sustantivas.
- El Subjuntivo para expresar opinión: **Me resulta extraño que...**, **Es interesante que...**, etc.
- El Subjuntivo para expresar conveniencia: **Es mejor que...**, **Es conveniente que...**, **Es fundamental que...**
- El estilo indirecto en Presente.

Propuestas de trabajo

1. Citas

A. Fíjate en el título de la unidad y en la foto de la portadilla. ¿Qué situaciones te sugiere? Coméntalo con tus compañeros. ¿Coincidís?

B. Ahora lee los testimonios de algunos personajes célebres sobre la felicidad. ¿Con quién te identificas más? ¿Con cuál no te identificas en absoluto? Coméntalo con un compañero.

> "El cuarenta por ciento de la felicidad depende de los genes."
> Luis Rojas Marcos (1943) Psiquiatra español

> "La felicidad es un sentimiento fundamentalmente negativo: la ausencia de dolor."
> Gregorio Marañón (1887-1960) Médico y ensayista español

> "La felicidad humana generalmente no se logra con grandes golpes de suerte, que pueden ocurrir pocas veces, sino con pequeñas cosas que ocurren todos los días."
> Benjamin Franklin (1706-1790) Estadista y científico estadounidense

> "La felicidad es interior, no exterior; por lo tanto, no depende de lo que tenemos, sino de lo que somos."
> Henry Van Dyke (1852-1933) Escritor estadounidense

> "Un hombre puede ser feliz con cualquier mujer mientras no la ame."
> Oscar Wilde (1854-1900) Dramaturgo y novelista irlandés

> "Felicidad no es hacer lo que uno quiere sino querer lo que uno hace."
> Jean Paul Sartre (1905-1980) Filósofo y escritor francés

● Yo me identifico mucho con lo que dice Gregorio Marañón. Me parece que la salud es fundamental para ser feliz.
○ ¿Sí? Yo creo que...

 C. Ahora, tomando como modelo los testimonios que has leído en el apartado anterior, refleja en una o dos frases tu visión de la felicidad. Después, compárala con la de tus compañeros. ¿Se parecen?

2. ¿Tú cómo lo ves?

CD1
81-83

A. Vas a escuchar a tres personas hablando sobre la felicidad. Apunta algunas ideas que te llamen la atención. Luego compara tus notas con las de un compañero. ¿Coinciden con alguna de las ideas de la actividad anterior?

Marta
(Estudiante de Historia)

Luis
(Estudiante de Derecho)

Ernesto
(Profesor de Psicología Positiva)

B. ¿Con quién te identificas más? Si quieres, puedes volver a escuchar la grabación.

● Yo me identifico con la chica, porque para mí los amigos son lo más importante.
○ Sí, pero también es fundamental tener un trabajo que te guste.

· Es mejor que...
· Es conveniente que...
· Es fundamental que...
· Si te preocupa....,
tal vez puedes....
· Quizás debas...
· A lo mejor es una
buena idea...
· ¿Por qué no...?
· ¿Qué te parece si...?

3. Pequeños obstáculos en el camino a la felicidad

A. ¿Qué cosas te preocupan en tu día a día? Escoge uno de estos temas u otro y explícale a un compañero por qué te preocupa. Él te va a dar consejos. Luego, cambiad los papeles.

• los exámenes
• problemas de pareja

• no tener trabajo
• tener poco dinero

• tener poco tiempo libre
• ...

■ A mí me preocupa que tengo muy poco tiempo libre.
○ Quizás debas organizarte mejor.

B. Imagina que participas en un blog o un foro sobre uno de los temas del apartado anterior. Escribe un texto sencillo para explicar tu postura. El siguiente comentario puede servirte como modelo.

· Es un hecho que...
· Es verdad que...
· A mí me parece ...
· Yo no creo que
+ Subjuntivo
· No es bueno que
+ Subjuntivo
· Pienso que...
· No me parece una
buen idea que
+ Subjuntivo

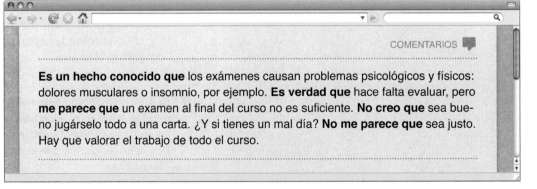

COMENTARIOS

Es un hecho conocido que los exámenes causan problemas psicológicos y físicos: dolores musculares o insomnio, por ejemplo. **Es verdad que** hace falta evaluar, pero **me parece que** un examen al final del curso no es suficiente. **No creo que** sea bueno jugárselo todo a una carta. ¿Y si tienes un mal día? **No me parece que** sea justo. Hay que valorar el trabajo de todo el curso.

4. ¿Son más felices los jóvenes de hoy?

A. Fíjate en las palabras y expresiones siguientes. ¿Cuántas puedes comprender sin utilizar el diccionario?

disfrutar
pasarlo bien
crecer como persona
defender valores
derechos humanos

personalidad sana
ocio
bienestar económico
bienes materiales
tener un objetivo

factores objetivos
factores subjetivos
posición social
prestigio social
amistades

sueldo adecuado
trabajo estable
gratificante
vocación
autoestima

Hay muchas formas de entender el significado de una palabra. Una de ellas es ayudándote con el contexto. Intenta usar otras fórmulas antes de consultar el diccionario. ¡Te ayudarán a aprender vocabulario!

B. Ahora lee estos dos textos sobre la felicidad de los jóvenes y completa la tabla con las ideas fundamentales.

Un estudio del Instituto de la Juventud de Cataluña demuestra que, a grandes rasgos, la juventud española es feliz, y trata de explicar por qué. Federico Javaloy, catedrático de Psicología Social de la Universidad de Barcelona, intenta describir a jóvenes felices (e infelices), y presenta un modelo de felicidad y las claves para lograrla. Según el psicólogo, el 88% de jóvenes de ambos sexos está de acuerdo con la frase "ser feliz es saber disfrutar de la vida y pasarlo bien". Sin embargo, hay un 93,3% de jóvenes que también se identifican con la frase "ser feliz es crecer como persona". Esta cifra rompe con el tópico de que la sociedad actual fabrica jóvenes egoístas, porque las chicas y chicos más felices participan en actividades solidarias. No creen en la política, pero defienden valores como los derechos humanos, la paz, la lucha contra el hambre y el medio ambiente. La política o hacer la revolución no se asocian a mayor felicidad. Las cinco claves de la felicidad se basan en una personalidad sana y positiva, las relaciones personales, las actividades de ocio, bienestar económico y laboral y defender valores.

"La gente joven de hoy es tan feliz como la de ayer", asegura la psicopedagoga Pilar Dotras de la Universidad Ramón Llull, "pero con diferentes criterios, pautas y objetivos". No hay duda de que la felicidad es una percepción muy personal, relacionada con factores objetivos y otros subjetivos. Entre los primeros podemos encontrar elementos materiales de nuestra sociedad, como tener dinero, pareja, posición social. Entre los segundos, la autoestima, la percepción de tener amistades, de ser valorado por tu grupo social. Según Dotras, "la juventud de hace unos años tenía valores parecidos pero con una valoración diferente. Por poner un ejemplo, hace unos años tener un trabajo era parte de la felicidad. Lo que ha cambiado es la percepción de lo que significa tener un trabajo: si significa un sueldo adecuado (no mileurista), estable, gratificante. Antes, los factores más importantes se relacionaban con la vocación, si era un trabajo para toda la vida o un trabajo que daba prestigio social.

Según Federico Javaloy...	Según Pilar Dotras...

· Yo (no) creo que...
· Es difícil/fácil decir...
· Yo (no) estoy de acuerdo porque...
· Es interesante/ sorprendente / Llama la atención que + Subjuntivo
· Es obvio/lógico que + Subjuntivo

Referir las palabras de otra persona:
· Según Javaloy, los jóvenes son felices + Indicativo
· El autor dice/afirma que los jóvenes son felices + Indicativo

C. Lee otra vez las palabras del apartado A que no comprendías. ¿Las entiendes ahora?

D. ¿Con qué ideas de los artículos estás de acuerdo y con cuáles en desacuerdo? Discutidlo en pequeños grupos. Las expresiones del recuadro lateral os serán útiles.

● Creo que la felicidad es una cuestión muy personal. No depende tanto de factores externos.
□ No estoy de acuerdo porque si no tienes amigos, por ejemplo, es difícil ser feliz.

5. ¿Qué significa triunfar en la vida?

A. Estos son los resultados de un estudio acerca de los factores que contribuyen a la felicidad para los españoles de distintas edades. ¿Qué importancia tiene para ti cada uno de ellos? Completa la tabla de la derecha con tu opinión personal.

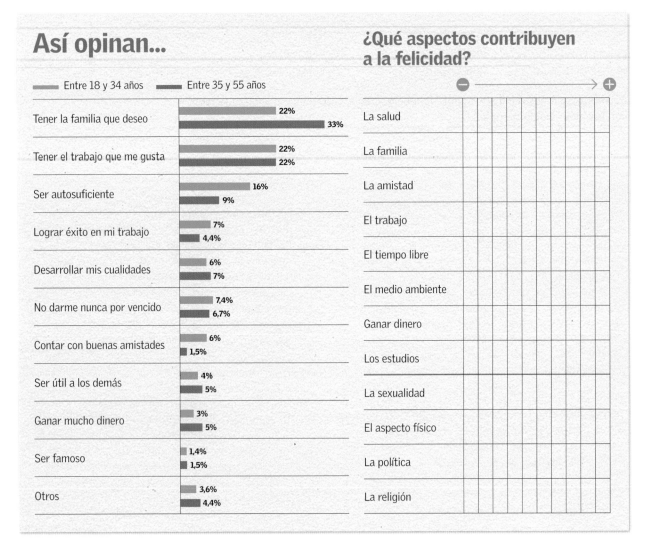

Así opinan...

━━ Entre 18 y 34 años ━━ Entre 35 y 55 años

	Entre 18 y 34 años	Entre 35 y 55 años
Tener la familia que deseo	22%	33%
Tener el trabajo que me gusta	22%	22%
Ser autosuficiente	16%	9%
Lograr éxito en mi trabajo	7%	4,4%
Desarrollar mis cualidades	6%	7%
No darme nunca por vencido	7,4%	6,7%
Contar con buenas amistades	6%	1,5%
Ser útil a los demás	4%	5%
Ganar mucho dinero	3%	5%
Ser famoso	1,4%	1,5%
Otros	3,6%	4,4%

¿Qué aspectos contribuyen a la felicidad?

⊖ ——————————→ ⊕

La salud								
La familia								
La amistad								
El trabajo								
El tiempo libre								
El medio ambiente								
Ganar dinero								
Los estudios								
La sexualidad								
El aspecto físico								
La política								
La religión								

B. ¿Coincides con tu compañero? Coméntalo con él.

● Para mí es fundamental tener tiempo libre.
○ Ya, pero si quieres ganar mucho dinero, no puedes tener mucho tiempo libre, normalmente.

· El artículo publicado en..., el + fecha... trata de...
· Según...
· El primero...
· La segunda...
· En cambio, ...
· Además, ...

C. Ahora vuelve a mirar el gráfico y comenta con tus compañeros cómo interpretas cada uno de los factores. ¿Qué significa para ti "tener la familia que deseo", "ser autosuficiente", etc.?

● "La familia que deseo" es para mí una familia muy grande, con muchos hijos.
○ Pues para mí es una familia pequeña que me deja mucha libertad.

D. Vamos a hacer el diagrama de la clase. Contad cuántos puntos tiene cada aspecto de la tabla y elaborad un diagrama que represente su importancia para el grupo.

6. Felicidad y filosofía

Irene, una estudiante de Filosofía, escribe un artículo en su blog acerca de cómo ven la felicidad diferentes filósofos y científicos de todas las épocas. Léelo y envía tu comentario respondiendo a su pregunta.

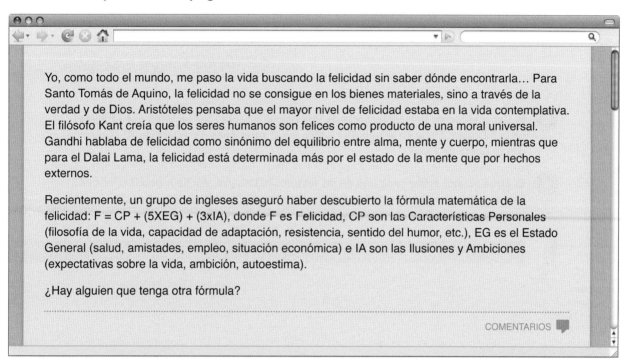

Yo, como todo el mundo, me paso la vida buscando la felicidad sin saber dónde encontrarla… Para Santo Tomás de Aquino, la felicidad no se consigue en los bienes materiales, sino a través de la verdad y de Dios. Aristóteles pensaba que el mayor nivel de felicidad estaba en la vida contemplativa. El filósofo Kant creía que los seres humanos son felices como producto de una moral universal. Gandhi hablaba de felicidad como sinónimo del equilibrio entre alma, mente y cuerpo, mientras que para el Dalai Lama, la felicidad está determinada más por el estado de la mente que por hechos externos.

Recientemente, un grupo de ingleses aseguró haber descubierto la fórmula matemática de la felicidad: $F = CP + (5XEG) + (3xIA)$, donde F es Felicidad, CP son las Características Personales (filosofía de la vida, capacidad de adaptación, resistencia, sentido del humor, etc.), EG es el Estado General (salud, amistades, empleo, situación económica) e IA son las Ilusiones y Ambiciones (expectativas sobre la vida, ambición, autoestima).

¿Hay alguien que tenga otra fórmula?

COMENTARIOS

7. ¿Cuál es el país más feliz?

A. En grupos de cuatro decidid el país en el que creéis que la gente es más feliz. Pensad las condiciones que pueden contribuir a la felicidad del país y preparad argumentos y ejemplos para hacer una exposición de 5 minutos.

B. Ahora discutid entre todos cuál os parece el país más feliz. ¿Os han hecho cambiar de opinión los argumentos de vuestros compañeros? Los recursos de la ficha os pueden ser muy útiles.

Para pedir explicaciones o aclaraciones
- ¿Entonces qué significa…?
- ¿Qué quiere decir…?

Para explicar
- …, es decir, …
- En pocas palabras…
- …quiere decir
- …, o sea, …

Para confirmar
- …, ¿no?
- …, ¿no es cierto?
- …, ¿verdad?

Para seguir preguntando
- Has dicho que…, pero…
- Volvamos al tema/a la cuestión de…

Para dar razones
- Como…
- …porque…
- Es que…

Para dar un ejemplo
- Por ejemplo…
- Pienso por ejemplo en…
- Un buen ejemplo es…

8. La psicología de la felicidad

A. Lee las siguientes afirmaciones y piensa si estás de acuerdo o en desacuerdo con ellas. Después, coméntalo con tus compañeros. ¿Pensáis lo mismo?

> Lo peor que te puede pasar es estar enfermo.

> Eres más feliz cuando te toca la lotería.

 CD1 84 **B.** Vas a escuchar una conferencia de una psicóloga sobre los factores que influyen en la felicidad. Fíjate en lo que dice sobre las afirmaciones del apartado **A**. ¿Coincide con tu punto de vista?

 CD1 85 **C.** ¿Qué se dice sobre cada uno de los factores? ¿Influyen mucho o poco? ¿Por qué? Escucha la segunda parte de la conferencia y toma notas. Después, compara tus respuestas con las de un compañero.

Para practicar la comprensión auditiva, en clase escuchas las grabaciones varias veces. Fuera de clase puedes practicar con vídeos, con audios de internet o con canciones.

Influye mucho	Influye poco

 D. ¿Qué informaciones te han sorprendido? Coméntalo con tus compañeros.

- A mí lo que más me ha sorprendido es...

¡Equivocarse es de sabios!

- Soy capaz de resumir la información principal y unir las ideas mediante conectores.
- Soy capaz de dividir el texto en párrafos de acuerdo con el desarrollo de la información.
- Clasifico mis errores según el tipo al que pertenezcan (de vocabulario, de gramática, de ortografía, de cohesión textual...) para saber qué tipo de errores cometo más a menudo y cuáles debo intentar mejorar.

9. Supersticiones

A. En todas las culturas existen supersticiones acerca de cosas que traen buena o mala suerte. Clasifica las siguientes expresiones en esta tabla. Después compárala con la de un compañero.

ver un gato negro

cruzar los dedos

un espejo que se rompe

pasar por debajo de una escalera

vestirse de amarillo

tocar madera

encontrar una moneda en la calle

abrir un paraguas dentro de casa

Trae buena suerte	Trae mala suerte

B. Lee ahora este texto. ¿Encuentras otras expresiones relacionadas con la buena o la mala suerte? ¿Tú conoces otras? Añádelas a la tabla.

13 y martes: ni te cases ni te embarques

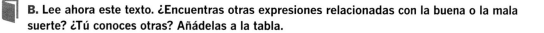

En todas las culturas existen objetos, acciones y números que atraen la "buena suerte" o actúan contra la "mala suerte". Desde tiempos remotos, cuando los seres humanos dejaron de creer en algún dios para empezar a creer en todo lo demás, vamos por el mundo llevando algún amuleto que puede ser una pata de conejo o una herradura, preocupándonos si derramamos la sal o rompemos un espejo y controlando el calendario por si es martes o viernes 13.

El origen de estas creencias o supersticiones, da igual cómo queramos llamarlas, se remonta a muchos siglos atrás y se explica a través de la historia y por la influencia de las religiones y las tradiciones de cada país. La lengua castellana contiene muchos dichos y expresiones relacionados con este tema. Algunos los puedes encontrar en canciones como la del cantautor catalán Joan Manuel Serrat: "Toca madera".

C. ¿Qué expresiones hay en tu lengua materna relacionadas con la buena o la mala suerte? ¿Sabes de dónde vienen? Cuéntaselo al resto de la clase. Si es necesario, puedes investigar sobre su origen en internet.

Expresar sorpresa:
· ¡Qué extraño!
· ¿De verdad?
· ¿En serio?

10. ¿Se puede ser feliz en época de exámenes?

 A. Algunos estudiantes, al preguntarles cómo se sienten ante un examen, han respondido lo siguiente. ¿Con cuáles de estas afirmaciones estás de acuerdo?

1. Yo me pongo muy nervioso, me estreso, me bloqueo y no consigo escribir nada. Creo que habría que suprimir los exámenes.

2. Para mí, es fundamental ser creativo. Así es fácil relacionar ideas y desarrollar un tema.

3. La mejor forma de prepararse para un examen es aislarse una semana antes y no pensar en otras cosas.

4. En un examen oral, factores externos como el aspecto físico, el acento o la ropa pueden influir en la nota final. Eso es injusto.

5. Yo creo que el estrés puede ser muy positivo y productivo, no solo negativo.

- ■ Yo también creo que habría que suprimir los exámenes.
- □ Pues yo no, porque son el tipo de evaluación más eficaz.

 B. A continuación, vas a leer un texto sobre factores que pueden influir en los resultados de un examen. Marca las ideas que encuentres relacionadas con las afirmaciones anteriores y subraya lo que se dice sobre ellas.

En una entrevista para una revista universitaria la profesora Julia Villalobos de la Universidad de Huesca, de España, explica que el estado emocional de una persona examinada puede influir en el resultado de sus exámenes. Cuando hay que resolver problemas teóricos, las personas que tienen miedo de los exámenes obtienen peores resultados. El temor produce reacciones físicas y psíquicas que afectan negativamente al rendimiento y la concentración.

Por el contrario, cuando una persona está relajada y de buen humor, piensa de manera más global y es más creativa. **Por lo tanto**, es capaz de establecer relaciones entre hechos o circunstancias e incluso entrar en un estado de "flow", en el que se pueden conseguir los mejores resultados. **Sin embargo**, a veces lo más importante en los exámenes no es creatividad, sino precisión, por lo que es importante centrarse y poner atención a los detalles. **En cualquier caso**, la influencia de las emociones es muy variada y depende **tanto** del tipo de emoción **como** de su intensidad y de la tarea que hay que resolver en el examen. **Según** investigaciones recientes, algunas personas son generalmente temerosas y otras lo son solo en situaciones de estrés. Estas últimas muchas veces no están bien preparadas, no tienen muy claros los requisitos del examen o tienen una relación problemática con la persona examinadora. **Por otra parte**, el estrés también puede ser productivo y movilizar energías.

Según Villalobos, para evitar el miedo a los exámenes es fundamental prepararse bien. No basta tener buenos conocimientos; además hay que saber explicarlos dentro de un contexto. Para ello es importante no aislarse antes del examen y hablar con compañeros de los temas relevantes. Explicarles un tema a otras personas es una forma de saber si realmente dominamos el tema o no.

En cuanto a la función de los exámenes, son varias, afirma esta profesora: **en primer lugar**, seleccionan a los estudiantes, **es decir**, muestran —a través de la nota— lo apto que es el estudiante en una materia determinada. **Además**, son una muestra del nivel que ha alcanzado y pueden servirle para saber cómo seguir estudiando.

Villalobos habla **también** de la importancia que puede tener la forma de examinar, **así como** de la influencia que pueden tener factores externos en el examinador, tales como la ropa o el aspecto físico del estudiante.

Por último, cada vez que se examina, es fundamental diseñar las pruebas con claridad y evaluarlas con objetividad. Un buen examen garantiza estos dos aspectos: **por un lado** óptimas condiciones para presentar conocimientos y competencias, y **por otro** una evaluación justa.

C. Fíjate en cómo se usan las expresiones que aparecen marcadas en negrita en el texto. Completa la tabla con otros ejemplos. ¿Existen expresiones similares en tu lengua? Anótalas.

	ejemplo	expresión similar en mi lengua
por el contrario		
por lo tanto		
sin embargo		
en cualquier caso		
tanto… como		
según		
por otra parte		
en cuanto a		
en primer lugar		
es decir		
además		
también		
así como		
por último		
por un lado… por otro		

D. Ahora vamos a resumir el texto. Para ello, sigue estos pasos y consulta los recursos de la ficha.

- Vuelve a leer el texto y marca en cada párrafo las ideas más importantes.
- Escribe al lado de cada párrafo una o dos palabras clave.
- Ahora, tomando las palabras clave que has escrito en los márgenes, escribe una frase que sintetice la información de cada párrafo. (Dedica un párrafo a cada idea.)
- Utiliza los conectores del apartado anterior para unir las frases (haz los cambios que necesites en cada una de ellas).
- Por último añade una conclusión con tu opinión personal.

Para citar la fuente del texto:
- El texto/El artículo/La entrevista/La noticia…. se publicó en/apareció en…
- Se trata de un artículo publicado en…

Para hablar del autor:
- El periodista/director/experto/especialista…

Para presentar el tema:
- El texto trata de/habla sobre/informa acerca de/analiza la situación de/expone el problema de/presenta datos sobre…

Concluir:
- En mi opinión
- Finalmente
- ….

Para comprender mejor un texto y recordar mejor su contenido, te puede resultar útil trabajar sobre su estructura. Al hacerlo, ordenas la información, que luego puedes emplear para escribir tu propio texto.

E. ¿Cómo te sientes tú ante los exámenes? Cuéntaselo a un compañero y él te aconsejará cómo afrontarlos con seguridad. Recuerda las expresiones que has aprendido hasta ahora.

11. Cosas importantes

¿Cuántas expresiones relacionadas con factores que influyen en la felicidad puedes formar con estas palabras? Utiliza el cuadro para ordenarlas y añade otras si lo necesitas.

defender · derechos · sueldo · ocio · personalidad · prestigio

actividad/es · bienestar · objetivo/s · bien · gratificante

tener · crecer · estable · factor/es · disfrutar · trabajo

social · sano/a · buenas · humanos · adecuado · actividad

materiales · vocación · autoestima · posición · persona

valores · amistades · pasarlo · económico · vida · subjetivos

mis expresiones
- tener un objetivo
- ...

12. ¿Cómo te sientes?

A. Los emoticonos sirven para expresar sentimientos, emociones y estados de ánimo cuando nos comunicamos por internet o por sms. ¿Los usas a menudo? ¿Sabes qué significan estos? Relaciona cada uno con su significado.

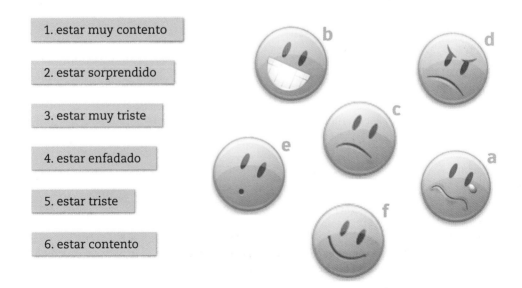

1. estar muy contento
2. estar sorprendido
3. estar muy triste
4. estar enfadado
5. estar triste
6. estar contento

B. ¿Conoces otros emoticonos? ¿Qué significan? Por turnos, salid a la pizarra y dibujad un emoticono. ¿Los demás conocen su significado?

C. ¿En qué situaciones estás así? Continúa las frases.

1. Normalmente estoy muy contento cuando…
2. Me suelo poner triste si…
3. Me enfado muchísimo cuando…
4. Siempre me sorprende que…

13. Polos opuestos

A. Estos son Mario y Paula. Escribe un retrato de cada uno. No olvides hablar de estas cosas y fijarte en el recuadro lateral.

- ¿Cómo es su carácter?
- ¿Qué le hace feliz?
- ¿Qué le pone triste?
- ¿Le gusta su trabajo?
- ¿Lleva una vida sana?
- ¿Tiene suerte en el amor?

Paula

Mario

· tener buena/mala salud
· estar sano/enfermo
· hacerle/sentarle bien/ mal algo a alguien
· ser optimista/ pesimista
· estar deprimido
· alimentarse bien/mal
· estar alegre/triste

B. Imagina cómo ha sido el día de uno de ellos y escribe una página de su diario. Después vas a colgarlo en la clase y entre todos vais a decidir cuál es el texto más original.

1. Oraciones subordinadas sustantivas: temporales, finales, consecutivas y causales

Oraciones temporales

⚠

Recuerda que después del adverbio **cuando** con valor de Futuro, el verbo aparece en Presente de Subjuntivo, no en Futuro de Indicativo.

Cuando ~~sabrás~~ > sepas la fecha, dímela.

antes de / después de + Infinitivo	▫ _Antes de salir_ de casa, tomo un café y leo el periódico.
antes de que / después de que + Presente de Subjuntivo	▫ Será mejor que encontremos una solución _antes de que llegue_ tu padre.
en cuanto + Subjuntivo	▫ Avísame _en cuanto_ lo _veas_.
al + Infinitivo	▫ _Al llegar_ a casa, recordé que tenía que llamar a Pilar.
cuando + Presente de Subjuntivo **cuando** + Presente de Indicativo **cuando** + Pretérito Imperfecto **cuando** + Pretérito Indefinido	▫ _Cuando termine_ la carrera quiero hacer un viaje por Europa. ▫ _Cuando veo_ a Mario me pongo nerviosa. ▫ _Cuando vivía_ en Madrid iba mucho al teatro. ▫ _Cuando llegué_ a casa me di cuenta de que me había olvidado la mochila en el bar.
hasta + Infinitivo **hasta que** + Presente de Subjuntivo	▫ No me iré _hasta hablar_ con el director. ▫ No me iré _hasta que termine_ el informe.
mientras + Presente de Indicativo **mientras** + Pretérito Imperfecto	▫ Me encanta cantar _mientras me ducho_. ▫ Cuando era pequeña, mi madre me contaba una historia _mientras_ me _bañaba_.

Oraciones finales

⚠

Recuerda que cuando el sujeto de la oración principal y el de la oración subordinada es el mismo, se utiliza el Infinitivo.

Me parece importante que lo sepas. (tú)

Me parece importante saberlo. (yo)

para + Infinitivo (mismo sujeto o afirmación general)	▫ Deberías ir a ver a tu profesor _para preguntarle_ cómo va a ser el examen.
para que + Subjuntivo (sujeto diferente en la oración principal y en la subordinada)	▫ Deberías ir a ver a tu profesor _para que_ te _explique_ cómo va a ser el examen.

Oraciones consecutivas

Así que + Indicativo	▫ No tengo mucha hambre, _así que_ solo _voy_ a comer una ensalada.

Oraciones causales

como + Indicativo	▫ _Como necesito_ dinero, voy a trabajar durante las vacaciones.
porque + Indicativo	▫ _Voy a trabajar durante las vacaciones porque necesito_ dinero.
es que + Indicativo	▫ _¡¿Qué?! ¡¿Vas a trabajar durante las vacaciones?!_ ■ _Es que necesito_ dinero.
por + Infinitivo	▫ _Por salir_ de casa corriendo, me he olvidado las llaves dentro.

2. El Subjuntivo con verbos que expresan un sentimiento

Me alegra **No me molesta** **Le da vergüenza** **Es una pena** **Me hace feliz** **Nos preocupa** **No me importa** **Es una lástima** **Me parece fenomenal** …	**que**	**vengas** a vernos. los vecinos **celebren** fiestas durante toda la noche. no **sepamos** dónde está.

Ya conoces el Subjuntivo. Ahora se trata de aprender los verbos de sentimiento que rigen Subjuntivo.

3. Estilo indirecto (I)

Usamos el estilo indirecto para referirnos a lo que otros han dicho (o nosotros mismos hemos dicho) en otro momento y/o en otro lugar.

▫ _No puedo ir a la montaña porque trabajo._ → _Me ha dicho que_ no _puede_ ir a la montaña _porque_ _trabaja_.

Cuando nos referimos a una pregunta, utilizamos la partícula interrogativa.

▫ _¿Cuántos años tienes?_ → _Me ha preguntado_ _cuántos_ años _tengo_.

Cuando nos referimos a una pregunta de respuesta cerrada (sí/no) la introducimos con la partícula **si**.

▫ _¿Tienes el último libro de Vargas Llosa?_ → _Me ha preguntado_ _si_ _tengo_ el último libro de Vargas Llosa.

Cuando nos referimos a algo que ha sido dicho en el presente y en el mismo contexto en el que nos encontramos, no se cambia el tiempo verbal en la oración subordinada. Pero si cambia el contexto, cambian muchos elementos de la frase: tiempos verbales, referencias espaciales y temporales, etc.

¿Vienes **esta tarde** a mi casa a estudiar? (el lunes pasado)

Me preguntó si iba **aquella tarde** a su casa a estudiar. (hoy)

11

Piensa globalmente, actúa localmente

En esta unidad voy a aprender a...

Expresión oral y escrita

- Comprender el contenido fundamental de textos sobre temas medioambientales.
- Entender anuncios de voluntariado.
- Comprender testimonios sobre malentendidos culturales.

Expresión oral y escrita e interacción oral

- Hablar de los cambios que ha habido en un lugar.
- Redactar una carta formal.
- Expresar causa, efecto y finalidad.
- Hablar de conceptos como el tiempo, por ejemplo, sobre su significado y la planificación del tiempo en diferentes culturas y compararla con la propia cultura.
- Hablar sobre temas relacionados con el medio ambiente.

Y voy a trabajar...

Recursos léxicos y gramaticales

- El Futuro: verbos regulares e irregulares.
- El Condicional.
- Las oraciones condicionales con **si** en presente.
- Marcadores temporales de Pasado, Presente y Futuro.
- **Ya no / Todavía.**

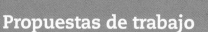

1. Actívate

A. Relaciona las parejas de imágenes con los textos que tienes a continuación.

1. Para hacer veinte latas con aluminio reciclado se necesita la misma energía que para hacer una lata nueva. Sé consciente de lo que tiras: reduce, reutiliza, y si no puedes, recicla.

2. ¿Cuánta energía hace falta para llevar la fruta que compras desde el árbol hasta tu casa? Siempre que puedas, consume productos locales y de temporada: ¡volverás a disfrutar del sabor de las cosas!

3. ¿Te gusta conocer lugares auténticos? ¿Quieres viajar respetando el territorio? ¡Únete al turismo rural!

4. No gasta combustible, te mantienes en forma, se aparca fácilmente, no emite humo... quizá es el momento de planteártelo, ¿no crees?

B. En parejas, completad este asociograma con todas las palabras que se os ocurran relacionadas con el título de la unidad, con las imágenes y con los textos del apartado anterior.

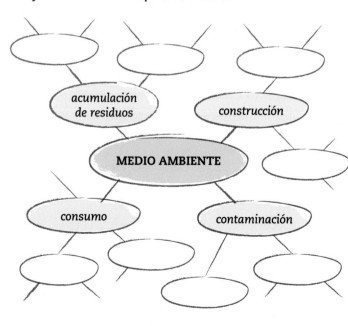

acumulación de residuos

construcción

MEDIO AMBIENTE

consumo

contaminación

2. ¿Qué tipo de turista eres?

 A. En una web dedicada a la promoción del turismo sostenible se ha publicado un test titulado "Se busca el turista del futuro". Responde las preguntas para saber si tu perfil se ajusta a ese tipo de turista.

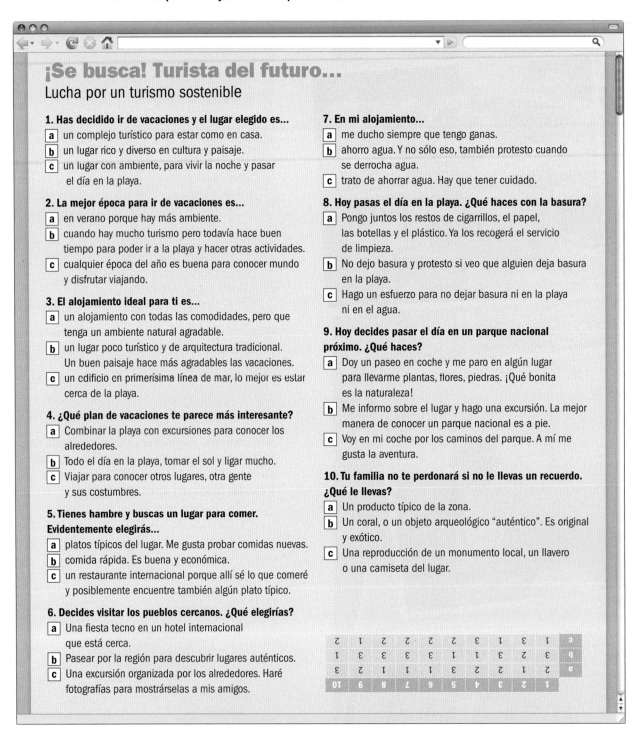

¡Se busca! Turista del futuro...
Lucha por un turismo sostenible

1. Has decidido ir de vacaciones y el lugar elegido es...
- **a** un complejo turístico para estar como en casa.
- **b** un lugar rico y diverso en cultura y paisaje.
- **c** un lugar con ambiente, para vivir la noche y pasar el día en la playa.

2. La mejor época para ir de vacaciones es...
- **a** en verano porque hay más ambiente.
- **b** cuando hay mucho turismo pero todavía hace buen tiempo para poder ir a la playa y hacer otras actividades.
- **c** cualquier época del año es buena para conocer mundo y disfrutar viajando.

3. El alojamiento ideal para ti es...
- **a** un alojamiento con todas las comodidades, pero que tenga un ambiente natural agradable.
- **b** un lugar poco turístico y de arquitectura tradicional. Un buen paisaje hace más agradables las vacaciones.
- **c** un edificio en primerísima línea de mar, lo mejor es estar cerca de la playa.

4. ¿Qué plan de vacaciones te parece más interesante?
- **a** Combinar la playa con excursiones para conocer los alrededores.
- **b** Todo el día en la playa, tomar el sol y ligar mucho.
- **c** Viajar para conocer otros lugares, otra gente y sus costumbres.

5. Tienes hambre y buscas un lugar para comer. Evidentemente elegirás...
- **a** platos típicos del lugar. Me gusta probar comidas nuevas.
- **b** comida rápida. Es buena y económica.
- **c** un restaurante internacional porque allí sé lo que comeré y posiblemente encuentre también algún plato típico.

6. Decides visitar los pueblos cercanos. ¿Qué elegirías?
- **a** Una fiesta tecno en un hotel internacional que está cerca.
- **b** Pasear por la región para descubrir lugares auténticos.
- **c** Una excursión organizada por los alrededores. Haré fotografías para mostrárselas a mis amigos.

7. En mi alojamiento...
- **a** me ducho siempre que tengo ganas.
- **b** ahorro agua. Y no sólo eso, también protesto cuando se derrocha agua.
- **c** trato de ahorrar agua. Hay que tener cuidado.

8. Hoy pasas el día en la playa. ¿Qué haces con la basura?
- **a** Pongo juntos los restos de cigarrillos, el papel, las botellas y el plástico. Ya los recogerá el servicio de limpieza.
- **b** No dejo basura y protesto si veo que alguien deja basura en la playa.
- **c** Hago un esfuerzo para no dejar basura ni en la playa ni en el agua.

9. Hoy decides pasar el día en un parque nacional próximo. ¿Qué haces?
- **a** Doy un paseo en coche y me paro en algún lugar para llevarme plantas, flores, piedras. ¡Qué bonita es la naturaleza!
- **b** Me informo sobre el lugar y hago una excursión. La mejor manera de conocer un parque nacional es a pie.
- **c** Voy en mi coche por los caminos del parque. A mí me gusta la aventura.

10. Tu familia no te perdonará si no le llevas un recuerdo. ¿Qué le llevas?
- **a** Un producto típico de la zona.
- **b** Un coral, o un objeto arqueológico "auténtico". Es original y exótico.
- **c** Una reproducción de un monumento local, un llavero o una camiseta del lugar.

	1	2	3	4	5	6	7	8	9	10
a	2	1	2	3	2	1	1	1	1	2
b	3	2	1	1	3	3	3	3	3	1
c	1	3	3	2	1	2	2	2	1	3

B. Ahora escribe otras dos preguntas para mejorar el test y házselas a tres compañeros.

 C. En grupos de 4, y según la máxima puntuación que se da a las respuestas, haced un retrato robot del turista del futuro. Después presentadlo al resto de la clase.

3. Responsables de nuestro futuro

A. Aquí tienes una lista de actividades para contribuir a llevar a cabo un turismo sostenible. Ordénalas según su importancia. Luego discute tu decisión con tu compañero.

- No derrochar agua
- No ensuciar las playas
- Visitar lugares poco masificados
- En los viajes, interesarse por la cultura y las costumbres del lugar
- No regalar objetos arqueológicos auténticos
- No llevarse plantas y piedras del lugar
- No viajar en coche a parques naturales
- Favorecer el pequeño comercio del lugar que se visita

B. En los últimos años, un pequeño pueblo de la costa española ha sufrido estos cambios. Descríbelos con tus palabras. Completa la tabla y luego coméntala con un compañero.

ANTES

1   2   3

AHORA

4   5   6

- antes
- hace unos años
- hoy
- actualmente
- en este momento
- en el futuro
- el día de mañana
- dentro de unos años
- más adelante
- ya no
- todavía

	1 y 4	2 y 5	3 y 6
ANTES			
AHORA			

- Ahora la gente casi siempre compra en el mercado.
- No, yo creo que eso ya no se hace mucho. Hoy se compra más en el supermercado...

C. ¿Qué crees sucederá dentro de unos años? ¿Qué cambios se producirán?

D. ¿Has notado cambios en tu entorno personal? ¿Son cambios positivos o negativos? ¿Se ha deteriorado el medio ambiente o ha habido un buen desarrollo? Coméntalo con un compañero.

E. A partir de la conversación anterior, escribe un texto contando cómo era antes tu entorno, cómo ha cambiado y cómo debería evolucionar para que los cambios fueran solo positivos.

- Se podría + Infinitivo
- Es mejor que + Subjuntivo
- Sería mejor + Infinitivo
- ... porque si + (no) Presente, + Futuro...

4. En peligro de extinción

A. ¿Conoces alguna especie en peligro de extinción? Coméntalo con el resto de la clase.

- El oso panda está en peligro de extinción, ¿no?
- Sí, pero hace poco nació una cría en un zoológico, me parece.

B. Las ballenas son unos de los animales más amenazados hoy en día. ¿Qué sabes sobre ellas? Haz el test y comenta después tus respuestas con un compañero.

1. La ballena azul es un...
- a | pez.
- b | mamífero.
- c | anfibio.

2. Se alimenta de...
- a | peces y vegetales.
- b | algas marinas.
- c | krill (pequeños crustáceos).

3. Se calcula que en este momento quedan en el mundo...
- a | 10.000 ballenas.
- b | 1.000 ballenas.
- c | 100.000 ballenas.

4. Suelen medir...
- a | entre 20 y 30 metros.
- b | más de 30 metros.
- c | unos cinco metros.

5. La reducción del número de ballenas se debe...
- a | al cambio climático.
- b | a la caza comercial.
- c | a un proceso natural que se repite cada 100 años.

6. La caza comercial de ballenas, se sigue practicando en...
- a | Perú, Chile y Argentina.
- b | Alemania, Dinamarca y Holanda.
- c | Islandia, Noruega y Japón.

7. La principal causa de las enfermedades de las ballenas es...
- a | que los turistas les dan de comer.
- b | que en los mares ya no encuentran alimento suficiente.
- c | que el agua del mar está cada vez más contaminada.

8. Una ballena puede permanecer debajo del agua...
- a | menos de diez horas.
- b | casi 24 horas.
- c | más de diez horas.

9. La salmonicultura, que tiene consecuencias negativas para las ballenas, consiste en...
- a | la alimentación basada principalmente en el salmón.
- b | la cría industrial de salmón.
- c | la lucha del salmón por sobrevivir.

 CD2 **C.** Escucha esta presentación de un activista de una asociación ecologista y comprueba si tus respuestas son correctas.

D. Ahora, en parejas, preparad una presentación sobre una especie en peligro de extinción. Después, exponedla al resto de la clase. El siguiente esquema y los recursos del recuadro lateral os pueden ser útiles.

· Buenas tardes / Buenos días / Hola a todos y bienvenidos a...
· Hoy quiero hablar de...
· El tema de mi presentación es...
· Como pueden/podéis ver en esta imagen / este gráfico...
· Según el Instituto de Investigación...
· Por eso...
· Por último...

1. Bienvenida
2. Presentación del tema
   a) Características del animal o la planta
   b) Importancia para el medio ambiente
3. Desarrollo del tema
   a) Situación actual
   b) Problemas que sufre
4. Conclusión y propuesta de acción
5. Turno de preguntas

5. Unas prácticas

A. ¿Has hecho alguna vez unas prácticas? ¿Dónde? ¿Cómo fue? Si no las has hecho, ¿te gustaría hacerlas?, ¿qué tipo de puesto te interesaría? Coméntalo con un compañero.

- ● Yo hice unas prácticas el verano pasado en un laboratorio de la universidad, pero no me gustó mucho.
- ○ Ah, ¿y por qué no?

B. Inés escribe una carta a la directora del Centro de Conservación Cetácea de Chiloé para solicitar un puesto de prácticas. Lee la carta y señala en qué parte se realizan las siguientes acciones.

- dirigirse a la persona a la que se envía la carta
- explicar el objetivo de la carta
- presentarse
- contar por qué se desea hacer unas prácticas
- detallar los documentos que se adjuntan
- dar las gracias y despedirse

San Sebastián, a 15 de marzo de...

Dra. Elsa Cabrera
Coordinadora del Centro de Conservación Cetácea
Castro (Chiloé) - Chile

Asunto: solicitud para un puesto de prácticas

Estimada Dra. Cabrera:

Me dirijo a usted para solicitar un puesto de prácticas en su centro. He leído con mucho interés el artículo publicado en el último número de la revista *Naturaleza* sobre el trabajo de investigación de su centro y me parece que realizan una labor muy importante para la conservación de las ballenas.

En cuanto a mí, soy estudiante de biología y actualmente estoy en el tercer año de la carrera. En el futuro pienso especializarme en biología marina. He hecho varias prácticas, tanto en parques nacionales de Costa Rica como en el Acuario de San Sebastián. Con este acuario colaboro además habitualmente.

Le adjunto mi currículum. Si lo desea, puedo enviarle información más detallada.

Le agradezco de antemano su atención.

Cordialmente,

Inés Pérez Santos

INÉS PÉREZ SANTOS
C/ VELÁZQUEZ, 15 · 20015 SAN SEBASTIÁN · ESPAÑA
INESPS@MAIL.COM · T. 0034-6097236

 Si utilizas modelos de cartas, estos te ayudarán a escribir las tuyas. Pon atención a las convenciones y expresiones típicas del género.

 C. Ahora escribe tú una carta a un centro educativo, una empresa, una organización, etc. para solicitar unas prácticas.

¡Equivocarse es de sabios!

- Tengo en cuenta las características del tipo de texto que voy a escribir y utilizo un registro adecuado.
- Pienso qué fórmulas de cortesía necesito.
- Corrijo mis fallos de ortografía ¡sin olvidar las tildes!
- Después de escribir un texto, lo dejo "descansar". Luego lo vuelvo a leer y corrijo los fallos o pido a un compañero que lo lea y con sus sugerencias lo mejoro.

6. El progreso

A. Lee esta cita de Almudena Grandes, una conocida escritora española. ¿Estás de acuerdo con ella? Discútelo con un compañero.

> "El progreso consiste en luchar contra las cosas injustas."

- Yo no estoy de acuerdo. Me parece una visión muy negativa.
- ○ Pues yo sí, porque...

B. Vas a escuchar un reportaje sobre un problema medioambiental muy importante para Argentina. Escucha la primera parte y marca de qué tema se habla.

CD2
2

La instalación de empresas papeleras

El crecimiento urbanístico de Buenos Aires

La destrucción de la selva

C. Escucha ahora la segunda parte y completa este asociograma con las causas del problema.

CD2
3

La primera vez que escuchas una grabación, intenta concentrarte en comprender de qué tema trata.

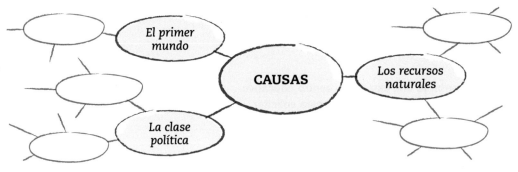

El primer mundo

CAUSAS

Los recursos naturales

La clase política

D. Vuelve a escuchar la grabación y completa el mismo asociograma, pero esta vez con las consecuencias.

CD2
3

Para comprender un texto oral de manera global, es útil organizar la información según la relación que se establece entre sus ideas; en este caso, distinguiendo causas y consecuencias.

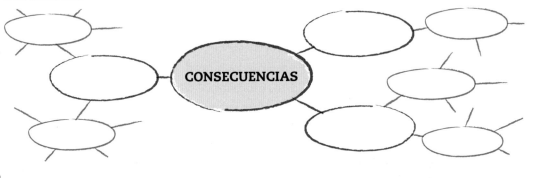

CONSECUENCIAS

7. El tiempo a través de las culturas

A. Dos españoles que viven en el extranjero cuentan una experiencia curiosa. ¿Sabes dónde está el malentendido en cada caso? Comentadlo en pequeños grupos.

> Yo, en Alemania, a la gente le decía al principio: "Te llamo mañana", pero luego, se enfadaban si no los llamaba al día siguiente. A mí me sorprendía un poco, la verdad.

Ana

(estudiante de Empresariales del programa Erasmus en Alemania)

> Cuando en las entrevistas de trabajo le digo a la gente que les doy 22 días de vacaciones, me preguntan: ¿Y qué voy a hacer yo con tanto tiempo?"

Ignacio

(empresario español que vive entre Barcelona y California)

B. Lee ahora este texto que escribe un brasileño que vive en Alemania. ¿Qué significa "mañana" para el autor? ¿Para ti tiene el mismo significado? Coméntalo con tus compañeros.

Las traducciones son mucho más difíciles de lo que uno se imagina. No me refiero a las expresiones idiomáticas, tiempos verbales, declinaciones y cosas por el estilo. Esto siempre se soluciona de un modo u otro, aunque muchas veces a costa de gran sufrimiento por parte de quien traduce. Me refiero más bien a la imposibilidad de encontrar equivalencias entre palabras aparentemente sinónimas. Por ejemplo, un alemán que sepa portugués responderá sin vacilar que la palabra portuguesa *mañana* quiere decir *morgen*. Casi nunca es verdad. *Mañana* significa, entre otras cosas, "nunca", "tal vez", "lo voy a pensar", "voy a desaparecer", "búsquese otra persona", "no quiero", "el año que viene", "si puedo", "un día de estos", "cambiemos de tema" y en casos muy excepcionales, precisamente "mañana".

(...) Como hoy mismo. Sonó el teléfono. Atendí. Era un alemán simpático y muy cortés que quería saber si tenía algo que hacer el miércoles 16 de noviembre a las 20.30 y, en caso contrario, dar una conferencia. Sé que resulta difícil para un alemán comprender que ese tipo de pregunta es incomprensible para un brasileño. ¿Cómo es posible ha-cer una cita con tanta precisión? Estos alemanes están locos. Pero no quise ser descortés y, como siempre, lo consulté con mi mujer.

— Querida —le dije tras pedirle a mi interlocutor un segundito— ¿Tengo algún compromiso el miércoles 16 de noviembre a las 20.30?

— ¿Te falta un tornillo? —respondió ella— ¿Quién puede responder a ese tipo de pregunta?

— Ya lo sé, pero aquí hay un alemán que está esperando una respuesta.

— Dile que le contestas mañana.

— ¿Y qué le digo mañana cuando llame? Es alemán y va a llamar mañana, él no sabe qué quiere decir *mañana*.

— Ah... Estos alemanes están locos. Eres escritor, invéntate una respuesta poética, dile que la vida es un eterno mañana.

Me pareció una idea interesante pero no lo dije. Le pregunté si podía llamar al día siguiente y me fui a dormir bastante preocupado, hasta tal punto que desperté a mi mujer en medio de la noche diciendo que después de todo, los alemanes son organizados, y que es una vergüenza que no podamos planear las cosas tan bien como ellos. ¿Qué hago ahora?

Joao Ubaldo Ribeiro, *Um brasileiro em Berlim* (Texto traducido y adaptado).

C. Piensa en algún malentendido parecido que hayas vivido. ¿A qué se debía? Cuéntaselo al resto de la clase.

8. Defensa del agua

A. **Lee este titular de periódico. ¿Puedes hacer hipótesis acerca de la noticia sobre la que informa?**

Uruguay, decisión autónoma por el agua
Más del 60% dijo SÍ

B. **Lee ahora la entradilla para verificar tu hipótesis. Luego contesta a las preguntas.**

Recuerda que para comprender el significado general de un texto no es necesario entender todas las palabras.

Por Radio Mundo Real. En un hecho histórico, más del 60% de los uruguayos apoyó la Reforma Constitucional en Defensa del Agua, agregando a la Constitución algunos artículos que definen el agua como un derecho humano y que deciden que su gestión se realice exclusivamente en forma pública, participativa y sostenible.

- ¿Cómo explicarías el significado de "pública", "participativa" y "sostenible"? Escribe una breve definición y compárala después con las de tus compañeros.

C. **A continuación lee la noticia completa. Mientras lo haces, subraya la siguiente información.**

- Las desventajas que tuvo la privatización del agua en Uruguay
- Quiénes lucharon a favor de la privatización y quiénes en contra
- Cuáles eran las razones de cada bando

Si ordenas cronológicamente la información de un texto, comprenderás más fácilmente el desarrollo del proceso que se describe. Ten en cuenta que, para dar fluidez al texto, no siempre se describen los procesos en orden cronológico.

A veces un hecho puede pasar a ser la finalidad de otro.

De acuerdo con informaciones publicadas en las últimas horas, la reforma constitucional en defensa del agua fue aprobada con más del 60% del apoyo de la población.

La Comisión Nacional en Defensa del Agua y de la Vida (CNDAV) puso en marcha el mecanismo de democracia directa. Esta comisión se fundó en el año 2002 como respuesta a la firma de la Carta de Intención entre el gobierno uruguayo y el Fondo Monetario Internacional en la que se decidió extender la privatización de los servicios de agua potable a todo el país. Esta privatización comenzó en el departamento de Maldonado, con la presencia de la empresa francesa Suez Lyonnaise Des Eaux en primer lugar, y luego continuó con la española Aguas de Bilbao.

Al igual que en la mayoría de los casos de privatización de agua que se observaron en el último año en todo el mundo, también esta tuvo consecuencias negativas. Desde el punto de vista social, se excluyó a amplios sectores de la población del acceso al agua potable por no poder pagar los gastos de la conexión al servicio. El servicio mismo empeoró considerablemente en su calidad, si se compara con el que ofrecía antes la empresa pública. La calidad empeoró tanto, que los organismos de control recomendaron no consumir el agua directamente ya que no presentaba condiciones de potabilidad.

"(...) se excluyó a amplios sectores de la población del acceso al agua potable por no poder pagar (...)"

Desde el punto de vista económico, el "negocio" fue muy negativo para el Estado uruguayo. No sólo las empresas no cumplieron con las fechas para realizar obras acordadas en los contratos, sino que tampoco pagaron por el derecho a operar en Uruguay.

Desde el punto de vista ambiental, la empresa Aguas de la Costa destruyó la Laguna Blanca que utilizaba como fuente de agua potable. Precisamente por esta causa, los vecinos del departamento de Maldonado han iniciado un proceso por daño ambiental a la empresa.

La victoria del plebiscito del agua fue una verdadera victoria social. La CNDAV representa a un gran número de organizaciones sociales y políticas que se enfrentaron a la concepción mercantilista del agua.

Sin embargo, las empresas privatizadoras realizaron un fuerte lobby político y mediático contra la reforma.

En los meses anteriores a la campaña, el Fondo Monetario Internacional (FMI) discutió públicamente con la CNDAV. Dijo que nunca había impuesto condiciones al gobierno uruguayo y que tampoco era responsable del contenido de la Carta de Intención de 2002.

AGUA POTABLE

El trabajo que permitió el triunfo de la propuesta de Reforma Constitucional estuvo basado en un trabajo social de base que logró transmitir el espíritu y el contenido de la propuesta pro cambio constitucional.

El resultado del plebiscito abre las puertas para la elaboración de una política de aguas que parta de una visión de este recurso como bien común y lo gestione públicamente en base a criterios de participación social y sostenibilidad.

D. Vuelve a leer el texto y escribe en orden cronológico los acontecimientos que tuvieron lugar hasta que se publicó el plebiscito. Concéntrate en los hechos, sin incluir ninguna valoración. Al lado de cada uno puedes añadir la causa, el efecto o la finalidad de cada hecho.

Acontecimientos	Causa, efecto o finalidad...
1. El gobierno de Uruguay y el Fondo Monetario Internacional firman una Carta de Intención. ⟶	Su finalidad es acordar la privatización del agua.
2. Se privatiza el agua en el departamento de Maldonado. ⟶	Se excluye a amplios sectores de la población del acceso al agua potable...

Una forma de prepararse para leer un texto en una lengua extranjera es pensar antes en toda la información que ya se conoce con respecto al tema del que trata el texto. Pensar previamente en las palabras o en el contenido del texto ayuda a comprender y a reconocer la información.

9. Se buscan voluntarios

A. Fíjate en los logos de estas organizaciones. ¿A qué tipo de actividad crees que se dedican? Coméntalo con un compañero.

MAR AZUL

AMIGOS DE LAS **COMUNIDADES ANDINAS**

EnergíaLimpia

Sociedad **Bio Iguana**

SOCIEDAD INTERNACIONAL DE SIDA

- Mar azul debe de ser un complejo turístico, ¿no?
- Mmm, o una ONG que trabaja en el mar.

B. Ahora lee los textos y relaciona cada uno con la organización a la que se refiere. ¿Has acertado en el apartado A?

1

No necesitamos obreros especializados. Las personas seleccionadas ayudarán a construir casas para los habitantes de la zona y [1] _____ las destruidas por las lluvias. Colaborarán en la limpieza, en las cocinas comunitarias, bajo la dirección de las dirigentes de la comunidad aymara. En el mes de marzo [2] _____ la construcción de la escuelita para los niños del lugar y hará falta mucha energía. ¡Te necesitamos!

2

Se [3] _____ preferencia a quienes dispongan de tiempo para el trabajo de campo durante al menos un mes continuo, ya sea en julio o en agosto. Harán frente a las dificultades del trabajo: vivir en tienda de campaña aislados de la civilización, cocinar, mostrar tolerancia a todo tipo de animales y demostrar habilidad para atrapar iguanas. Se [4] _____ gastos de transporte al sitio de trabajo y mantenimiento durante la estancia.

4

Los voluntarios, que recibirán guantes especiales, bolsas de basura y camisetas con identificación, [7] _____ coordinados por los responsables del proyecto. Al finalizar la jornada, el presidente de la asociación hablará sobre el impacto de la basura en el ecosistema y la importancia de mantener las playas limpias. [8] _____ un concierto al aire libre y baile hasta el amanecer.

3

Los voluntarios podrán participar en el mayor congreso dedicado a un tema de salud internacional; se relacionarán en un ambiente multicultural con activistas, médicos, artistas; [5] _____ parte de diversos foros de discusión apoyando a los medios de información y delegados; obtendrán alimento por día, de acuerdo al horario de trabajo, y [6] _____ el certificado de participación firmado por la IAS (por sus siglas en inglés).

5

Se piden personas para trabajar en un grupo de investigación sobre energías alternativas al petróleo en el extremo sur del mundo. Se [9] _____ los CV relacionados con materias científicas y los de las personas que, al momento de viajar, [10] _____ mayor interés en el estudio. Por favor, enviar CV, certificado médico y carta de motivación para entrar en el proyecto.

C. Vuelve a leer los textos y coloca estos verbos en el lugar correspondiente. No olvides conjugarlos en el tiempo y en el modo adecuados.

comenzar	demostrar	ser	haber	pagar

recibir	arreglar	dar	evaluar	formar

D. Ahora, para cada organización de la página anterior, selecciona el eslogan más adecuado y el lugar en el que se desarrolla su actividad.

eslogan	Menos petróleo, aguas más limpias	5
	Atrápala y ayúdala a vivir mejor	
	Amar sin fronteras y sin peligros	
	Todos somos ecologistas con el papelero cerca	
	Después de la destrucción, la solidaridad	

lugar	De Playa Escondida al Volcán de San Martín, Los Tuxtlas (México)	
	Comunidad de Saya, Andes bolivianos	
	Sede del congreso: México DF	3
	Playa Mansa, Punta del Este (Uruguay)	
	Estación Centroamericana de Desarrollo (Antártida)	

E. ¿Cuál de estos proyectos te parece más interesante? ¿En cuál te gustaría participar? Coméntalo con tus compañeros.

- A mí me interesaría participar en el grupo de investigación sobre energías renovables.
- Sí, o en el congreso sobre el SIDA.

F. ¿Qué sensaciones crees que tendrás en el destino que has escogido en el apartado anterior? Anota qué te sugiere: olores, colores, sabores...

10. ¡Colabora con nosotros!

Ahora, en grupos de cuatro, pensad en un proyecto interesante y cread un cartel para buscar voluntarios. Luego presentadlo al resto de la clase. ¿Encontráis personas interesadas?

En el cartel tendréis que incluir:

- el nombre de la asociación
- el logo que diseñéis
- la descripción del proyecto
- el lugar en el que se desarrolla la actividad
- un eslogan

Identificar los colores, las formas, los olores y los sonidos de una experiencia te ayudará a imaginarla mejor. Cuantos más elementos tengas para fijar la imagen en tu mente, más sencillo te resultará recordarla. Justamente esto es lo que sucede con el vocabulario. ¿Se trata de una palabra corta o larga? ¿Suena bien o mal? ¿Puedes asociarla a una textura o a un color determinado?

1. El Futuro (I): verbos regulares

respetar	defender	elegir
respetar**é**	defender**é**	elegir**é**
respetar**ás**	defender**ás**	elegir**ás**
respetar**á**	defender**á**	elegir**á**
respetar**emos**	defender**emos**	elegir**emos**
respetar**éis**	defender**éis**	elegir**éis**
respetar**án**	defender**án**	elegir**án**

No olvides
poner las tildes.

Formamos el Futuro añadiendo al Infinitivo del verbo
las desinencias **-é, -ás, -á, -emos, -éis** y **-án.**

2. El Futuro (II): verbos irregulares

saber	poder	venir	caber	haber
sabré	**podr**é	**vendr**é	**cabr**é	**habr**é
sabrás	**podr**ás	**vendr**ás	**cabr**ás	**habr**ás
sabrá	**podr**á	**vendr**á	**cabr**á	**habr**á
sabremos	**podr**emos	**vendr**emos	**cabr**emos	**habr**emos
sabréis	**podr**éis	**vendr**éis	**cabr**éis	**habr**éis
sabrán	**podr**án	**vendr**án	**cabr**án	**habr**án

poner	salir	tener	valer
pondré	**saldr**é	**tendr**é	**valdr**é
pondrás	**saldr**ás	**tendr**ás	**valdr**ás
pondrá	**saldr**á	**tendr**á	**valdr**á
pondremos	**saldr**emos	**tendr**emos	**valdr**emos
pondréis	**saldr**éis	**tendr**éis	**valdr**éis
pondrán	**saldr**án	**tendr**án	**valdr**án

decir → **dir-**
hacer → **har-**
querer → **querr-**

Hay muy pocos verbos irregulares en Futuro. Estos verbos sufren cambios en la raíz,
pero no en las desinencias, que son las mismas que las de los verbos regulares.

3. Usos del Futuro

Utilizamos el Futuro para hacer predicciones.

- □ *¿Vamos el sábado a la playa?*
- ● *El sábado <u>lloverá</u>, lo han dicho en la tele. Mejor vamos la semana que viene.*

También lo usamos para expresar suposiciones que se refieren al momento en el que hablamos.

- □ *Qué raro, Marta no ha venido. ¿Sabes dónde está?*
- ● *<u>Estará</u> enferma. Ayer le dolía un poco la garganta.*

4. El Condicional: verbos regulares

comprar	vender	ir
comprar**ía**	vender**ía**	ir**ía**
comprar**ías**	vender**ías**	ir**ías**
comprar**ía**	vender**ía**	ir**ía**
comprar**íamos**	vender**íamos**	ir**íamos**
comprar**íais**	vender**íais**	ir**íais**
comprar**ían**	vender**ían**	ir**ían**

⚠️ No olvides poner las tildes.

Formamos el Condicional añadiendo al Infinitivo del verbo las desinencias **-ía, -ías, -ía, -íamos, -íais e -ían.**

5. El Condicional: verbos irregulares

saber	poder	venir	caber	haber
sabría	**podr**ía	**vendr**ía	**cabr**ía	**habr**ía
sabrías	**podr**ías	**vendr**ías	**cabr**ías	**habr**ías
sabría	**podr**ía	**vendr**ía	**cabr**ía	**habr**ía
sabríamos	**podr**íamos	**vendr**íamos	**cabr**íamos	**habr**íamos
sabríais	**podr**íais	**vendr**íais	**cabr**íais	**habr**íais
sabrían	**podr**ían	**vendr**ían	**cabr**ían	**habr**ían

⚠️ *decir → dir-*
hacer → har-
querer → querr-

poner	salir	tener	valer
pondría	**saldr**ía	**tendr**ía	**valdr**ía
pondrías	**saldr**ías	**tendr**ías	**valdr**ías
pondría	**saldr**ía	**tendr**ía	**valdr**ía
pondríamos	**saldr**íamos	**tendr**íamos	**valdr**íamos
pondríais	**saldr**íais	**tendr**íais	**valdr**íais
pondrían	**saldr**ían	**tendr**ían	**valdr**ían

⚠️ Fíjate en que puede cambiar el tiempo verbal dependiendo de si se escribe con **r** o con **r doble.**
queremos ≠ querremos
queréis ≠ querréis

Las irregularidades en Condicional son las mismas que las de las formas del Futuro.

6. Usos del Condicional

Usamos el Condicional para hablar de situaciones hipotéticas.

- ◦ Me _comería_ un bocadillo de tortilla, pero en el bar solo quedan de jamón y queso. ¡Qué pena!

También lo utilizamos para hacer sugerencias.

- ◦ No sé qué le pasa a Juan. Creo que está enfadado conmigo, pero no sé por qué.
- ■ Yo en tu lugar, _hablaría_ con él.

Para hacer suposiciones que se refieren al pasado.

- ◦ Ayer te vi por la calle y te saludé, pero no me contestaste.
- ■ ¿De verdad? No me di cuenta. _Estaría pensando_ en otra cosa.

Lo usamos también para expresar cortesía.

- ◦ ¿Me _harías_ un favor? Tengo que trabajar hasta tarde y no voy a poder recoger a mi hijo de la escuela. ¿_Podrías recogerlo_ tú?
- ■ Sí, no te preocupes, yo lo recojo.

7. Oraciones condicionales con si en Presente

La conjunción **si** (sin tilde) introduce una condición que se refiere al presente o al futuro.

Si + Presente de Indicativo	>	**Futuro** ◦ Si ahorras agua, _contribuirás_ a mejorar el medioambiente. **Imperativo** ◦ Si vas a hacer un trayecto corto, _ve_ en bicicleta. **Presente** ◦ Si te apetece, _podemos_ ir al cine esta tarde. **Condicional** ◦ Si te cuento un secreto, ¿_serías_ capaz de guardarlo?

No existe la combinación **si** + Presente de Subjuntivo.

- ◦ ~~Si te compres un coche, gastarás más dinero.~~

8. Marcadores temporales de Pasado, Presente y Futuro

Pasado

antes	▢ <u>Antes</u> había menos contaminación en las ciudades.
hace unos años	▢ <u>Hace unos años</u> estuve de vacaciones en Perú.

Presente

hoy	▢ <u>Hoy</u> hay una esperanza de vida mayor que en el siglo pasado.
actualmente	▢ <u>Actualmente</u> hay muchas especies en peligro de extinción.
en este momento	▢ ¿Sabes cuántas ballenas quedan en el mundo <u>en este momento</u>?

Futuro

en el futuro	▢ <u>En el futuro</u> todo el mundo hará la compra en el supermercado.
el día de mañana	▢ <u>El día de mañana</u> tendré una casa en el campo.
dentro de unos años	▢ <u>Dentro de unos años</u> acabaré la carrera y buscaré trabajo.
más adelate	▢ <u>Más adelante</u> podremos ver los resultados del estudio.

9. Ya no / Todavía

Utilizamos **ya no** para indicar la interrupción de un estado o de una acción.

▢ <u>Ya no</u> voy al gimnasio.

(Antes iba al gimnasio y ahora ya no voy.)

Utilizamos **todavía** para indicar que una acción o un estado continúa en el tiempo.

▢ <u>Todavía</u> voy al gimnasio.

(Antes iba al gimnasio y sigo yendo.)

12

usar el ordenador

¿A qué dedicas el tiempo libre?

En esta unidad voy a aprender a...

Comprensión oral y escrita

- Comprender en un programa de radio propuestas de ocio.
- Comprender instrucciones orales sencillas.
- Comprender lo esencial de textos auténticos, como la sinopsis de películas en una cartelera de cine.
- Comprender una entrevista sobre jóvenes y ocio.
- Comprender preferencias personales de ocio.
- Comprender un artículo sobre el Caribe.

Expresión oral y escrita e interacción oral

- Hablar sobre preferencias de ocio.
- Proponer, aceptar y rechazar propuestas en una conversación.
- Contar el argumento de una película.
- Pedir repeticiones y aclaraciones oralmente.
- Dar instrucciones para hacer distintas actividades.
- Relatar lo que se explicó en una conversación.

Y voy a trabajar...

Recursos léxicos y gramaticales

- El estilo indirecto (II).
- Perífrasis verbales: **seguir** + Gerundio, **ponerse a** + Infinitivo, **volver a** + Infinitivo, **dejar de** + Infinitivo...
- Léxico de actividades de tiempo libre.
- Las palabras homófonas.

hacer deporte

salir de noche

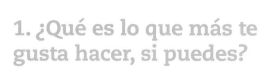

1. ¿Qué es lo que más te gusta hacer, si puedes?

A. ¿Qué sueles hacer en tu tiempo libre? ¿Haces alguna de las actividades de las fotografías? Coméntalo con tus compañeros.

> ● A mí lo que más me gusta es escribir, pero últimamente he dejado de hacerlo por los estudios.
>
> ○ ¡¿Ah, sí?! ¿y qué escribías?

CD2
4-9

B. Ahora vas a escuchar a jóvenes de diferentes países hablando de lo que hacen en su tiempo libre. Vuelve a mirar las fotografías y responde: ¿sobre qué tema habla cada uno y qué dice sobre ello? Toma notas.

	tema	opinión
Romina		
Roberto		
Fernando		
Nancy		
Álvaro		
Leticia		

C. ¿Con quién te sientes más identificado? Coméntalo con un compañero.

> ● A mí también me gusta mucho escribir en blogs.
>
> ○ Yo los odio. Estar todo el tiempo solo, sin ver a nadie, me resulta aburrido.

D. ¿Creéis que los jóvenes hoy hacen cosas distintas en su tiempo libre a hace unos años? ¿Cuáles son las novedades? ¿Qué han dejado de hacer?

> ● Hombre, pues creo que los jóvenes ya no hacen tantas actividades en grupo, porque pasan más tiempo en internet.
>
> ○ Yo no estoy nada de acuerdo...

descansar

jugar con videojuegos

ir a exposiciones

2. Tendencias: jóvenes y tiempo libre

 A. Lee esta entrevista con un sociólogo sobre los jóvenes y el tiempo libre. ¿Coincide lo que cuenta con lo que habéis hablado en la actividad anterior?

ENTREVISTA

Julio Ibáñez,
Director del Centro de Investigaciones Sociológicas de la Juventud

TENDENCIAS: Señor Ibáñez, ¿qué importancia tiene el tiempo libre para los jóvenes de hoy?
JULIO IBÁÑEZ: Bien, podemos decir que el tiempo libre realmente ha dejado de ser (1) un lujo y hoy es una de las cosas más importantes para la gente joven, que dedica mucho tiempo a divertirse.
TT: ¿Ha cambiado la forma de divertirse en los últimos años?
JI: Han cambiado algunos hábitos, sí. Por ejemplo, esta es la primera generación que le dedica más tiempo a internet que a la televisión. Mucha gente joven suele encerrarse (2) en su habitación y relacionarse con gente desconocida a través del chat o del e-mail.
TT: ¿Y los videojuegos, son populares o están pasados de moda?
JI: Son extremadamente populares. En España, la industria de los videojuegos gana millones. Lo curioso es que incluso el 73% de las familias sin niños tiene una consola. Y según algunos sociólogos, esta cifra va a aumentar (3) en los próximos años.
TT: Entonces, ¿los jóvenes salen menos?

JI: No, los jóvenes siguen saliendo (4) tanto como antes, aunque ahora parece que no es posible la fiesta y pasarlo bien sin alcohol.
TT: Lo cual nos lleva a una de las principales preocupaciones de los padres con respecto a los jóvenes, su relación con las drogas.
JI: Sí, en España el consumo de drogas entre jóvenes ha descendido en los últimos trece años, pero hay que tener en cuenta (5) que el 58% de ellos bebe habitualmente alcohol y el 27% fuma. Se ha generalizado la idea de que es menos malo el porro que el tabaco, y los porros están a punto de desaparecer (6) como tema de preocupación social.
TT: ¿Qué hay de la cultura y el deporte?
JI: En el deporte, hay diferencias

entre chicos y chicas. Acabamos de conocer (7) dos datos curiosos: por un lado, los chicos le dedican el doble de tiempo que las chicas, por otro, las actividades tradicionales de juego al aire libre no parecen ser interesantes para ellos. En cuanto a la cultura, tampoco está muy presente en su tiempo libre, ya que los jóvenes relacionan las actividades culturales con los estudios, más que con el ocio. Muy pocos jóvenes leen un libro el fin de semana.
TT: En resumen, ¿cuáles son las prioridades de la juventud de hoy?
JI: Pues, la familia, la salud, los amigos y el ocio, en este orden. En el tiempo libre: ir de bares, al cine, hacer deporte y escuchar música.

B. Fíjate ahora en las expresiones marcadas. Busca expresiones equivalentes que puedas usar para sustituirlas en el texto.

(1) ha dejado de ser ⟶ *El tiempo libre realmente <u>ya no es</u> un lujo.*

3. Un fin de semana ideal

 A. Vamos a negociar una actividad para el fin de semana. Fíjate en estas intervenciones en un diálogo y ordénalas.

☐ Mmm… ¡Ya sé! Podríamos hacer una excursión a la montaña el domingo y nos llevamos bocadillos, yo me encargo de pensar una ruta.

☐ Pues decide tú, ¿qué te apetece hacer?

1 Oye, ¿qué te parece si salimos a cenar el sábado por la noche?

☐ No sé, es que estoy mal de dinero…

☐ Imposible, el sábado por la noche es el cumpleaños de Marcos.

☐ Ah, no me acordaba. ¿Vamos a comer una paella entonces el domingo?

☐ Vale, pero que no sea de caminar mucho, ¿eh?

 B. Ahora, negocia con un compañero una actividad para hacer juntos.

 C. En grupos de tres, vais a elaborar una propuesta para un fin de semana ideal. Luego se lo vais a presentar al resto de la clase. Aquí tenéis algunas sugerencias.

Hacer deporte
- Jugar al fútbol, al tenis, al baloncesto…
- Practicar / Hacer atletismo, natación, ciclismo…
- Ir al gimnasio, a la piscina, a correr…

Ir de compras
- Ver escaparates
- Comprar ropa, música, cosas para la casa, regalos…
- Ir a mercadillos, a tiendas de segunda mano, a ferias de libros…

Descansar
- Quedarse en casa
- Levantarse / Acostarse tarde
- Ver la tele
- Escuchar música
- Leer un libro
- Invitar a amigos a casa

Otras actividades
- Hacer una excursión a…
- Hacer un curso de…
- Ir al cine, a una exposición, al teatro……
- Quedar con amigos
- Salir por la noche

 Al negociar, si quieres llegar a un acuerdo, es necesario escuchar opiniones y argumentos diferentes. Tendrás que rechazar algunos y aceptar otros y hacer concesiones, ya que no siempre se logra todo lo que se quiere.

 Proponer:
- ¿Qué te parece si…?
- ¿Por qué no…?
- ¿Y si…?

Reaccionar:
- No sé…
- Bueno, pero también podríamos…
- Imposible, tengo que…
- Lo siento, no puedo, es que…
- De acuerdo.
- Sí, me apetece mucho.

● Para nosotros, un fin de semana ideal consiste en lo siguiente: el sábado por la mañana, nos levantamos tarde porque…

4. ¿Bailamos?

A. ¿Te gusta bailar? ¿Qué tipos de bailes prefieres? ¿Bailas alguna vez: dónde y cuándo? Habla con un compañero.

- A mí no me gusta bailar.
- Pues a mí me encanta, sobre todo la salsa.

B. Fíjate en estas fotografías. ¿Conoces estos bailes? ¿Te gustaría aprender a bailarlos? Coméntalo en clase.

C. Ahora escucha la música. ¿Con qué imagen relacionas cada una? ¿Qué música te gusta más y qué te sugiere cada una? Coméntalo con un compañero.

CD2
10-12

- A mí me gusta mucho el tango.
- Pues yo prefiero...

D. ¿Quieres aprender los primeros pasos de la salsa? Escucha las instrucciones y dibuja el movimiento de los pies. Luego compara tus dibujos con los de tu compañero. Si quieres, ¡sigue las instrucciones bailando!

CD2
13

¡Equivocarse es de sabios!

- Cuando doy instrucciones me aseguro de que queden claros todos los pasos que hay que seguir.
- Si cuento una conversación que he tenido en el pasado, primero escribo el texto y después repaso la correspondencia de los verbos, de los pronombres y de los marcadores de tiempo y lugar.

5. Te tengo que contar una cosa

A. Escucha esta conversación telefónica entre Pablo y Nuria. ¿Qué sucede? Toma notas.

CD2
14

B. Tiempo después, Pablo escribe un mensaje a un amigo común contándole la historia, pero no la recuerda bien. Lee el mensaje y corrige la información equivocada.

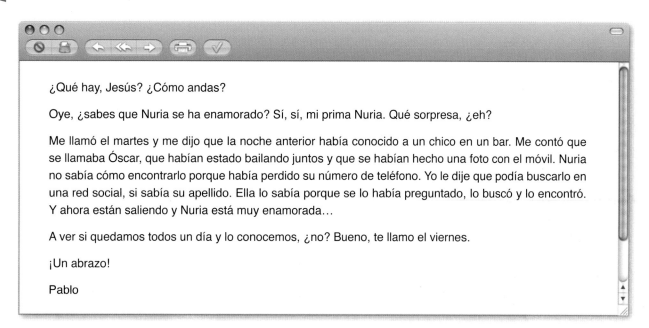

¿Qué hay, Jesús? ¿Cómo andas?

Oye, ¿sabes que Nuria se ha enamorado? Sí, sí, mi prima Nuria. Qué sorpresa, ¿eh?

Me llamó el martes y me dijo que la noche anterior había conocido a un chico en un bar. Me contó que se llamaba Óscar, que habían estado bailando juntos y que se habían hecho una foto con el móvil. Nuria no sabía cómo encontrarlo porque había perdido su número de teléfono. Yo le dije que podía buscarlo en una red social, si sabía su apellido. Ella lo sabía porque se lo había preguntado, lo buscó y lo encontró. Y ahora están saliendo y Nuria está muy enamorada…

A ver si quedamos todos un día y lo conocemos, ¿no? Bueno, te llamo el viernes.

¡Un abrazo!

Pablo

C. Según Pablo, ¿qué dijeron él y Nuria en la conversación?

1. Me dijo que <u>había conocido</u> a un chico en un bar. ← *"He conocido a un chico en un bar."*

2. Me contó que <u>se llamaba</u> Óscar. ←

3. Me contó que <u>habían estado</u> bailando juntos. ←

4. Me contó que <u>se habían hecho</u> una foto con el móvil. ←

5. Yo le dije que <u>podía encontrarlo</u> en una red social, si <u>sabía</u> su apellido. ←

D. Fíjate ahora en los cambios que se han producido en los verbos subrayados al pasar el mensaje al estilo indirecto en el pasado y anótalos en tu cuaderno. ¿Qué observas? Coméntalo con tus compañeros y con tu profesor.

1. he conocido (Pretérito Perfecto) ⟶ había conocido (Pretérito Pluscuamperfecto)

E. Piensa en una conversación que has tenido últimamente y cuéntasela a un compañero utilizando el estilo indirecto. Él te podrá hacer preguntas.

- ● El martes llamé a Marta y me dijo que Carlos había tenido un accidente.
- ○ ¿Ah sí? ¿Qué le pasó?
- ● Pues, que se cayó yendo en bicicleta y se rompió un brazo…

· Ayer/El otro día
  hablé con …
· y le conté/dije/
  expliqué/comenté
  que…
· y (él/ella) me contó/
  dijo/explicó/
  respondió que…

6. Radio Ocio

CD2
15

A. Escucha este programa de radio dos veces. La primera, completa la tabla con la lista de las actividades que proponen los locutores para un fin de semana en Madrid. La segunda, escribe la información que dan para cada actividad. Luego compara tus respuestas con las de un compañero.

tipo de actividad	información

B. ¿Cuáles de las actividades mencionadas te parecen más interesante? Coméntalo con tu compañero.

- A mí me apetece lo del circo.
- ¿Sí? Pues, a mí el circo no me interesa nada.

CD2
16-18

C. Estas tres personas van a Madrid a un congreso y van a pasar allí cinco días. ¿Qué actividades de las propuestas por Radio Ocio podrías organizar para ellos? Escucha lo que dicen y toma notas con un compañero.

En las conversaciones, las personas repiten muchas veces parte de la información; a veces son repeticiones exactas, otras veces, con variantes. Presta atención a esas repeticiones. Te ayudarán a comprender mejor…

1

Cecilia Anasarte
Profesora de Economía en un instituto de educación secundaria en Valencia (España).

Es / Le gusta…

2

Diego Gómez
Responsable de comunicación de una editorial argentina.

Es / Le gusta…

3

Marianne Thoreaux
Directora de proyectos de una ONG francesa.

Es / Le gusta…

D. Explicad a vuestros compañeros qué actividades proponéis para uno de los tres: Cecilia, Diego o Marianne.

E. ¿Sabéis qué actividades hay este fin de semana en el lugar donde aprendéis español? Informaos y discutid entre todos cuáles son las más interesantes. ¿Podría formar parte alguna de ellas de vuestro fin de semana ideal?

7. El Caribe: una cuestión de perspectivas

A. Lee el título del siguiente artículo. ¿Con qué ideas, conceptos y creencias relacionas el Caribe? Habla con tus compañeros y dibujad un asociograma en la pizarra.

B. Lee ahora el texto y subraya las características principales del Caribe que se nombran. Compara después con vuestro asociograma. ¿Llegáis a alguna conclusión interesante?

EL ALMA PROVISIONAL DEL CARIBE

Los parámetros europeos son a veces insuficientes para comprender la realidad del trópico

Dejemos por un momento la política: es imposible entender Cuba y a los cubanos fuera de su contexto caribeño. A esta región, es sabido, llegaron en tromba españoles, ingleses, holandeses, franceses; y con ellos, africanos esclavos, tan diversos como los europeos, traídos del Congo, de Angola, en el Atlántico, y también de los puertos de Zanzíbar y Mozambique, en el Océano Índico. En apenas cuatro siglos se reunieron en esta isla, de extensión un poco mayor que Andalucía, indios precolombinos, negros, blancos y también una importante emigración china. Esta mezcla de razas y culturas, que conviven con la fuerza del mar y de los huracanes, es el fundamento del Caribe: mezcla, explosión de colores, provisionalidad, humo de tabaco, sensaciones, fantasía, magia negra. [...]

Según el premio Nobel Gabriel García Márquez, "los europeos, y sobre todo los cartesianos, han creado unos márgenes para la realidad tan estrechos que lo que no cabe dentro de eso, no lo creen, consideran que es totalmente inverosímil, y aun cuando lo están viendo les queda al menos la sospecha de que no es así". "En el Caribe", afirmaba, "no existen esos límites, nosotros creemos que la realidad va muchísimo más allá de las fronteras que les han puesto los europeos".

Otro Nobel de Literatura, Derek Walcott, también caribeño, ha intentado explicar cómo en esta parte del mundo "el tiempo está influido por la ausencia de estaciones". "Vivimos en un eterno verano. La idea del fin, la idea de la muerte, la idea de la historia, todo está influido por esa irrealidad del calendario. Nosotros no dividimos y esto hace que nuestra actitud, nuestra forma de vida, sea más sensual, más alegre. La idea europea de lo que es ilógico, del tiempo, en definitiva, de la historia, no es aplicable a nuestro contexto, a la geografía y a la historia del Caribe".

Vivir en una región de huracanes y tormentas sociales de fuerza no menor, genera una psicología especial. En el Caribe y en Cuba, donde la temporada ciclónica comienza en mayo y el peligro no desaparece hasta noviembre, siempre puedes perderlo todo, si no es este año puede ser el próximo. No depende de uno evitarlo.

Esto afecta tanto a las personas como a las políticas de Estado, y hace que en toda planificación se deje un margen amplio a la improvisación, que se viva el momento presente, sin preocuparse demasiado de mañana. Por un lado, esto es fuente de fuerza: siempre hay que estar listo para empezar de cero sin que ello signifique el fin del mundo. Por otro, es debilidad: hace que la gente se adapte y acepte lo que venga.

Cuba es una isla en el Caribe. Las islas de las Antillas, y también México, Belice, Honduras, Costa Rica, Panamá, Colombia y Venezuela comparten ese mismo mar, en el que todo es provisional, aunque nada cambie en cincuenta años. Con independencia de valoraciones éticas o políticas sobre el sistema de un determinado país, lo que dicen García Márquez y Walcott es que para comprender el alma del Caribe hay que aprender a mirar la realidad de otro modo: es una cuestión de perspectivas.

Mauricio Vicent, *El País*, 15.10.2005

8. Festival de cine en español

A. Esta es la cartelera del V Festival limeño de cine en español. Imagina que quieres ver lo siguiente. ¿Qué película elegirías en cada caso?

a. Una película que trata de un crimen pero también de una relación pasional. La protagonista es una aficionada al tango.
b. Una película musical.
c. Un documental en el que se muestren aspectos de la vida de una comunidad indígena.
d. Una película de la famosa directora Lucrecia Martel.
e. Una película que retrata la clase alta peruana, con sus secretos y sus enredos.
f. Una película basada en la obra de un gran escritor.

V FESTIVAL LIMEÑO
DE CINE EN ESPAÑOL

PELÍCULA PREMIADA

Dioses

Perú, 2008. Ficción
Director: Josué Méndez

Diego está enamorado de su hermana, Andrea, y enfrenta la culpa y los placeres que esto le provoca. Andrea, sin embargo, ocupa su tiempo en otras cosas: ella tiene sus propios secretos que esconder. Agustín, el padre de ambos, ha traído a casa a Elisa, su nueva novia, veinte años menor que él, y de una condición social y económica más humilde. Elisa tendrá que aprender rápido si se quiere convertir en la dama de sociedad que siempre quiso ser. Una familia atrapada en los rígidos mecanismos sociales de la clase alta peruana. Una crónica sobre la decadencia, la hipocresía y el conformismo en un medio frívolo y hermético, donde los personajes actúan como dioses, más allá de las reglas, más allá de la moral, y más allá de lo creíble.

La mujer sin cabeza

ARGENTINA, 2008. FICCIÓN
Directora: Lucrecia Martel

Una mujer con su auto atropella a un perro en la ruta y el animal muere. La mujer queda en un estado de conmoción. En los días posteriores al accidente, ella va desentrañando cuestiones pendientes sobre sí misma y sobre todo su entorno. ¶

Naranjo en flor

ESPAÑA, 2008. FICCIÓN
Director: Antonio González-Vigil

Malena es una atractiva mujer, psicoanalista de profesión y tanguera por devoción. Una noche mata accidentalmente a un policía y decide ocultar su crimen. Malena conoce a Carlos, compañero del policía muerto y encargado de investigar su desaparición. Es de origen vasco y lo llaman El Sabina, porque a veces responde con versos de las canciones del artista. Es un tipo duro. Una extraña fascinación se apodera de Malena con El Sabina, el hombre que tiene que descubrir su crimen y detenerla. Desde el principio comienza a surgir entre ellos una relación apasionada y transgresora, sin límites morales. ¶

HIT: Historias de canciones que hicieron historia

URUGUAY, 2008. DOCUMENTAL
Directoras: Claudia Abend y Adriana Loeff

La película, un documental musical, sobrevuela la última mitad del siglo XX en Uruguay. Cincuenta años de recuerdos, de donde se escogen cinco canciones importantes en ese país que hicieron historia, para mostrar cómo cada una de ellas se convirtió en un hit y cuál es la historia de vida que hay detrás. ¶

Inal Mama, lo sagrado y lo profano

BOLIVIA, 2007. DOCUMENTAL
Director: Eduardo López

La saga de la hoja de la coca se entreteje a partir de lo que el documental presenta como las rutas para lo sagrado y para lo profano: la cárcel de San Pedro y la comunidad guaraní de Tentayapi. Esos dos ejes presentan los aspectos esenciales de la hoja de la coca en diferentes espacios culturales: como droga, medicina, explotación, religión, injusticia e instrumento de poder. ¶

Del amor y otros demonios

COSTA RICA, 2008. FICCIÓN
Directora: Hilda Hidalgo

Narra la historia de Sierva María de Todos los Ángeles, una niña muy especial que vive en la ciudad de Cartagena, Colombia en la época colonial, bajo el asedio de piratas e inquisidores. Una mordedura de perro le provoca la rabia, por eso le practican un exorcismo... Basada en la obra homónima de Gabriel García Márquez. ¶

A veces no te interesa toda la información de un texto o no te hace falta entenderlo todo. Lo que quieres es averiguar una fecha, un nombre, un dato, es decir, una información específica. Por eso no lees todo el texto en profundidad, sino que lo "escaneas" y te detienes cuando has encontrado la información que buscabas.

B. Piensa ahora en cómo lees la cartelera en tu lengua materna: ¿lees todo el texto o buscas información determinada? ¿Es así como has leído este texto?

9. Instrucciones para subir una escalera

 A. Este es un texto del escritor argentino Julio Cortázar. ¿Sabes qué palabra falta? Discútelo con un compañero.

Las escaleras se suben de frente, pues hacia atrás o de lado resultan particularmente incómodas. La actitud natural consiste en mantenerse de _____, los brazos colgando sin esfuerzo, la cabeza en alto aunque no tanto que los ojos dejen de ver los escalones inmediatamente superiores al que se pisa, y respirando. Para subir una escalera se comienza por levantar esa parte del cuerpo situada a la derecha abajo, envuelta casi siempre en cuero y que salvo excepciones cabe exactamente en el escalón. Puesta en el primer escalón dicha parte, que para abreviar llamaremos _____, se recoge la parte equivalente de la izquierda (también llamada _____, pero que no ha de confundirse con el _____ antes citado), y llevándola a la altura del _____, se le hace seguir hasta colocarla en el segundo escalón, con lo cual en este descansará el _____, y en el primero descansará el _____. (Los primeros escalones son siempre los más difíciles, hasta conseguir la coordinación necesaria. La coincidencia de nombre entre el _____ y el _____ hace difícil la explicación. Cuídese especialmente de no levantar al mismo tiempo el _____ y el _____.)

Julio Cortázar, *Historias de Cronopios y Famas*, 1962

B. ¿Con qué adjetivos describirías este texto? Habla con tu compañero.

| serio | exhaustivo | irónico | humorístico | difícil |

| gracioso | triste | absurdo | inútil | original |

 C. Con un compañero, escribe un texto similar con las instrucciones para hacer una de estas cosas (u otra que se os ocurra).

- comerse una naranja
- ligar con otra persona
- ver una película
- aburrirse en una fiesta
- fumarse un cigarrillo

10. Homófonos

A. Los homófonos son palabras que se pronuncian igual pero tienen significados distintos. Pueden escribirse de forma idéntica o parecida. Fíjate en la tabla y complétala.

vino	bebida	**vino**	tercera persona del Pretérito Indefinido del verbo **venir**
a	preposición	**ha**	tercera persona del Presente de Indicativo del verbo **haber**
ay	interjección		
bienes	fortuna, capital		
como	primera persona del Presente de Indicativo del verbo **comer**	**cómo**	
		he	primera persona del Presente de Indicativo del verbo **haber**
		hecho	Participio del verbo **hacer**
		ola	onda que se forma en la superficie del agua

B. ¿Conoces otros casos? Añádelos a la tabla.

 C. ¿Existe este fenómeno en tu lengua? Coméntalo con tus compañeros.

11. He empezado a aprender chino

A. Escribe una cosa que...

· empezar a + Infinitivo
· soler + Infinitivo
· dejar de + Infinitivo
· seguir + Gerundio
· estar + Gerundio
· ir a + Infinitivo
· estar a punto de + Infinitivo
· tener que + Infinitivo

1. has empezado a hacer este año: *Este año he empezado a...*
2. sueles hacer por las noches:
3. has dejado de hacer hace poco:
4. sigues haciendo desde hace mucho tiempo:
5. estás pensando ahora mismo:
6. vas a hacer cuando termines el curso académico:
7. estás a punto de hacer ahora mismo:
8. tienes que hacer antes de que termine la semana:

B. Ahora coméntalo con un compañero. ¿Coincidís en algo?

● Yo por las noches suelo leer un rato en la cama.
○ Yo no, me quedo dormido. Prefiero ver la tele un rato.

1. Estilo indirecto (II)

Usamos el estilo indirecto para referirnos a lo que otros han dicho (o nosotros mismos hemos dicho) en otro momento y/o en otro lugar.

Si queremos reproducir lo que han dicho otras personas o lo que se dice en un texto, podemos utilizar los siguientes verbos + **que**.

aclarar	decir	preguntar		
afirmar	explicar	repetir		
agregar	exponer	señalar		
asegurar	mencionar	sostener		
comentar	negar	subrayar	+	**que**
contar	opinar	...		
contestar	pensar			

Si lo que referimos es una pregunta, utilizamos la partícula interrogativa.

- ¿Dónde vives? → Me preguntó <u>dónde</u> vivía.

Si lo que referimos es una pregunta cerrada (sí/no), usamos la partícula **si**.

- ¿Has visto a Mario en la universidad? → Me preguntó <u>si</u> había visto a Mario en la universidad.

Cuando nos referimos a algo que ha sido dicho en el pasado o en un contexto diferente del actual, cambia el tiempo verbal de la oración subordinada.

Presente	→	Pretérito Imperfecto
Pretérito Indefinido	→	Pretérito Pluscuamperfecto
Pretérito Perfecto	→	Pretérito Pluscuamperfecto
Futuro	→	Condicional

Una entrevista con la portavoz de la Comisión Nacional en Defensa del Agua y de la Vida:

Periodista: ¿El plebiscito fue un éxito? ¿Cómo se valoran los resultados?

Portavoz: Sin duda. Los resultados fueron excelentes. Participó más del 60% de la población. Se trata de un hecho histórico.

Periodista: ¿Qué puede decirnos de las consecuencias que tiene la privatización del agua?

Portavoz: Sabemos perfectamente que la privatización del agua ha producido efectos negativos en todo el mundo: muchos sectores de la población no tienen agua potable, por ejemplo, porque no pueden pagar la conexión al servicio. Además, los controles de calidad de las empresas privadas no son tan altos como los controles estatales.

Transcripción de la entrevista:

La periodista <u>preguntó si</u> el plebiscito <u>había sido</u> un éxito y <u>quiso saber cómo</u> <u>se valoraban</u> los resultados. La portavoz de la Comisión <u>contestó afirmativamente, comentando que</u> <u>habían sido</u> excelentes. <u>Dio datos</u> muy precisos y <u>agregó que se trataba de</u> un hecho histórico. La periodista <u>siguió preguntando sobre</u> las consecuencias que <u>tenía</u> la privatización del agua. A esta pregunta la portavoz contestó <u>diciendo que sabían</u> perfectamente que la privatización del agua <u>había producido</u> efectos negativos en todo el mundo. <u>Dio un ejemplo</u> <u>diciendo que</u> muchos sectores de la población no <u>tenían</u> agua potable y <u>agregó que</u> los controles de calidad de las empresas privadas no <u>eran</u> tan altos como los controles estatales.

Al cambiar el contexto en el que hablamos, cambian muchos elementos de la frase: cambian los tiempos verbales, se modifican las referencias espaciales y temporales, desaparecen o se añaden elementos, etc.

aquí	→	**allí**
ahora	→	**entonces** / **en ese momento**
esta / **este**	→	**esa** / **ese**

Contar algo no es una tarea mecánica. Para reproducir el ambiente de una situación o citar a alguien, puedes utilizar expresiones que intensifican o debilitan el significado de los verbos.

▢ *<u>Llevo</u> tres años viviendo <u>aquí</u>. (hace un año)* → *Me dijo que <u>llevaba</u> tres años viviendo <u>allí</u>. (hoy)*

2. Perífrasis verbales: **seguir + Gerundio, ponerse a + Infinitivo, volver a + Infinitivo, estar a punto de + Infinitivo, soler + Infinitivo, dejar de + Infinitivo**

seguir + Gerundio	▢ *Oye, Clara, ¿<u>sigues estudiando</u> sueco?* ■ *No, lo dejé el año pasado. No puedo dedicarle el tiempo necesario.*
ponerse a + Infinitivo	▢ *Cuando leyó la carta de su hermano, <u>se puso a llorar</u>.*
volver a + Infinitivo	▢ *Después del invierno, <u>volveremos a pintar</u> la casa. Hay manchas de humedad por todas partes.*
estar a punto de + Infinitivo	▢ *¡Date prisa! El tren <u>está a punto de salir</u>.*
soler + Infinitivo	▢ *De pequeños <u>solíamos pasar</u> el verano en la playa.*
dejar de + Infinitivo	▢ *Jaime está un poco nervioso, ¿no?* ■ *Sí, es que <u>ha dejado de fumar</u>.*

13

El beso, Gustave Klimt

El amor es ciego

En esta unidad voy a aprender a...

Comprensión oral y escrita

- Comprender la información implícita en un texto.
- Encontrar información específica en un texto.
- Detectar el punto de vista del autor de un texto.
- Leer un poema de amor y escuchar una canción.
- Comprender expresiones coloquiales, frases y refranes sobre el amor.

Expresión oral y escrita e interacción oral

- Participar en conversaciones en las que se intercambian puntos de vista sobre temas que me son conocidos.
- Expresar ideas y opiniones sobre temas abstractos.
- Tomar una postura frente a mi interlocutor.
- Describir una obra de arte y hablar de lo que me sugiere.
- Escribir una historia de amor.
- Opinar sobre temas relacionados con la familia y los sentimientos y hablar de la propia familia.
- Introducir un tema, expresar acuerdo y desacuerdo e interrumpir en una conversación informal.

Y voy a trabajar...

Recursos gramaticales

- Las oraciones de relativo.
- Los verbos recíprocos.

Bailarines, Fernando Botero

El beso, Auguste Rodin

Pareja, Pablo Picasso

1. Por amor al arte

A. Fíjate en estas obras de arte. ¿Cómo las describirías? ¿Qué tienen en común? Habla con tu compañero. Las expresiones del recuadro te pueden resultar útiles.

● En muchas obras los amantes se abrazan.
○ Sí, y se besan.

- · amarse
- · abrazarse
- · besarse
- · hacer el amor
- · acariciarse

- · tocarse
- · dos amantes
- · una pareja
- · sensual
- · erótico

B. ¿Qué te sugiere cada una de ellas? En dos minutos, escribe todo lo que se te ocurra. Compara tus ideas después con las del resto de la clase.

Este/a obra / cuadro / escultura / pintura...
- · me sugiere...
- · me recuerda a...
- · me hace pensar en...
- · me transmite sensación de...

C. ¿Qué obra te gusta más? ¿Por qué? ¿Conoces otras obras de arte que trasmitan sensaciones parecidas? Habla con tu compañero.

● A mí me gusta el cuadro de Klimt. Me transmite sensación de paz.
○ Pues a mí el que más me gusta es...

2. Las costumbres en el amor

A. Estos son los títulos de tres artículos sobre el amor en una revista. Coméntalos con un compañero.

¿Cómo saber si ya has conocido al amor de tu vida?

Los espanoles ven su futuro rodeados de hijos

Los hombres gastan más que las mujeres en su primera cita

- Yo no creo en "el amor de tu vida".
- Eso es porque no lo has conocido.

B. Lee ahora los textos y asócialos con el título adecuado.

1 La chilena Claudia Zócar nos cuenta su experiencia: "Es muy difícil saber si una eligió al hombre adecuado. Yo me casé con mi único pololo[1], **a quien** conocí a los 18 años. A esa edad no piensas en casarte, ni en encontrar al hombre perfecto o al amor de tu vida. Nosotros éramos muy buenos amigos, pero a mí él al principio no me gustaba mucho, no me parecía atractivo... pero nos llevábamos muy bien. Y seguimos juntos hasta hoy: diecisiete años sin interrupciones, sin infidelidades, sin dramas ni escándalos, y seguimos viviendo en la ciudad **donde** nos conocimos. Somos amigos, nos compenetramos maravillosamente y no tenemos problemas de convivencia. Nunca he sentido celos. Cada uno hace **lo que le gusta** y tenemos tres hijos juntos. Si volviera a vivir, cambiaría muchas cosas de mi vida, pero elegiría de nuevo a este hombre para compartir mi vida, sin duda".

[1] pololo. Pretendiente (se usa en algunos países de Hispanoamérica)

2 Según una encuesta elaborada por Match.com, que es una prestigiosa agencia de contactos, el 67% de los hombres afirma que en el futuro se ve casado y con hijos. El 14% cree que tendrá pareja pero no vivirá con ella, el 10% cree que se casará o tendrá una pareja estable pero no tendrá hijos, y solo el 9% cree que vivirá solo y tendrá únicamente parejas ocasionales. También se entrevistó a mujeres, **el 60% de las cuales** se ve casada y con hijos, el 21% cree que tendrá una pareja pero no vivirá con ella, el 11% cree que estará casada o en una relación estable pero sin hijos, y por último, el 9% –el mismo porcentaje de hombres– se ve sola y con parejas esporádicas.

3 Cada mexicano sin pareja de entre 25 y 34 años gastó el último año una media de 328 pesos (25 dólares) en la primera cita con otra persona. Este es el resultado de un estudio realizado por la agencia de contactos Parship para México. En México existen, según cifras oficiales, 21 millones de personas sin pareja, **lo que** incluye a los solteros, a los separados, a los divorciados y a los viudos. Todos ellos gastaron en total 223 000 millones de pesos (16 800 dólares) en actividades relacionadas directa o indirectamente con "encontrar el amor", según el estudio. Entre estas actividades se mencionan salir por la noche, someterse a tratamientos de belleza y comprar ropa o cosméticos. Por último, parece haber diferencias según el sexo de los entrevistados: los hombres gastaron unos dos dólares más que las mujeres en la primera cita.

C. Vuelve a leer los textos y subraya la información más importante. Después, escucha a estas personas hablando de estos temas. ¿En qué coinciden? Márcalo y anota la información nueva.

CD2
19-21

D. Fíjate en estas frases procedentes del texto y complétalas con los pronombres de las cajas. Luego, consulta la sección de gramática.

| de las cuales | lo que | que | a quien | lo que | donde |

1. Yo me casé con mi único pololo, _____ conocí a los 18 años.
2. Seguimos viviendo en la ciudad _____ nos conocimos.
3. Cada uno hace _____ le gusta.
4. Según una encuesta elaborada por Match.com, _____ es una prestigiosa agencia de contactos, el 67% de los hombres afirma que en el futuro se ve casado y con hijos.
5. Se entrevistó a mujeres, el 60% _____ se ve casada y con hijos.
6. En México existen, según cifras oficiales, 21 millones de personas sin pareja, _____ incluye solteros, separados, divorciados y viudos.

E. En grupos de tres, cada uno escoge uno de los temas de la revista y prepara un breve monólogo explicando su opinión sobre él. Los demás pueden hacerle preguntas y discutir con él sobre su presentación.

3. Taller de escritura creativa: una historia de amor

A. Lee este texto que Laura ha enviado al concurso "Microamores", dedicado a los relatos breves de amor. ¿Te gusta? ¿Crees que puede ganar? Coméntalo con tu compañero.

MICROAMORES

Ella iba en el tren de cercanías. Su compartimento estaba vacío. Miraba por la ventana, viendo pasar el paisaje. El tren se paró y vio subir a varias personas. Oyó que se abrían las puertas del compartimento y entró un chico con pinta de estudiante: gafas, barba de tres días y una mochila a la espalda. Se saludaron tímidamente y él le preguntó: "Oye, ¿tienes una tarjeta de viaje múltiple?". En ese país, fuera de las horas punta, podían viajar dos personas por el precio de una, por lo que muchas personas probaban suerte en el tren y buscaba a alguien con esa tarjeta para viajar. Ella le dijo que sí, que no sería problema. Él se sentó y el tren se puso en marcha. Ella lo miraba de reojo y se preguntaba qué libro era el que él leía tan atento, pero no conseguía verlo. De vez en cuando se cruzaban sus miradas y se sonreían tímidamente. Ninguno de los dos se atrevía a hablar con el otro, pero no dejaban de mirarse de reojo o en el reflejo de la ventana. De pronto entró el revisor, ella mostró su tarjeta y le dijo "viene conmigo", refiriéndose al estudiante. Cuando el revisor se fue, el estudiante le dio las gracias y ella le dijo: "A cambio, ¿no tendrás un chicle de menta? Me encantan y hoy no tengo ninguno". Él no tenía, pero antes de bajarse, le prometió: "La próxima vez tendré uno para ti. Prometido". Ella dijo: "De acuerdo", pero mientras lo veía alejarse pensó que era tonta por no haberle dicho algo más, porque seguro que no volverían a verse.

Pasaron unas semanas y ella continuó con sus estudios y sus trayectos en tren. Una noche una amiga la invitó a un concierto de música en un bar muy popular de la ciudad. "¡Vamos a bailar y a escuchar buena música!". Efectivamente, la música era fantástica, y ella bailaba y bailaba sin parar, riendo y pasándoselo en grande. De pronto, alguien le tocó en la espalda. Al volverse, vio una mano que le ofrecía un chicle de menta. Al levantar la vista, vio que era el estudiante. Ese fue el principio del amor de su vida.

Manifestar lagunas de comprensión
· ¿Me puedes explicar...?
· ¿Qué quieres decir con eso?
· No sé lo que quieres decir.

Controlar la comprensión
· ¿Sabes?
· ¿Ves?
· ¿Entiendes?

Interrumpir
· Perdón, ¿puedo decir algo?
· Sólo una cosa...

Indicar que se desea seguir hablando
· Sólo un minuto...
· Por favor, déjame terminar.

Introducir un nuevo tema
· Otra cosa...
· Además / También
· En cuanto a...

Deícticos temporales:
antes de, después de, en aquella época, por aquel entonces, en ese momento, mientras, durante

Deícticos espaciales:
allí, en ese lugar

B. En las historias de amor suele estar presente la siguiente información. Búscala y señálala en el texto.

- Cómo y dónde se conocieron los protagonistas
- Cómo eran
- Cómo sabemos que se atraían
- El conflicto o problema
- Cómo termina la historia

 C. Ahora, en grupos de tres vais a escribir una historia de amor para el concurso. Aquí tenéis algunas propuestas para los personajes, el momento y el lugar, pero podéis escoger otros. Recordad que los recursos del lateral os pueden resultar útiles.

Marcadores de secuencia:
primero, de pronto, cuando, al cabo de, entonces, tan pronto como, finalmente, al final

Describir personajes:
· X tenía ... años, era rubio/a, alto/a, tenía los ojos..., siempre sonreía
· (No) Se parecía a...
· Era sincero/a, misterioso/a...
· Tenía un aspecto...
· LLevaba el pelo..., la ropa le quedaba..., casi siempre llevaba...

Introducir la acción:
· Un día llegó...
· Cuando me acerqué a él/ella... / Al acercarme a él/ella...
· Entonces sucedió algo...
· Desde entonces todo fue...

Personajes

un estudiante
un profesor
un vagabundo
un viajero
una mujer viuda
un jubilado
un hombre invidente
un extranjero que no habla epañol
...

Lugares

un tren
la cima de una montaña
el vagón de metro de una gran ciudad
la playa
un ascensor lleno de gente
una fiesta
una obra de teatro
un museo
un atasco
...

Momentos

el verano
el último día del año
de madrugada
el día del cumpleaños
el primer día del curso
mientras estaba dando una charla/conferencia
...

Después de escribir un texto, lo dejo reposar unos días para descubrir después los errores que puedo haber cometido por distracción. También puedo pedirle a otra persona de la clase que le eche una mirada y me haga observaciones.

¡Equivocarse es de sabios!

- ¿Incluyes los puntos mencionados en la actividad? Si no están todos, ¿hay una razón para omitir alguno de ellos?

- En cuanto a la cohesión del texto, ¿empleas los marcadores del discurso para organizar la narración?

- En pruanto a los recursos lingüísticos, ¿te has asegurado de que el uso de los tiempos del pasado es el correcto?

4. Familias de hoy

CD2
22

A. Fíjate en las siguientes imágenes y escucha a esta persona hablando de su familia. ¿A qué fotografía corresponde?

> padre, madre, hermanos, abuelos, familia política, pareja de hecho, pareja del mismo sexo, divorciado/a, casado/a, soltero/a, viudo/a, hijo/a adoptado/a

B. A continuación, lee estos testimonios y relaciona cada imagen con uno de ellos. ¿Cómo llaman a cada tipo de familia?

PARA TI, ¿QUIÉN ES "TU FAMILIA"?

SARA: Cuando pienso en mi familia lo tengo muy claro: son mi pareja, Sonia, y nuestro hijo Pol, que tiene 2 meses. Las familias con padres del mismo sexo no son muy comunes, pero tenemos la suerte de vivir en España, que junto con México, es uno de los pocos países que nos reconoce derechos como el de adopción y el de herencia.

HÉCTOR: Para mí es la familia extensa, la que incluye a los abuelos y a los nietos, a los tíos y a los sobrinos, a los primos y a la familia política: cuñados, cuñadas, nueras, yernos... Estamos muy unidos, incluso entre las familias nucleares o con la familia política (los parientes no de sangre).

FERNANDA: Pues nosotros somos la familia nuclear típica: el marido, la mujer, y los hijos. Tenemos dos, una hija de cuatro años y un hijo de cinco: ¡"la parejita"!

LUCIANO: Mi familia son mis hijos Lorena y Jorge, somos una familia monoparental. Aunque he tenido varias parejas, en rea-lidad para mí la familia somos nosotros tres. Luego están mis hermanas y mis sobrinos y mi madre, pero el vínculo con mis hijos es más fuerte...

ALBERTO: Mi familia es bas-tante clásica, la formamos mi mujer, nuestros tres hijos y yo. Aunque no a todo el mundo le parece tan clásica, porque nuestro hijo mayor es adoptado (de Senegal), además, yo soy ar-gentino, mi mujer es canadien-se y vivimos en Estados Unidos: se puede decir que somos una familia multicultural.

C. Ahora discute con tus compañeros qué aspectos positivos y qué aspectos negativos tiene, en tu opinión, cada modelo de familia. ¿Falta algún modelo? ¿Cuál es tu modelo de familia ideal?

5. Familias multiculturales

 A. ¿Tienes amigos de otros países o de otras culturas? ¿Encuentras diferencias culturales? Coméntalo con un compañero.

 B. Vas a escuchar a tres personas cuya pareja es de otro país. ¿Qué aspectos positivos y negativos señalan? Rellena la tabla.

CD2
23

	aspectos positivos	aspectos negativos
Ana		
Carlos		
Ignacio		

Saber cómo se organiza una conversación (cómo introducir un tema, mostrar acuerdo y desacuerdo, mostrar interés o interrumpir) es fundamental para comprenderla y participar en ella. Además, es muy útil entender en qué culturas se puede interrumpir, en qué momentos, cómo hacerlo y con qué finalidad.

C. Vuelve a escuchar la conversación y fíjate ahora en las expresiones que se emplean para hacer las siguientes cosas. Escríbelas a continuación.

1. Introducir un tema: ⟶ *Otro tema importante es...*
2. Mostrar acuerdo:
3. Mostrar desacuerdo:
4. Mostrar interés:
5. Interrumpir a otra persona:

 D. A ti, ¿te gustaría vivir en una relación multicultural? Háblalo con tus compañeros.

- A mí me encantaría tener una novia extranjera. Me parece interesante.
- ¿Aunque no hables su lengua?

6. Formas de saludarse

A. ¿Cómo se saluda la gente en tu país? ¿Hay diferencias según la edad o la situación?

B. ¿Qué sabes de las distintas formas de saludarse en el mundo? Comenta con tus compañeros si crees que estas afirmaciones son correctas. Luego compruébalo leyendo el texto.

	V	F
1. En muchos países hispanohablantes la gente se saluda con uno o varios besos.		
2. En algunos países como Rusia está prohibido el beso entre hombres.		
3. En China la gente se saluda sin tocarse.		
4. Algunos pueblos frotan la nariz como saludo.		
5. En Japón, los hombres se saludan con un abrazo.		

- Yo he estado en España, y allí la gente se da dos besos.
- Pero los hombres entre ellos no, creo.

SALUDOS EN EL MUNDO

El beso es uno de los saludos más cariñosos que se pueden realizar. Hoy, sin embargo, su uso se ha generalizado también para personas que no tienen una relación estrecha.

Se besa por cortesía, no solo a los amigos, sino también a los conocidos. Así ocurre en Argentina, por ejemplo, donde la gente besa a casi todo el mundo, hasta a las personas que acaban de conocer. Aunque depende de la edad, es una cultura en la que el contacto físico es importante. Muchos hombres también se abrazan.

El número de besos varía, sin embargo, entre las diferentes culturas. En Argentina se da un solo beso, mientras que un francés o un suizo puede dar tres o cuatro besos, y un español dos. Sin embargo, también esto depende de las situaciones y del grado de cercanía. En algunos países, los hombres se besan entre sí, como en Rusia, mientras que en otros lo hacen solo personas de diferente sexo o solo mujeres.

También hay diferencias este-oeste: en Occidente se besa por lo general en público y en privado, mientras que en algunas culturas orientales como la china, besarse en público no está bien visto. Allí las personas estrechan su propia mano en lugar de dársela a la otra persona. Se considera más higiénico y discreto. Nada más lejano que el saludo de los indígenas de Oceanía, que frotan su nariz la una con la otra para saludarse.

Por último, en Japón no se suele saludar con un beso. En su lugar, se hace una reverencia que es mayor cuanto mayor es la jerarquía de la persona a la que se saluda.

C. ¿Te gustan las costumbres de tu país para saludarse? ¿Te gustaría que hubiera otro tipo de saludo?

- A mí me gustaría saludar a la gente con un beso.
- ¿También a tu jefe?

7. El amor y amistad

 A. ¿Qué diferencias consideras que hay entre el amor y la amistad? Coméntalo con tus compañeros.

 B. Ahora lee este fragmento del libro *El espejo de las ideas*, del filósofo y escritor francés Michel Tournier, acerca de este mismo tema, y compáralo con lo que habéis dicho antes.

La comparación entre amor y amistad se inclina primero a favor del amor. Frente a la pasión amorosa, el vínculo amistoso parece ligero, insulso y poco serio. (...)

Pero cuando uno mira más de cerca, las ventajas del amor frente a la amistad son de una cualidad más que discutible. Una de las grandes diferencias entre ambos es que no puede haber amistad sin reciprocidad. No se puede sentir amistad por alguien que no siente amistad por uno. O es compartida o no es. Mientras que el amor, por el contrario, parece alimentarse de la desdicha de no ser compartido. El amor desgraciado parece ser el principal resorte de la tragedia y la novela. "Amo y soy amado —decía el poeta—. Sería la felicidad si se tratara de la misma persona". Por desgracia, raramente se trata de la misma persona. (...)

En verdad, nuestra civilización occidental moderna apuesta de manera exageradísima por el amor. ¿Cómo atreverse a construir una vida entera sobre esa fiebre pasajera? La Bruyère ya apuntó "el tiempo que fortifica la amistad debilita el amor". Sí, el tiempo trabaja contra el amor. Antiguamente, los matrimonios se hacían en función de las conveniencias sociales, religiosas, materiales. Cumplidas esas primeras condiciones, no quedaba más que amarse. Hoy día todo consiste en el "flechazo". Y después siempre habrá tiempo para el divorcio. (...) Brigitte Bardot declaró: "Yo siempre he sido fiel a un hombre durante el tiempo que he estado enamorada de él".

Michel Tournier, *El espejo de las ideas*, Ed. El Acantilado, 2000

C. Algunas personas opinan sobre el texto. ¿Cómo describirías el tono de cada opinión?

• pesimista   • indeciso   • sarcástico   • idealista   • moderado

1. ¡Sí, claro! Así que lo mejor es buscar una pareja como se busca un trabajo: condiciones económicas, ventajas por antigüedad.

2. El amor no existe. Es una invención de la literatura. Todos somos unos egoístas, sin excepción.

3. No sé, yo creo que el amor sí es importante. Tiene desventajas, pero la amistad también es difícil, ¿no?

4. El amor es lo que mueve el mundo. La vida sin amor no tiene sentido.

5. Tanto el amor como la amistad tienen ventajas e inconvenientes. No se puede hablar en general.

 Cuando lees un texto, es importante detectar el punto de vista desde el que escribe su autor.

D. Y tú, ¿qué opinas de la afirmación "nuestra civilización occidental moderna apuesta de manera exageradísima por el amor"? Organizad un debate en clase entre los que están a favor y los que están en contra de ella.

8. En lo bueno y en lo malo

A. En este poema, un enamorado habla de su amada. Marca las cosas positivas que dice de ella. ¿Hay también alguna negativa?

El desayuno

Me gustas cuando dices tonterías,
cuando metes la pata, cuando mientes,
cuando te vas de compras con tu madre
y llego tarde al cine por tu culpa.
Me gustas más cuando es mi cumpleaños
y me cubres de besos y de tartas,
o cuando eres feliz y se te nota,
o cuando eres genial con una frase
que lo resume todo, o cuando ríes
(tu risa es una ducha en el infierno),
o cuando me perdonas un olvido.
Pero aún me gustas más, tanto que casi
no puedo resistir lo que me gustas,
cuando, llena de vida, te despiertas
y lo primero que haces es decirme:
«Tengo un hambre feroz esta mañana.
Voy a empezar contigo el desayuno».

positivo

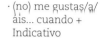

- (no) me gustas/a/ áis... cuando + Indicativo
- (no) me molesta/s/ áis... cuando + Indicativo
- (no) me gusta que + Subjuntivo
- (no) me molesta que + Subjuntivo

Luis Alberto de Cuenca, *El hada y la rosa*, Sevilla. Ed. Renacimiento, 1993

B. Imagina ahora que el narrador de este poema le cuenta a un amigo qué le gusta de esa persona. ¿Cómo se lo explicaría? Escríbelo como en la muestra.

> *¿Qué me gusta de ella? ¡Pues muchas cosas! Me gusta que diga tonterías, que meta la pata, que...*

C. ¿Y si el amigo le preguntara qué le molesta de esa persona? Imagina algunas cosas que podría contestar el narrador del poema y escríbelas como en el apartado anterior.

> *Me molesta que vaya de compras y llegue tarde, ...*

9. Poemas de amor

A. ¿Recuerdas algún poema o canción de amor? ¿Te gusta? Háblalo con un compañero.

B. En estos poemas se refleja una idea diferente del amor. ¿Qué frase resume mejor cada poema?

• Ni contigo ni sin ti.   • El amor es un torbellino.

Soneto

Desmayarse, atreverse, estar furioso,
áspero, tierno, liberal, esquivo,
alentado, mortal, difunto, vivo,
leal, traidor, cobarde y animoso;

no hallar fuera del bien centro y reposo,
mostrarse alegre, triste, humilde, altivo,
enojado, valiente, fugitivo,
satisfecho, ofendido, receloso;

huir el rostro al claro desengaño,
beber veneno por licor suave,
olvidar el provecho, amar el daño;

creer que un cielo en un infierno cabe,
dar la vida y el alma a un desengaño;
esto es amor, quien lo probó lo sabe.

Lope de Vega

Distancia justa

En el amor, y en el boxeo
todo es cuestión de distancia
Si te acercas demasiado me excito
me asusto
me obnubilo
digo tonterías
me echo a temblar
pero si estás lejos
sufro entristezco
me desvelo
y escribo poemas.

Cristina Peri Rossi, *Otra vez eros.* 1994

C. Fíjate en el *Soneto* y busca en cada verso un sinónimo para cada una de estas palabras.

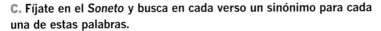

Recuerda que en un poema encuentras a menudo lenguaje literario y muy culto. Es útil conocerlo, pero no es necesario que lo utilices en tu día a día. Distinguir entre vocabulario activo y pasivo te ayudará a aprender vocabulario más eficientemente.

v1. arriesgarse
v2. cariñoso
v3. muerto
v4. fiel
v5. descanso, tranquilidad
v6. arrogante
v7. enfadado

v8. desconfiado
v9. cara
v10. ligero
v11. ventaja
v12. encajar
v13. decepción
v14. saborear

D. Señala al menos diez palabras relacionadas con sentimientos y sensaciones, escríbelas y clasifícalas (por sinónimos y antónimos, sentimientos positivos y negativos, u otra forma). Decide luego cuáles de ellas quieres ser capaz de utilizar activamente (vocabulario activo) y cuáles solo reconocer (vocabulario pasivo).

10. El amor en la sabiduría popular

A. Fíjate en estos refranes de amor. ¿Entiendes su significado? Habla con el resto de la clase.

Del odio al amor hay solo un paso
Amor con casada, vida arriesgada
Amor nuevo, olvida el primero
Barriga llena, corazón contento
Cuando la pobreza entra por la puerta, el amor sale por la ventana
En la guerra y el amor, todo está permitido

El amor es ciego
Amor loco, yo por vos y vos por otro
Amor y muerte, nada más fuerte
Amor con amor se cura

Los refranes son muy útiles para recordar palabras en contexto: son cortos, a menudo tienen rima, y son sencillos de entender. ¿Por qué no aprendes los dos que más te gusten?

B. ¿Con cuáles estás de acuerdo? Coméntalo con un compañero.

C. Discutid en clase qué refranes similares existen en vuestra/s lengua/s.

11. Rimas para recordar

 CD2 24

A. Escucha esta canción sin leer la letra. ¿Entiendes lo que dice? ¿Puedes recordar alguna frase o alguna palabra?

B. Vuelve a escucharla mientras lees la letra y marca todas las palabras que rimen entre ellas, es decir, que coinciden en sus últimas sílabas (todas las letras o solo las vocales).

Por tradición

Sobrevivir a tu indiferencia es un milagro
y soportar un rostro de piedra es tan pesado.
No hay forma de enderezar nuestros defectos,
al fin y al cabo no somos más que un par de extraños.

Por favor alza la vista
y observa bien
que aún no es tan tarde
es bien fácil.

Te cojo mal no te apetece hablar de nada,
no me darás el brazo a torcer esto es un drama.
Caes en el error de dar un valor a lo superfluo.
Me marcharé y aquí estaré cuando despiertes.

Nada más que el silencio
y joyas y ahora tú te preguntarás donde estás.

Aquí me encontrarás ausente.
Aquí me encontrarás valiente.
Aquí me encontrarás.

The New Raemon, *La dimensión desconocida*, 2009.

La rima es un recurso que se utiliza para dar sonoridad y ritmo a los textos (normalmente poéticos), lo que facilita que los podamos memorizar. En español existen dos tipos de rima: la consonante, en la que coinciden todos los sonidos de las últimas sílabas, y la asonante, en la que coinciden solamente los sonidos vocálicos. Fijarte en las rimas te ayudará a recordar y a disfrutar poemas y canciones.

C. Busca en el libro o piensa en palabras que rimen entre sí. Si lo deseas, compón unos versos para una canción con esas palabras.

1. Verbos recíprocos

Los verbos de reciprocidad se forman igual que los verbos reflexivos y expresan una acción realizada de forma recíproca entre varias personas.

- *Pablo quiere a Loreto y Loreto quiere a Pablo.*

- *Pablo y Loreto se quieren.*

El pronombre aparece siempre antes del verbo conjugado. En una oración con un Objeto Directo y una negación, ya conoces las reglas del orden de los elementos en la frase: **(no) + pronombre + verbo conjugado**.

- *Pablo y Loreto (no) se quieren.*

2. Oraciones de relativo

Las oraciones de relativo cumplen la función de los adjetivos y se refieren a un sustantivo de la oración principal. Este sustantivo desaparece en la oración subordinada para evitar que la información se repita. Las oraciones de relativo pueden ser especificativas o explicativas.

Oraciones de relativo **especificativas**: permiten diferenciar un elemento o varios dentro de un grupo más amplio.

- *Una de las bibliotecas es mi preferida. Esa biblioteca está al lado de la cafetería.*

- *La biblioteca que está al lado de la cafetería es mi preferida.*

Oraciones de relativo **explicativas**: amplían la información sobre el elemento en cuestión, pero no es necesaria para distinguirlo de otros. En la lengua escrita van entre comas.

- *El último libro de Eduardo Mendoza es buenísimo. El último libro de Eduardo Mendoza se titula "Riña de gatos".*

- *El último libro de Eduardo Mendoza, que se titula "Riña de gatos", es buenísimo.*

3. Partículas relativas

La partícula que introduce las oraciones de relativo sin preposición es **que**.

- *Una amiga mía me prestó una película. La película trata de una familia que emigró a Australia.*

- *Una amiga mía me prestó una película que trata de una familia que emigró a Australia.*

En registros cultos y formales se puede utilizar **quien** o **quienes** en lugar de **que**, cuando el antecedente es una persona o varias.

- *Hoy tenemos el gusto de presentar a la Dra. Morelos, quien nos hablará de las oraciones de relativo. Sus colaboradores, quienes también participan en este congreso, responderán a las preguntas del público.*

La partícula relativa **quien** no puede aparecer con artículo y se usa solo para referirse a personas.

Cuando el antecedente no es una cosa ni una persona, sino una información de tiempo o espacio, o cuando se refiere a la posesión de algo por alguien, se emplean, respectivamente: **cuando**, **donde**, (**adonde**, **de donde**) y **cuyo**.

partícula	antecedente	ejemplo
donde	de lugar	▢ *Suele pasar las vacaciones en el pueblo. Nació en ese pueblo.* ▢ *Suele pasar las vacaciones en el pueblo <u>donde</u> nació.*
adonde	de lugar	▢ *El semestre pasado estuve en Managua. Voy a Managua todos los años a trabajar en un proyecto solidario.* ▢ *El semestre pasado estuve en Managua, <u>adonde</u> voy todos los años a trabajar en un proyecto solidario.*
de donde	de lugar	▢ *Joona es de Finlandia. Finlandia está al norte de Europa.* ▢ *El país <u>de donde</u> es Joona está al norte de Europa.*
cuando	de tiempo	▢ *Su familia emigró a Buenos Aires en 1936. En 1936 empezó la Guerra Civil.* ▢ *Su familia emigró a Buenos Aires en el año 1936, <u>cuando</u> empezó la Guerra Civil.*
cuyo/a/os/as	de pertenencia	▢ *La pintura de Frida Kahlo no solo es conocida en México. Frida Kahlo es la pintora latinoamericana más conocida.* ▢ *Frida Kahlo, <u>cuya</u> pintura no solo es conocida en México, es la pintora latinoamericana más conocida.*

⚠ Los partículas relativas se escriben sin tilde.

⚠ El pronombre **cuyo** concuerda en género y número con el sustantivo al que precede.

14

Mundo sin fronteras

En esta unidad voy a aprender a...

Comprensión oral y escrita

- Representar la información estadística de un texto de forma gráfica.
- Comprender un texto expositivo sobre el jazz latino.
- Comprender un debate radiofónico sobre las políticas de inmigración.
- Comprender textos creativos sobre las fronteras y sobre la aceptación de los extranjeros.
- Comprender un texto periodístico y una carta al director sobre la "fuga de cerebros".

Expresión oral y escrita e interacción oral

- Escribir un texto expositivo sobre un tema del propio interés.
- Hacer una presentación oral bien estructurada sobre un tema general.
- Describir un proyecto intercultural.
- Relatar la historia de una persona emigrada.

Y voy a trabajar...

Recursos léxicos y gramaticales

- Los posesivos tónicos.
- La sustantivación.
- La definición y la explicación de palabras y conceptos.
- Rasgos lingüísticos de los textos expositivos.
- Conectores: **aunque**, **a pesar de**, **si bien**.

1. De aquí para allá

A. ¿Qué te sugieren estas fotografías? ¿Qué tema podrían ilustrar? Hablad de los aspectos positivos y de los aspectos negativos del tema.

tema	
aspectos positivos	**aspectos negativos**
enriquecimiento cultural	

B. ¿Conoces algún caso de alguien que haya cambiado de país para vivir o para pasar una temporada larga? ¿Podrías explicar su historia? No olvides comentar lo siguiente.

Nombre: _____

País de origen: _____

País de destino: _____

Por qué se fue: _____

_____

_____

Cuántos años hace que cambió de país: _____

_____

_____

Cuanto tiempo pasó fuera de su país: _____

_____

_____

Qué cambió en su vida: _____

_____

_____

Cómo es su vida actualmente: _____

_____

_____

_____

2. La historia de Apus

A. Lee la historia de Apus, una extraterrestre que llega a la Tierra. ¿Qué es lo que le sorprende más del comportamiento humano? ¿Por qué?

· le sorprende que +
Subjuntivo
· le extraña que +
Subjuntivo
· le parece increíble
que + Subjuntivo

Apus había nacido en el cosmos, en ese espacio sin principio ni fin, donde "día" y "noche", "invierno" y "verano", "cerca" y "lejos" no significaban lo que quizás signifiquen para ti. Era una joven curiosa, a quien le gustaba viajar. Ya había pasado sus sextas vacaciones en la Luna, se había enamorado en Venus, había aprendido el sentido de la paz en Marte y había jugado de niña con los anillos de Urano. Pero de todos los planetas había sobre todo uno, el tercero, redondo y azul, al que llamaban Tierra, que le atraía mucho más.

Hacía ya tiempo que le había llamado la atención un objeto volador, del que salían unas figuras torpes que bailaban en el espacio(1), y que incluso habían alunizado(2) cerca del cráter donde pasaba las vacaciones. Fue entonces cuando comenzó a investigar de dónde venían. Descubrió unas construcciones altísimas y alargadas como palos(3) en un lugar llamado Nueva York. En otro lugar al que llamaban Amazonas, sus antenas le devolvieron imágenes contradictorias de cosas a las que llamaban "árboles" y "ríos" y que parecían cambiar de lugar constantemente. En casi todas partes había una enorme cantidad de seres móviles(4) que no sabía o no podía identificar.

Esos seres móviles hacían cosas incomprensibles: algunos hablaban y hablaban en grandes edificios cerrados(5); otros estaban encerrados en sus casas pequeñas, solos y silenciosos, con una máquina(6) enfrente que también les hablaba; otros se destruían mutuamente(7), como en el juego que jugaba de niña y que había aprendido en Marte, pero que había abandonado después por su crueldad.

En muchos lugares, esos seres extraños, que eran muy distintos entre sí, se agrupaban por colores(8). Algunos parecían tener de todo(9) y otros no tenían nada(10). Un día podían reír y otro lloraban y parecían indefensos. Esos seres móviles, en fin, fueron los que despertaron su curiosidad. Abandonó el cosmos y se acercó a la Tierra. "Es un mal día", pensó mirando desde lejos. Unas pantallas mostraban algo a lo que llamaban "guerra", "crisis", "catástrofes" y otras cosas que su sistema lógico no lograba comprender. No se atrevió a bajar. Sus antenas le indicaban que se había equivocado o que, por lo menos, eso no podía ser todo lo que esperaba del planeta redondo y azul de sus investigaciones.

Finalmente aterrizó en un país. Ese era el nombre de pequeños espacios de tierra, rodeados de mecanismos que se abrían y se cerraban(11), de los que había muchísimos, dentro de otros espacios más grandes, llamados continentes. Se quedó con las antenas abiertas: vio mar y montañas, escuchó música que nunca había oído, los seres móviles hablaban una lengua que sus antenas identificaban perfectamente. "Aquí me quedo", se dijo. Pero su sorpresa fue cósmica cuando dos seres móviles(12) se acercaron y le pidieron la documentación.

"Su pasaporte", insistieron, "Su pasaporte, por favor". Apus comprendió rápidamente que en la Tierra las cosas no funcionaban como en el cosmos, donde el espacio era para todos. Nadie se había quejado después del alunizaje, ni tampoco les habían pedido el pasaporte a las figuras torpes que bailaban en el espacio. Al rato se encontró en una jaula(13). Nadie le preguntó quién era: eso sí, le dieron algo para comer y beber y una terrestre vestida de blanco(14) quiso saber si estaba bien o si le dolía algo. Y claro que le dolía algo, pero no pudo explicárselo. No entendía por qué la llamaban extranjera si ella era igual a las demás. En realidad, tan igual no era, pero su mecanismo interno(15) era el mismo, su corazón sentía igual y su cerebro le decía que, aunque venía del cosmos, tenía todo el derecho del cosmos de estar allí, de quedarse allí, de conocer lo que no conocía y de disfrutar de lo que no tenía. Todo fue inútil. La pusieron en una nave y la mandaron al espacio, pensando que no volvería. Pero quizá se equivocaban...

B. Fíjate en las expresiones marcadas. ¿A qué se refieren? Anótalo y compara tus suposiciones con las del resto de la clase.

C. ¿Podrías pensar en definiciones o explicaciones similares para otras palabras o conceptos?

coche: máquina que sirve para transportar principalmente a personas, en general funciona con gasolina o gasóleo y suele tener de dos a cinco plazas.

Recuerda que ser capaz de explicar una palabra es una estrategia muy útil para hacerte entender cuando no recuerdas la palabra exacta. Es algo que haces también en tu propia lengua y que simplemente puedes aplicar al español.

3. Sin fronteras

A. ¿Conoces alguna de estas asociaciones dedicadas a proyectos interculturales? ¿A qué crees que se dedican? Coméntalo con un compañero y luego lee los resúmenes.

1. La orquesta West Eastern Divan

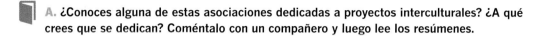

La orquesta West-Eastern Divan la fundaron en 1999 el israelí Daniel Barenboim (director de orquesta), y el palestino Edward Said (escritor). Decidieron crear un taller para jóvenes músicos de Israel y otros países de Oriente Próximo para compartir el estudio y el desarrollo musical con el conocimiento y la comprensión entre culturas tradicionalmente enfrentadas.En este taller, los músicos mejoran su nivel musical y conviven con jóvenes de otros países que pueden estar en situaciones de conflicto con el suyo propio. Desde 2002 el taller tiene lugar en Sevilla, gracias al apoyo de la Junta de Andalucía. El nombre de la organización se inspira en una colección de poemas de Goethe, quien, según los fundadores: "fue uno de los primeros alemanes verdaderamente interesado en otros países, que empezó a aprender árabe con más de 60 años."

2. El proyecto e-Twinning

E-Twinning es un acción educativa promovida por la Comisión Europea y tiene como objetivo promover el trabajo en colaboración entre profesores y alumnos de distintos países a través de las tecnologías de la información y la comunicación (TIC). Los profesores y alumnos pueden proponer o apuntarse a proyectos existentes, por ejemplo, hacer un intercambio de Juegos y Deportes Tradicionales. Para ello disponen de un espacio de trabajo virtual con herramientas como blogs, foros, wikis, galerías de imágenes, gestores de contenidos, chat, etc. Además, disponen de un Diario de Progreso, donde dejan constancia del avance de su proyecto.

3. La asociación PEN Club

PEN Club es una asociación que reúne a más de quince mil poetas, ensayistas y narradores de todo el mundo y cuenta con 138 centros en 98 países. Su principal objetivo es promover la cooperación intelectual y la tolerancia mutua entre los escritores para que, de esta manera, realcen el papel relevante de la literatura como transmisora de la memoria de los pueblos y la defiendan ante los problemas de la sociedad contemporánea. Asimismo, PEN lucha enérgicamente contra la censura política y trabaja para defender los derechos de los creadores víctimas de las torturas, de los encarcelamientos o de los asesinatos, propios de las tiranías y de las dictaduras.

B. Ahora comenta con el resto de la clase cuál te parece más interesante, útil u original y si conoces proyectos similares en tu país.

C. Busca un proyecto de estas características y resume por escrito de qué se trata y por qué te parece interesante. Preséntalo brevemente al resto de la clase.

4. En cifras

A. Lee ahora este artículo y observa el gráfico del apartado B. ¿Qué título pondrías a esta información?

Según datos del Banco Mundial, México es el país con más emigrantes del mundo: 11,6 millones de personas durante el año 2005. El principal destino de los mexicanos que emigran son los Estados Unidos de América, pero cruzar la frontera es difícil y arriesgado. La frontera entre ambos países ocupa unos 3141 kilómetros y, aunque los 350 cruces legales al año ya la convierten en la frontera más frecuentada, también hay muchos cruces ilegales, que no siempre terminan bien: entre 2001 y 2005 murieron 191 personas intentando cruzarla. Las causas principales son las corrientes del Río Bravo, las bajas temperaturas nocturnas del desierto, la falta de agua, los accidentes de coche y varias enfermedades. Después de México, los países con mayor número de emigrantes son Rusia, India y China. En el número 10 se encuentra Kazakhstan. Reino Unido y Alemania están prácticamente igualados, con 4,2 y 4,1 millones, respectivamente.

Usar diagramas para explicar cifras ayuda al público de una presentación a comprender y retener mejor la información. No solo puede ver, por ejemplo, la dimensión de las cantidades, sino también la relación entre ellas. Para la persona que presenta, los diagramas sirven de ayuda si la memoria falla durante la presentación.

B. Ahora fíjate en el gráfico que acompaña a este texto y complétalo con la información que falta.

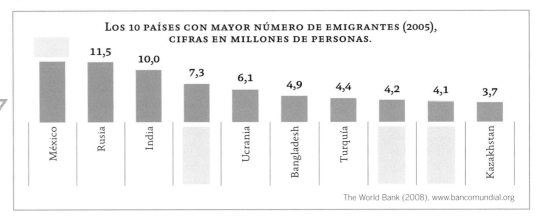

LOS 10 PAÍSES CON MAYOR NÚMERO DE EMIGRANTES (2005), CIFRAS EN MILLONES DE PERSONAS.

11,5 — Rusia; 10,0 — India; 7,3; 6,1 — Ucrania; 4,9 — Bangladesh; 4,4 — Turquía; 4,2; 4,1; 3,7 — Kazakhstan; México

The World Bank (2008). www.bancomundial.org

C. Comenta la información con el resto de tus compañeros. ¿Hay información nueva o interesante para ti?

D. Escribe a continuación un breve texto para explicar el siguiente gráfico. Puedes contextualizarlo con algún dato histórico que conozcas o que hayas buscado. Luego, intercambia tu texto con el de un compañero.

INMIGRACIÓN EUROPEA A ARGENTINA ENTRE 1895 Y 1946

1 476 725 — Italianos; 1 364 321 — Españoles; 155 527 — Polacos; 114 303 — Rusos; 105 537 — Franceses; 59 895 — Alemanes; 35 470 — Portugueses; 31 512 — Yugoslavos; 25 024 — Checos; 19 525 — Ingleses; 285 242 — Otros

Gobierno de la República Argentina, www.argentina.gov.ar

5. Una presentación

A. Las siguientes expresiones aparecen frecuentemente en las presentaciones orales.
Léelas y relaciona cada bloque con su función.

A Comenzar la presentación
(presentarse, hacer algún comentario sobre la estructura de la presentación...)

B Introducir el tema

C Acercarse a la audiencia
(despertar curiosidad, contar una anécdota o un ejemplo, hacer una pregunta retórica, citar a alguien conocido...)

D Organizar el discurso durante la presentación (aludir a lo que ya se ha dicho o a lo que se dirá más tarde, reformular, cambiar de tema, contraargumentar...)

E Conclusión (resumir lo dicho, abrir un turno de preguntas...)

1
Resumiendo lo dicho anteriormente...
En conclusión se puede decir que...
Me gustaría terminar con...
Si alguien tiene alguna pregunta...

2
Bueno, si no tienen (más) preguntas...
Muchas gracias por su atención.

3
Como ya he dicho antes...
Quisiera insistir en...
Como explicaré más adelante...
Es decir...; Dicho de otro modo...
En cuanto a...
Por otra parte...

4
Soy...; soy estudiante de...; trabajo en...
Mi presentación durará aproximadamente...
Al final habrá tiempo para preguntas.
Podéis interrumpir en cualquier momento.

5
(Bien, pues) el tema de esta charla es...
Hoy vamos a hablar de...

6
Hay una anécdota curiosa que no sé si conocen.
Como dice / dijo...
Quisiera empezar contando algo real.
¿Se han preguntado alguna vez...?
Como ustedes probablemente saben...

 B. Vais a preparar una presentación oral por grupos sobre un tema de vuestro interés.
Para ello, las siguientes pautas os pueden ser útiles.

1. Escoged un tema entre todos.
Ejemplos: La inmigración en la escuela; El turismo sostenible en...; Formas de energía renovable; internet y la televisión en el ocio juvenil...

2. Buscad información relacionada y preparad la documentación necesaria.
Ejemplos: fotografías, vídeos, gráficos, tablas...

3. Escribid el guion.
Tened en cuenta las siguientes secciones:
- introducción y definición del problema o tema
- contextualización
- exposición y desarrollo de los datos
- conclusiones y/o posibles soluciones al problema

4. Ensayad la presentación.
Cada uno de vosotros deberá hablar por lo menos dos minutos.

En un guion para una presentación, es mejor no redactar todo lo que se quiere decir. Es más útil escribir en forma de esquema las partes que contendrá la presentación y algunas palabras clave. El material gráfico también es una ayuda para recordar.

C. Recopila todos los recursos para hacer presentaciones orales que has aprendido hasta ahora (revisa la unidad 11) y anota los que te resulten útiles en tu cuaderno.

6. Música sin fronteras

 A. A menudo, la mezcla de culturas da lugar a manifestaciones artísticas muy ricas, como en el caso del jazz latino. ¿Has oído hablar de él? ¿Conoces otros movimientos artísticos en los que haya fusión de culturas?

 B. Lee la historia de este movimiento musical y anota al lado de cada párrafo la idea principal.

Jazz latino: el mestizaje como identidad

1. definición del estilo

El jazz latino se puede definir como la fusión del jazz con ritmos latinos, si bien originariamente estos ritmos eran sobre todo afrocubanos. Por ello, este estilo se ha denominado también "jazz afrocubano".

2

Este movimiento musical comienza con los esclavos africanos que las grandes potencias europeas tenían desde el siglo XVI. En Cuba —entonces colonia española— llegaron a reunirse esclavos de todas partes de África, lo que dio lugar a un mestizaje cultural. En lo musical, las armonías francesas y españolas se combinaron con ritmos de las diferentes culturas de África. A ellos se fueron sumando poco a poco ritmos de Venezuela como el joropo, puertorriqueños como la bomba y la plena, colombianos como la cumbia y el vallenato, dominicanos como el merengue o peruanos como el festejo.

3

En 1886, finalizada la esclavitud, comienza una ola de emigración a Nueva Orleans. La ciudad, que pertenecía entonces a la colonia francesa de Louisiana, se orientaba sin embargo hacia la cultura española, lo que hacía de ella una ciudad muy cosmopolita: los músicos inmigrantes comenzaron a tocar con los locales y a darle al jazz el llamado "Spanish tinge" o sabor español.

4

Con la finalización de la guerra hispanoamericana, en 1898, Cuba deja de ser una colonia española. Mediante el Tratado de París, España renuncia a su derecho de soberanía sobre la isla, que es ocupada por los Estados Unidos, a quienes también cede Puerto Rico. Comienza así un intercambio cultural y musical entre músicos estadounidenses, puertorriqueños y cubanos, y estos descubren el blues, el banjo, el fox trot, etc.

5

La Ley Jones en 1917 concede la nacionalidad estadounidense a cualquier persona nacida en Puerto Rico y pronto los puertorriqueños se convierten en la comunidad latina más importante de Nueva York. Los cubanos que vivían en esta ciudad, por su parte, lo hacían de forma clandestina, y se ganaban la vida tocando en fiestas privadas. Así, en los años 1940-1950 la vanguardia musical se traslada a Nueva York, donde se consolida lo que después se llamó "latin jazz" o jazz latino.

6

En los comentarios a su película Calle 54, dedicada a este estilo musical, el director español Fernando Trueba dice que "muchos de esos músicos estaban consagrados en todos los géneros que dominaban el lenguaje clásico y el jazzístico, al tiempo que por sus venas corría, irrefrenable, el aliento de la música popular de sus países de origen y el tronco común africano que latía en todas ellas". Entre los intérpretes fundamentales hay que nombrar a Mario Bauzá (a quien se considera el padre del estilo), Mongo Santamaría, Gato Barbieri, Bebo Valdés, Tito Puente, Chano Pozo o Juan Tizol, entre muchos otros.

C. Anota dónde empieza y termina cada sección del texto.

Título: *línea 1*
Introducción:
Desarrollo: (ideas principales)
Conclusión:

D. Los textos expositivos (como muchos textos del ámbito académico y periodístico) suelen estar escritos en un registro formal y en ellos es frecuente encontrar rasgos lingüísticos como estos. Completa la tabla con más ejemplos encontrados en el texto.

Rasgos lingüísticos de los textos formales	
Estructuras impersonales (uso del "se" impersonal)	*El jazz latino se puede definir como...*
Uso del Presente Histórico	*Este movimiento musical comienza con los esclavos africanos...*
Citas (directas entre comillas o indirectas)	*El autor afirma que España tenía principalmente esclavos Yoruba...*
Definiciones y explicaciones	*El jazz latino se puede definir como la fusión del jazz con ritmos latinos*
Sustantivaciones	*Con el final de la esclavitud... (= cuando termina la esclavitud)*

Cuando escribas tu propio texto es importante que:
· formules claramente tu objetivo y enfoques el tema,
· elijas la información pertinente,
· leas diversas fuentes que complementan la información,
· utilices la función "corta y pega" con responsabilidad (citar y no plagiar), y
· utilices marcadores del discurso para organizar las ideas.

E. Siguiendo el modelo y las pautas de la actividad, escribe un texto como este sobre un tema de tu interés.

¡Equivocarse es de sabios!

Primera corrección:
• Compruebo que la estructura del texto esté clara.
• Escribo frases cortas.
• Utilizo marcadores para unir mis ideas.
• Elimino las palabras innecesarias.
• Corrijo la puntuación.
• Controlo que mi lenguaje y mis recursos lingüísticos sean los adecuados al registro formal y académico.

Segunda corrección:
• Hablo con mi profesor de las correcciones que no entiendo.

7. Políticas de inmigración

A. Lee los objetivos del **Plan Estratégico de Ciudadanía e Integración. ¿Entiendes a qué se refiere cada uno?** Coméntalo con un compañero poniendo ejemplos.

PLAN ESTRATÉGICO DE CIUDADANÍA E INTEGRACIÓN
Ministerio de Trabajo e Inmigración de España

1. Garantizar el pleno ejercicio de derechos civiles a los inmigrantes.
2. Establecer un sistema de acogida para facilitar su integración.
3. Fomentar el conocimiento de los valores y de la cultura europea.
4. Luchar contra la discriminación, el racismo y la xenofobia.
5. Incorporar la perspectiva de género a las políticas de integración.
6. Fomentar la cooperación con los países de origen.

- Yo creo que "garantizar el pleno ejercicio de derechos civiles" significa tener derecho a votar, por ejemplo.
- Sí, y a ir a la escuela.

B. Vas a escuchar un debate entre un representante de una ONG y una política de un partido conservador acerca de algunos de los objetivos del plan. Anota a qué objetivos se refieren y qué dice cada uno sobre ellos.

CD2
25

· En mi opinión...
· Yo creo que...
· A mí me parece bien / mal que + Subjuntivo

Beatriz Navajo
Miembro del Consejo Autonómico
del Partido del Pueblo

Fernando Verdejo
Director de la ONG
Vivir sin Fronteras

objetivos	comentarios Sra. Navajo	comentarios Sr. Verdejo

C. Ahora comenta con tus compañeros, ¿con qué opiniones estás más de acuerdo?

- A mí me parece bien que cualquier persona pueda...

8. Un testimonio desde la frontera

A. Lee este texto del escritor mexicano **Luis Humberto Crothwaite**. ¿Cómo describirías su actitud? ¿Puedes comprenderla?

La línea estaba allí para cruzarse

Mi nombre es Luisumberto y mi religión es la frontera. No se dejen engañar: soy más alto de lo que parezco, menos torpe, más miope, mejor esposo, peor amante, buen padre de familia, ridículo comediante de palabras. Estoy frente a ustedes tal como soy, diseccionado, dividido entre el aquí y el allá. ¿Les dije que estoy diseccionado? ¿Quieren que les muestre mi bisección? Atraviesa mi alma de un extremo a otro. Es la frontera, *brother*, la traigo tatuada en el brazo; la frontera, *beibi*, la llevo atravesada en el pescuezo; la frontera, *míster*, se me ha metido al corazón y ahí está metida. Y es ahí donde la quiero.

Mi nombre es Luisumberto y llevo la frontera en mis bolsillos, hecha pedazos; doblada para que no ocupe lugar y me dejen cruzar con ella las aduanas del mundo. Mírenme. Cierren los ojos y mírenme. Imaginen el planeta Tierra, el hemisferio norte, el continente americano: ahí donde se acaba el imperio y empieza la podredumbre: ahí *mero*, en ese mismo espacio donde se acaba un país poderoso que pretende estar en todos lados, pero no: ahí, miren ustedes. Acérquense, ¿la ven? Esa es la frontera: mi fronterita preciosa, pequeña, sonriente, llorona, llorona de mis amores.

Desde muy chiquito, cómo explicarles, me contaron que la frontera sirve para dividir familias. Mis tías vivían en el otro *saite*, mientras mi mamá y yo vivíamos en Tijuana. Cada domingo las visitábamos, cada domingo comenzaba la enorme fila para cruzar al norte y el pasaporte y el sabor de los dulces gringos que tanto me gustaban.

Pero en realidad ese límite no limitaba a *naiden*; cruzando la frontera, mis tías seguían hablando español y seguían escuchando música mexicana y seguían festejando con ese gusto y esa pasión por la fiesta que sólo he conocido en ellas.

Desde entonces, sin darme cuenta, mi religión era la frontera. ¿Yo qué sabía que aparte del país del norte y aparte del país del sur existía esa tierra de nadie y de todos que se llama la frontera?

Cuando era pequeño ni siquiera escuchábamos decir "la frontera", le decíamos "la línea", y la línea estaba ahí para cruzarse de aquí para allá y de allá para acá, nadie lo impedía, y yo, niño, ni siquiera me daba cuenta del desprecio de la policía fronteriza preguntándole a mi mamá "¿Qué trae de *Mécsicou*?, señora", "¿Cuánto dinero *trai*?, señora", "¿Cuál es el motivo de su visita a los Estados Unidos?", *"why are you crossing the border, bitch; why are you here, Goddammit; don't you have anything better to do?"*

Luis Humberto Crosthwaite, *www.elmalpensante.com*

B. Y tú, ¿con qué fronteras te encuentras en tu vida? Habla con tus compañeros.

9. ¿Fuga o circulación de cerebros?

 A. ¿Qué relacionas con la expresión "fuga de cerebros"? Habla con tus compañeros.

 B. Lee este artículo sobre el tema y completa la tabla con la información del texto. Observa qué conectores se usan para expresar causa y consecuencia.

Crece el éxodo de científicos europeos hacia Estados Unidos

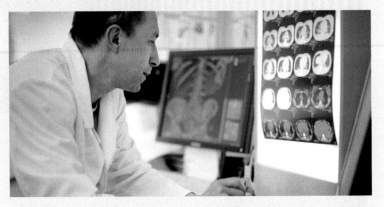

La Comisión Europea ha publicado un informe sobre la fuga de cerebros hacia Estados Unidos, es decir, sobre los investigadores europeos que desarrollan su carrera en ese país.

En él se explica que, de las 580 000 personas extranjeras que estudian cada año en las universidades norteamericanas, el 14% son europeas. Según la Comisión, la Unión Europea lidera las estadísticas en cantidad de licenciados en ciencias y estudiantes universitarios de ese campo, y es también el mayor productor de publicaciones científicas, pero el 70% de los doctores desarrollan su carrera en Estados Unidos.

Lo cierto es que la elite académica prefiere vivir y trabajar en Estados Unidos, que ofrece más y mejores oportunidades profesionales que Europa, según las estadísticas. El informe revela que en Europa, solo un 5,4% de los puestos de trabajo son ocupados por investigadores, frente a un 8,7% en Estados Unidos y a un 9,7% en Japón.

Según las cifras sobre la inversión norteamericana en I+D, Estados Unidos dedica entre 30 mil y 100 mil millones de dólares más que Europa a proyectos científicos y tecnológicos, por eso ofrecen muchos más puestos de trabajo y en mejores condiciones.

Además, en Europa, las empresas dedicadas a la biotecnología son menos competitivas que las estadounidenses, ya que, aunque la producción científica en este campo es superior a la de Estados Unidos, las empresas europeas registran menos patentes y son deficitarias en la comercialización de sus productos.

Finalmente, el sistema académico y de investigación de ese país atrae a los estudiantes europeos puesto que, tal como destaca el informe, algunas disciplinas universitarias nuevas e importantes como son la biotecnología y las nanotecnologías padecen un retraso en las universidades europeas respecto a las de Estados Unidos.

situación o problema	causas
	1.
	2.
	3.

C. Marca las palabras que no entiendas e intenta comprender su significado en una segunda lectura. Decide cuáles de estas palabras quieres aprender y anótalas en tu cuaderno.

D. ¿Qué sabes de la política de tu gobierno en investigación y desarrollo? Háblalo con tus compañeros.

10. Los jóvenes investigadores en España

A. Lee el titular y las primeras líneas de un artículo. ¿Podrías expresar cuál es el problema, y una causa y una consecuencia de este en tus propias palabras?

CIENCIA

España es el país de la Unión Europea con mayor 'fuga de cerebros'

España es el país de la Unión Europea con mayor pérdida de jóvenes investigadores, dada «la escasa inversión» en desarrollo científico, según la Federación de Jóvenes Investigadores-Precarios (FJI).

A veces, en los periódicos solamente leemos los titulares y las primeras líneas de los artículos. Con eso es suficiente para tener una idea general del tema y poder leer, por ejemplo, artículos de opinión, cartas al director o viñetas relacionadas con ese tema.

B. En esta carta al director un investigador se queja de la situación descrita en el titular anterior. Léela y marca las palabras que usa para conectar ideas.

Sr. Director:

El problema de la fuga de cerebros en España no es nuevo ni sorprendente. Somos muchos los que estamos vinculados a la investigación y seguimos de cerca la evolución de las políticas que nos afecta. A pesar de que en este país siempre hemos vivido en una situación muy precaria, hace cuatro años la inversión en investigación y desarrollo aumentó sensiblemente, ya que era una de las promesas electorales más importantes del programa, y por ello nos alegramos todos. Sin embargo, esa inversión seguía estando muy por debajo de la media europea, y solo era satisfactoria como indicio de un cambio que estaba por venir. En el departamento de biomédica de mi facultad se iniciaron tres proyectos importantes para los que se empleó a unas 35 personas, la mayoría jóvenes investigadores estudiantes de doctorado. Ahora, dada la situación de crisis, se nos anuncia una retirada importante de dinero. Así pues, casi todos los puestos creados, e incluso los proyectos, están en peligro, aunque el trabajo que se ha llevado a cabo nos sitúa en la primera línea de investigación europea. ¿Qué esperan que hagamos? Toda mi generación ha tenido que emigrar a otros países europeos o a Estados Unidos, donde no solo se financian proyectos sino que se ofrecen unas buenas condiciones de trabajo a los que participan en ellos. Sabemos que el gobierno necesita que sus cuentas cuadren, pero ¿están seguros de que desmantelar lo poco que se ha logrado construir es una solución de futuro? Habría que pensar bien en qué sacrificamos en materia de investigación y desarrollo, una clásica víctima de decisiones en las que lo urgente no deja lugar a lo importante.

Esperanza Argüelles (Llanes, Asturias)

C. Escribe ahora tú una carta al director quejándote sobre algún problema que te afecte o que conozcas. Estos son algunos ejemplos.

Tu universidad:
- los horarios
- los cambios en el sistema educativo
- el acceso
- ...

Tu ciudad:
- el transporte público
- el ruido (tráfico, bares, obras...)
- los locales de ocio al aire libre
- ...

11. Definiciones

A. Relaciona cada palabra con su definición y completa la columna central con la palabra del recuadro adecuada.

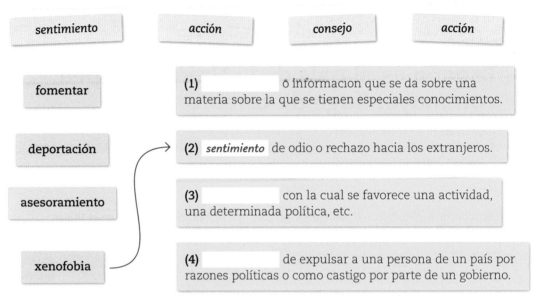

| sentimiento | acción | consejo | acción |

fomentar

(1) _____ o información que se da sobre una materia sobre la que se tienen especiales conocimientos.

deportación

(2) *sentimiento* de odio o rechazo hacia los extranjeros.

asesoramiento

(3) _____ con la cual se favorece una actividad, una determinada política, etc.

xenofobia

(4) _____ de expulsar a una persona de un país por razones políticas o como castigo por parte de un gobierno.

B. Busca a continuación cinco palabras del texto relacionadas con las fronteras y las migraciones y escribe su definición como en el ejemplo. Lee las definiciones a tu compañero. Él debe adivinar de qué palabras se trata.

Saber definir es muy importante porque te ayuda a expresarte más correctamente. Además, si no recuerdas el nombre exacto de una palabra, puedes recurrir a su definición o explicación para hacerte entender.

frontera

12. Es una cosa que sirve para...

CD2
26

A. En esta conversación, una extranjera necesita conseguir algo muy específico. ¿Qué es? Escucha la grabación.

B. Vuelve a escuchar y fíjate en las estrategias que emplea para hacerse entender. ¿Cuáles de las siguientes estrategias ha usado? ¿Tú empleas estos recursos en tu día a día?

- definir la palabra
- buscar sinónimos
- explicar para qué sirve
- recurrir a otra lengua
- ...

C. Ahora escoge una palabra o una idea de la unidad y utiliza estos recursos hasta que tu compañero adivine de qué se trata.

13. Con la llegada de...

A. Fíjate en estas expresiones. ¿Puedes sustituir la parte marcada por otra expresión sin cambiar el significado?

> **Con la finalización de la guerra hispanoamericana**, Cuba deja de ser una colonia española.

> *Cuando termina la guerra hispanoamericana, Cuba deja de ser una colonia española.*

Con la publicación de la Ley Jones en 1917 se reconoce la nacionalidad estadounidense a cualquier persona nacida en Puerto Rico.

El traslado de la vanguardia musical a Nueva York se produce en la década de los años 40-50.

Las cifras sobre la inversión norteamericana en I+D pueden darnos pistas sobre los motivos del éxodo.

La atracción que ejerce el sistema académico y de investigación de ese país es otro motivo para emigrar.

> La sustantivación es un recurso propio del lenguaje escrito en un registro culto. Es importante que lo reconozcas y comprendas, pero no es necesario aún que lo produzcas.

B. Las palabras marcadas en amarillo del apartado A son nominalizaciones. ¿Encuentras otros ejemplos en los textos del libro? Añádelos a la tabla.

14. ¿Ese es mi abrigo o es el tuyo?

A. Relaciona cada afirmación con su reacción.

1. En mi país, la gente viaja mucho al extranjero.
2. Mis amigos son de muchos países diferentes.
3. Nuestros hijos tienen 14 y 15 años.
4. ¡¿En tu oficina se puede fumar?!
5. Sra. García, ¿es este su abrigo?

a. Claro, ¿en la tuya no?
b. Pues los míos son la mayoría españoles.
c. No, el mío es negro.
d. Pues en el mío, se viaja más por el interior o la costa.
e. Pues los nuestros son gemelos. Tienen 13.

B. Ahora, tu compañero va a hacer afirmaciones sobre los siguientes temas y tú debes reaccionar hablando de tu caso.

| casa | amigos | familia | libro preferido | película preferida |

● Mi casa es pequeña pero muy acogedora.
○ Pues la mía es bastante grande, pero la comparto con amigos.

1. Los posesivos tónicos

Los posesivos se usan para identificar algo o a alguien en relación con su poseedor. Varían según el poseedor y concuerdan con la cosa poseída en género y número.

Existen dos clases de posesivos: los átonos y los tónicos. Los posesivos tónicos se sitúan después del sustantivo al que se refieren. Pueden aparecer junto al sustantivo al que acompañan o solos.

posesivos tónicos	ejemplo
mío/mía/míos/mías	▫ Lea y Sabine son unas estudiantes _mías_ que acaban de empezar el curso. ▫ Si no tienes guantes para ir a esquiar, te puedes llevar unos _míos_.
tuyo/tuya/tuyos/tuyas	▫ Esta tarjeta es un bono de autobús, como la _tuya_. ▫ Anoche me encontré a unos amigos _tuyos_ en el cine.
suyo/suya/suyos/suyas	▫ Andrés ha ido varias veces a Colombia porque dos hermanas _suyas_ viven allí. ▫ Juan no debería decirte lo que tienes que hacer. No es asunto _suyo_.
nuestro/nuestra/nuestros/nuestras	▫ A ese estudiante _nuestro_ le encanta la gramática. ▫ Qué bonita es tu casa. Además, es mucho más céntrica que la _nuestra_.
vuestro/vuestra/vuestros/vuestras	▫ Una profesora _vuestra_ me dio clase el año pasado. María, la profesora de inglés. ▫ Mis vacaciones son siempre en agosto. ¿Y las _vuestras_?
suyo/suya/suyos/suyas	▫ Esther y Héctor viven en Alicante. Un hijo _suyo_ ya va a la universidad. ▫ Carmen se ha llevado mis llaves porque ha perdido las _suyas_.

Con los posesivos tónicos, puede aparecer un artículo o determinante antes del sustantivo.

▫ _Una amiga nuestra está buscando piso._
● _Ese amigo tuyo no es buena persona._

Cuando el contexto permite saber a qué se refiere el posesivo, se puede omitir el sustantivo.

▫ _Vaya, me he dejado el móvil en casa._
● _Si quieres, puedes usar el mío._

▫ _Me encantan tus zapatos._
● _Pues a mí me gustan mucho más los tuyos._

⚠ Recuerda que los posesivos átonos no pueden aparecer tras un artículo u otro determinante.

~~La~~ mi amiga está buscando piso.

2. Sustantivación

La sustantivación consiste en construir sustantivos a partir de verbos conjugados
o de Participios. Este recurso es útil para modificar el texto y para evitar repeticiones.
Aparece a menudo en un registro culto y formal.

- *En mi trabajo se describe la población latina en California. Esa descripción
  se basa en algunos artículos que he leído.*

- *El informe elaborado por la CEPAL incluye cinco estudios nacionales. Dicha elaboración
  se realizó con el apoyo del BID.*

3. Conectores (V): aunque, a pesar de y si bien

Las frases que son introducidas por conectores como **aunque**, **a pesar de** y **si bien**, indican
una limitación o un contraargumento con respecto a la afirmación de la oración principal,
es decir, ponen dos hechos en relación.

aunque	*Apus creyó que había llegado al paraíso, aunque había leído en alguna parte que el paraíso no estaba en la Tierra.*
a pesar de	*A pesar de que en este país siempre hemos vivido en una situación muy precaria, hace cuatro años la inversión en investigación y desarrollo aumentó sensiblemente.*
si bien	*El jazz latino se puede definir como la fusión del jazz con ritmos latinos, si bien originariamente estos ritmos eran sobre todo afrocubanos.*

15

Revista *Campus* ELE

En esta unidad voy a aprender a...

Comprensión oral y escrita

- Comprender un parte meteorológico.
- Comprender los consejos de la sección de consultorio de una revista.
- Comprender una entrevista radiofónica sobre las características del español.
- Comprender una entrevista al ministro de Educación.
- Leer el editorial de una revista sobre el español en Estados Unidos.

Expresión oral y escrita e interacción oral

- Hablar del tiempo que hace en un determinado lugar.
- Tomar apuntes sobre una clase de bilingüismo.
- Crear el guion de una revista universiaria.
- Elaborar una sección de una revista universitaria.

Y voy a trabajar...

Recursos léxicos y gramaticales

- Sinónimos.
- Prefijos y sufijos.
- Recursos para estructurar la información.
- Recursos para matizar y modalizar un texto.
- Algunos usos idiomáticos de **ser** y **estar**.

1. Revistas

A. Fíjate en las revistas de la portadilla. ¿Conoces alguna de ellas? ¿Sabes de qué tratan?

arquitectura y diseño

deportes

historia

viajes

música

prensa rosa

divulgación científica

B. ¿Lees revistas en tu tiempo libre? ¿Qué tipo de revistas te interesa? Coméntalo con un compañero.

● A mí me interesan las revistas de historia. Se aprende mucho.
○ Uy, a mí me aburren. Prefiero las de música.

C. ¿Hay una revista de tu universidad? ¿Qué secciones tiene? ¿Cuáles son las más interesantes? ¿Crees que debería tener alguna sección más? Coméntalo con tus compañeros.

D. Esta unidad es un número de la revista *Campus ELE.* Fíjate en sus secciones y piensa cuáles te parecen interesantes y apropiadas, cuáles aburridas, etc. Después, entre todos, escribid un guion para el siguiente número de la revista.

Campus ELE

- portada

2. Los estudiantes opinan

A. "A mal tiempo, buenas notas" es el resultado de la encuesta que Encumedia ha realizado entre estudiantes universitarios de varios países. Lee sus testimonios. ¿Con quién te identificas más?

Marina (Italia)
Yo, cuando hace buen tiempo, en lo primero que pienso es en ir a la montaña. No me importa si hace frío o calor, pero si no hay niebla ni llueve, cojo la mochila y me voy. Tiene una atracción increíble. Y claro, no puedo estudiar, así que en época de exámenes prefiero que llueva.

Cecilia (Argentina)
Yo me deprimo cuando llueve y cuando hace viento y frío. No puedo estudiar. Me paso horas en el chat hablando con mis amigos. Sin embargo, cuando hace sol, estoy contenta y estudio sin problemas, pero claro, en la terracita de mi casa.

James (Estados Unidos)
A mí el tiempo no me afecta. Lo que me afecta es el estrés. Yo estudio tanto si hace buen tiempo como si hace malo, si llueve, nieva o hace mucho calor. Me da igual. Lo importante es aprobar.

Manu (Alemania)
A mí lo único que me afecta es el calor: no lo soporto. A partir de los 30 grados, ya no soy capaz de hacer nada, me quedo como dormido. Para mí, la temperatura perfecta son 14 o 15 grados. Pero vamos, en general estudio también bien con frío: hoy estamos a 7 grados bajo cero y mañana tengo un examen importante. Llevo ya tres horas estudiando y me quedan muchas más...

Ildico (Hungría)
A mí me dan miedo las tormentas. Con los rayos y los truenos, me asusto y no quiero estar sola en casa. Me cuesta estudiar esos días.

B. Vuelve a leer el texto y anota las expresiones sobre el tiempo relacionadas con los siguientes dibujos.

 1   2   3   4   5

C. Ahora busca el resto de expresiones relacionadas con el tiempo y escríbelas.

D. ¿Qué tiempo hace en España? Escucha el pronóstico y dibújalo sobre el mapa.

CD2
27

E. ¿A qué estación del año crees que pertenece el pronóstico anterior? ¿Cómo es esa estación en tu país?

| primavera | verano | otoño | invierno |

F. Ahora mira el mapa de Latinoamérica y describe el tiempo en Asunción, Caracas, Lima, Quito, La Paz y Puerto Montt.

3. Premios, becas, concursos

 A. ¿Has participado alguna vez en un concurso? ¿De qué o para qué? Cuéntaselo a tus compañeros.

 B. La revista universitaria propone el siguiente cuestionario a la clase. Entre los que acierten todas las preguntas se sorteará un curso de español. Realiza el cuestionario y compara después los resultados con el resto de tus compañeros. ¿Podrías entrar en el sorteo?

1. ¿Cuál de estas personas ha ganado el Premio Nobel de la Paz?
a) Evo Morales
b) Luis Sepúlveda
c) Mario Vargas Llosa
d) Rigoberta Menchú

2. ¿Qué es el Sirvinacuy?
a) Un plato típico de Guatemala
b) Una costumbre andina
c) Una ciudad inca
d) Un grupo étnico de Latinoamérica

3. ¿Con cuál de estos países limita Honduras?
a) Chile
b) Guatemala
c) México
d) Bolivia

4. ¿Qué fecha trae mala suerte en España?
a) El viernes 13
b) El martes 13
c) El miércoles 14
d) El jueves 13

5. ¿Cuál de estos alimentos es muy popular en México?
a) Las tortillas
b) Los tamales
c) Las guaguas
d) La paella

6. ¿Qué poeta es el protagonista de la novela *Ardiente paciencia*, de Antonio Skármeta?
a) Federico García Lorca
b) Cristina Peri Rossi
c) Pablo Neruda
d) Luis Sepúlveda

7. ¿De qué país es el artista Fernando Botero?
a) De Colombia
b) De México
c) De España
d) De Perú

8. ¿Qué es Mafalda?
a) Una marca de helados
b) Un personaje de un cómic
c) Una ciudad de Argentina
d) Un tipo de falda

9. Una clase de casa típica de Argentina es:
a) Las casas salchicha
b) Las casas salami
c) Las casas chorizo
d) Las casas fiambre

10. ¿Cómo se saludan normalmente en España dos mujeres que se conocen?
a) Se dan la mano
b) Se dan un abrazo
c) Se dan un beso
d) Se dan dos besos

Soluciones: 1c, 2b, 3b, 4b, 5b, 6c, 7a, 8b, 9c, 10d.

 C. Ahora, en grupos de cuatro, buscad en el libro otros temas y elaborad un test de diez preguntas. Decidid cuál va a ser el premio y pasadles una copia a vuestros compañeros. ¿Quién sabe todas las respuestas?

4. Consultorio universitario

 A. En esta sección, los estudiantes envían mensajes sobre temas que les preocupan. El tema de esta semana es **¿Cómo hacer un buen examen?** Para responder, la revista universitaria ha hablado con varios profesores y estas son sus respuestas. Subraya las que te parezcan más útiles. ¿Qué conclusiones sacas?

> **1** Para conseguir una buena nota, el examen tiene que cumplir las siguientes condiciones: es fundamental que el alumno demuestre que conoce bien el tema, no solo que sepa lo que hemos hablado en clase, sino que pueda profundizar en las ideas. Esto es lo más difícil de conseguir: que un alumno lea la bibliografía de forma crítica y pueda expresar su opinión sobre el tema.

> **2** Hay otro criterio que para mí es importante, y es un defecto bastante común en las Humanidades. Escriben y escriben… y claro, muchas veces hacen periodismo del malo. A mí me parece fundamental que sepan sintetizar. También me parece importante que escriban en un español correcto, que sea claro y facilite la lectura.

> **3** Hace muchos años, un 75% de los estudiantes extranjeros suspendía mis asignaturas. No creo que hoy sea muy diferente: no tengo problema en suspender. No me gusta que los estudiantes extranjeros crean que están pasando unas vacaciones culturales en otra universidad. (…) En este sentido, yo trato igual a los estudiantes nativos y a los extranjeros. Y no he vuelto a tener problemas con los estudiantes extranjeros. A veces suspendo a alguno, pero también mis estudiantes españoles suspenden. Sin embargo, sí hay diferencias en las tutorías: los estudiantes extranjeros vienen siempre a mis tutorías, pero los españoles casi nunca. Yo diría que más de la mitad de los alumnos nunca vienen a las tutorías, solo antes de los exámenes.

Entrevista proyecto ADIEU

 B. Lee ahora las recomendaciones que da la revista. ¿Podrías añadir algún consejo más?

- Es importante que el examen sea muy elaborado, personal y crítico.
- Es fundamental que demuestres que has asimilado los conocimientos.
- El examen debe estar bien escrito (las ideas bien organizadas y bien expresadas).
- Si quieres subir tu nota, es aconsejable que participes en clase.
- Los profesores valoran mucho que no repitas solo lo que han dicho ellos, sino que lo analices desde tu experiencia y aportes tus propios contenidos.

C. Por último, la revista explica qué se debe hacer para causarle una buena impresión al profesor. ¿Cuáles de estas cosas haces? ¿Estás de acuerdo con los consejos de la revista?

"LIGARSE" AL PROFESOR

- Antes de preguntar en clase, intenta averiguar la pregunta que el profesor tiene en la cabeza.
- No muestres un interés exagerado ni lo persigas por los pasillos ni con emails continuos.
- Sé directo cuando hables con él, no te vayas por las ramas. Piensa bien las sugerencias y las quejas que vas a expresar.
- Evita ir a su despacho para resolver dudas justo antes del examen: causa muy mala impresión.
- Si sabes mucho del tema, demuéstraselo en el examen o con un trabajo, pero no interrumpas la clase.

● Mmm, yo sí envío emails a mis profesores cuando tengo dudas. Creo que es su deber contestarme.

□ ¿Y te contestan? Yo creo que reciben demasiados emails y que prefieren que vayamos a preguntarles en sus tutorías.

D. Subraya todas las formas del texto que requieren el uso del Subjuntivo y haz un esquema general en tu cuaderno con todos los usos que has visto a lo largo del curso.

5. Siguiente número de *Campus ELE*

Entre toda la clase, vais a escribir el siguiente número de la revista. Para ello seguid las siguientes pautas.

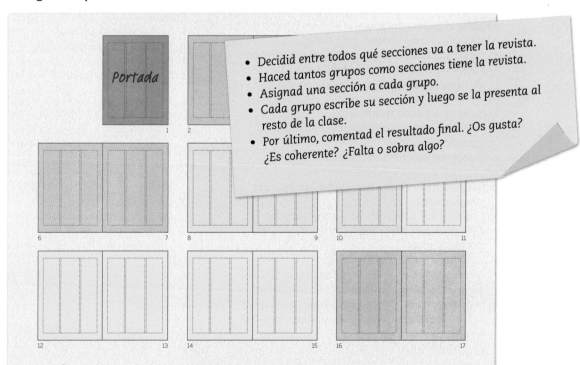

Portada

- Decidid entre todos qué secciones va a tener la revista.
- Haced tantos grupos como secciones tiene la revista.
- Asignad una sección a cada grupo.
- Cada grupo escribe su sección y luego se la presenta al resto de la clase.
- Por último, comentad el resultado final. ¿Os gusta? ¿Es coherente? ¿Falta o sobra algo?

6. Curso: técnicas para tomar apuntes

A. ¿Sabes tomar apuntes? Hacerlo bien consiste en anotar lo más importante que se dice en clase. Hay que escribir rápido, centrarse en lo fundamental y utilizar símbolos que representan ideas más largas. ¿Utilizas símbolos o abreviaturas para los siguientes conceptos?

más	menos	igual	diferente	ejemplo

causa	consecuencia	aumento	disminución

B. ¿Utilizas otros símbolos para otros conceptos? Coméntalo con tus compañeros.

 C. Vas a escuchar dos fragmentos de una clase sobre bilingüismo. Intenta tomar apuntes. Para ello, sigue las instrucciones que aparecen a continuación.

CD2
28-29

Cuando escuches fragmentos largos, para no perder el hilo, es importante que te concentres muy bien en lo fundamental y que intentes estructurar la información.

1. **Antes de escuchar la clase, prepárate bien.**
- Mira el programa del curso y fíjate en los temas. ¿Qué sabes sobre ellos? ¿Conoces a personas bilingües? ¿Existen en tu entorno comunidades bilingües? ¿Qué causas han provocado en esos casos el bilingüismo?

2. **Durante la clase, escucha, identifica el tema y toma apuntes de forma inteligente.** Para ello, ten en cuenta que el tema central se anuncia normalmente al principio de la clase, y muchas veces se relaciona con el resto del programa del curso o con la clase anterior. Al final, normalmente se repiten los aspectos más importantes.

Escucha el primer fragmento:
- ¿Cuál es el tema central de la clase?
- ¿Qué causas da el profesor para el bilingüismo?
- Vuelve a escuchar la grabación y aporta un ejemplo para cada pregunta.

Escucha el segundo fragmento:
- ¿Qué características tienen los diferentes tipos de migración?
- El profesor apunta una causa final: ¿cuál?

3. **Después de la clase, comprueba tus apuntes y organízalos.**
- Compara tus notas con las de otra persona de la clase. ¿Puedes completar la información que has anotado?
- Estructura bien la información.
- Añade ejemplos que conoces para los aspectos que el profesor presenta sobre el bilingüismo.
- Si quieres saber cómo sigue la clase, puedes ver la trascripción en web.fu-berlin/adieu/vazquez/lingüistica.htm.

Facultad de Filología
Filología Hispánica

Asignatura:
Sociología del Lenguaje

Profesor:
Francisco Moreno Fernández

Programa:
- Bilingüismo individual
- Tipos de bilingüismo
- Bilingüismo social
- Causas del bilingüismo social
- ...

7. Entrevista: "hablamos distinto; nos entendemos igual"

A. Durante el curso has escuchado español con acentos diferentes. ¿Qué información recuerdas sobre las variedades del español? Ponlo en común con tus compañeros.

B. Responde a estas preguntas sobre el español y luego coméntalas con un compañero. ¿Estáis de acuerdo?

> ¿Es el español una lengua homogénea?

> En España, ¿se habla un solo español?

> ¿Entiende un mexicano lo que se habla en los Andes?

> ¿Qué español debe aprender un estudiante de Filología Hispánica?

- Yo creo que el español es una lengua bastante homogénea.
- ¿En serio? Pues a mí me parece que no porque…

 CD2
30

C. La sociolingüista Evangelina Velázquez Lugo habla en esta entrevista de las características de la lengua española a los dos lados del Atlántico. Comprueba si tus respuestas del apartado anterior eran correctas.

 D. ¿Qué sucede en tu lengua? ¿Hay variedades regionales, dialectos o varias normas aceptadas? ¿Qué variedad se enseña a los extranjeros? Coméntalo con tus compañeros.

¡Equivocarse es de sabios!

- Reviso la estructura, la coherencia y cohesión de mis textos.
- Utilizo recursos para matizar.
- Comparo mi trabajo con el de otras personas del curso para mejorar el mío.

8. Editorial

A. ¿Sabes qué es el editorial de un periódico o una revista? Háblalo con tus compañeros.

 B. Fíjate en el título, la entradilla y los subtítulos del editorial de *Campus ELE* y piensa qué tema trata. Señala los elementos clave que te ayudan a saberlo.

 C. Lee ahora el texto y toma notas mientras lees. Sigue los consejos del recuadro lateral.

· Escribe los subtítulos en una hoja y deja entre cada uno un espacio para añadir tus notas.
· Escribe las ideas fundamentales de cada párrafo y, si puedes, añade algún ejemplo.
· Intenta expresar el contenido con tus palabras.
· Anota qué relaciones lógicas hay entre las ideas. Apunta los conectores, utiliza símbolos, etc.

Seis tesis sobre el español en Estados Unidos

EDUARDO LAGO

El gigante norteamericano será el centro de gravedad del mundo hispánico en unas décadas. Aumenta la población hispanohablante, su acceso a la educación y su sentimiento de constituir una sola comunidad.

(...) En las líneas que siguen propondré seis tesis con el fin de contextualizar la situación que vive hoy el español en Estados Unidos.

1. Lengua materna a la vez que extranjera. Como muestra el mapa, con nombres tan resonantemente hispánicos como Florida, San Francisco, Los Ángeles, Colorado o Nevada, en Estados Unidos el español no ha sido nunca una lengua extranjera. Tras la entrega de más de la mitad del territorio mexicano cuando tuvo lugar la firma del Tratado de Guadalupe-Hidalgo en 1848, un gran número de hispanohablantes pasaron a ser estadounidenses de la noche a la mañana. El siglo y medio largo que ha transcurrido desde entonces ha estado marcado por una serie de movimientos migratorios que han reforzado la categoría de lengua materna que tiene en aquel país el español. (...) Por eso en Estados Unidos el español tiene un estatus doble: es, a la vez, un idioma materno y una lengua extranjera.

2. País bilingüe y bicultural. Para el año 2050, los hispanos constituirán la cuarta parte de la población estadounidense, es decir, que el país está destinado a convertirse en una sociedad bilingüe y bicultural. (...)

3. La segunda "latinitas". En mi opinión, en Estados Unidos se está desarrollando hoy una "latinitas" de signo opuesto a la primera, cuando el latín dio lugar al nacimiento de las diversas lenguas románicas. Al encontrarse en territorio estadounidense, las distintas identidades latinoamericanas reducen distancias entre sí, lo que hace que mexicanos, puertorriqueños, dominicanos, salvadoreños, colombianos y otros, se sientan hispanos de los Estados Unidos, tanto lingüística como culturalmente.

4. Desplazamientos del centro de gravedad. (...) Según las estadísticas, en algún momento del siglo XXI, Estados Unidos será el país con mayor número de hispanohablantes. En mi opinión, ello significará el desplazamiento del centro de gravedad hacia Norteamérica, no solo de la lengua, sino también de una cultura de signo panhispánico.

5. El español como territorio de afirmación y resistencia. (...) Hoy día, aunque a nadie se le pasa por la cabeza el error que supondría dejar de lado el inglés, se observa entre los latinos, sobre todo en los que tienen acceso a la educación superior, un claro orgullo por la cultura originaria y la voluntad de conservar el uso del español, que se desea mantener vivo, especialmente en las siguientes generaciones.

6. Cristalización de una nueva lengua: el español de Estados Unidos. En último lugar, afirmo que de la misma manera a como se está creando una identidad latina, en Estados Unidos se está desarrollando una nueva variedad lingüística, resultante de la integración de las distintas hablas nacionales que se dan cita en aquel país. (...)

Y a modo de conclusión, son muchos los indicios que permiten expresar con toda claridad que nos encontramos en un proceso en el que el español está obteniendo cada vez más prestigio cultural. (...) Nos encontramos al comienzo de un proceso histórico que dentro de unas décadas convertirá a Estados Unidos en el centro de gravedad del mundo hispánico.

www.elpais.com

D. Fíjate en las expresiones subrayadas y clasifícalas según su función en el texto.

E. ¿A qué se refieren las siguientes expresiones en el texto? ¿Crees que dan más cohesión?

- El gigante norteamericano (entradilla)
- Desde entonces (1)
- Ello (4)
- En aquel país (6)

9. Nuestro personaje de la semana

A. La revista incluye una entrevista al ministro de Educación español, Ángel Gabilondo. Antes de leerla fíjate en estas afirmaciones. ¿Estás de acuerdo con ellas? Coméntalo.

"En la vida hay que esforzarse por lo que uno quiere."
"Sin formación no hay futuro, ni para el país ni para uno mismo."
"Los chavales (chicos) deben luchar en la vida para salir adelante."
"No todos hemos nacido para tener éxito y dinero."

- Yo estoy harto de que me hablen de esfuerzo.
- Sí, pero es que realmente, para conseguir las cosas importantes hay que esforzarse.

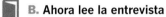

B. Ahora lee la entrevista y comprueba si las opiniones del Ministro coinciden con las tuyas.

¿Qué está fallando para que haya tanto fracaso escolar?
Hemos socializado y universalizado la educación. En España hay casi nueve millones de personas estudiando, 300 000 profesores. Pero ahora tenemos que realizar muchos más procesos de calidad, de esfuerzo, de rigor... Gracias a la democracia, la evolución de la sociedad española, que venía de un sistema autoritario, se ha liberado. Y la educación no es solo un asunto escolar...

Claro, en la vida hay que esforzarse por lo que uno quiere.
Exacto. Antes, si un niño sacaba malas notas, enseguida lo ponían a trabajar creyendo que en la construcción o en el turismo iba a salir adelante... Ahora hemos visto que sin formación no hay nada que hacer. En 2025, casi el 80% de los puestos de trabajo serán cualificados, requerirán formación. Sin formación no hay futuro, ni para el país ni para uno mismo. Y en estos años el abandono escolar ha sido tremendo, en gran parte, por esta voluntad de ir inmediatamente a trabajos más fáciles.(…)

También hay una reivindicación por recuperar la autoridad del profesor. El respeto.
Este es un debate fantástico. ¿Cuál es el concepto de autoridad en una sociedad democrática madura? No hay que tener nostalgia del autoritarismo, pero sí fijar la necesidad del respeto a este concepto. Porque este es un problema que no vivimos solo en las escuelas, también en la calle y en nuestras casas. Todos. (…)

Pero más que pérdida de valores, ¿no hay que hablar de desencanto, de que los chavales no ven claro su futuro?
También. Pero siempre ha sido así. (…). No ignoro que los jóvenes tienen dificultades, y no ignoro que debemos apoyarlos porque hay mucho paro juvenil... pero dejemos los discursos paternalistas y proteccionistas, eso de que tus padres te tienen que sacar adelante... Los chavales también deben luchar en la vida para hacerlo, como lo hemos hecho todos. A muchos de nosotros nos han dado formación, pero luego hemos peleado solos. Esta idea comodona de la existencia no me parece muy educativa.

Vuestra familia es un ejemplo. Tu padre era carnicero y sois nueve hermanos...
En mi familia todos hemos luchado mucho.(…)

Quizá la educación no depende sólo de los padres o la escuela. También de los medios, los líderes...
Los medios de comunicación, las películas, los videojuegos, los lugares donde uno va... todo eso educa. Y, desde luego, los seres ejemplares a los que yo llamo 'seres horizonte'. Para los chavales debe de ser difícil buscar referencias humanas. A veces miran a los deportistas de élite y está bien, porque preconizan el esfuerzo, el trabajo en equipo, el éxito... pero puede parecer que en esta vida todos hemos nacido para tener éxito y mucho dinero, y no es así.

Pero, ¿dónde están esos 'seres horizonte'?
Yo me lo pregunto muchas veces. No siempre en la tele, sino mucho más cerca de lo que pensamos. Quizá es alguien de nuestro entorno. El escritor uruguayo Eduardo Galeano se preguntaba para qué sirve el horizonte porque, si lo piensas, nunca llegas a él, ya que cuando lo haces se desplaza. Y está muy claro: el horizonte sirve para caminar. Eso es lo hermoso. Lo importante. (…)

http://www.ar-revista.com/ana_rosa/entrevistas/angel_gabilondo/el_placer_de_querer_no_se_valora_lo_suficiente

C. ¿Qué personajes del mundo de la universidad y la educación te parecen interesantes? En grupos, pensad en cinco personajes a los que os gustaría entrevistar. Después, entre toda la clase escoged al personaje del número siguiente.

10. El origen de las palabras

 A. Al español se han incorporado muchas palabras de otros idiomas. Por parejas, intentad relacionar cada una con su origen.

Del griego, los helenismos
Algunas palabras griegas ya aparecían en el latín, pero otras se inventaron más tarde para hablar de ciencia y tecnología. A veces terminan en **–sis** o tienen prefijos típicos como **meta-** o **demo-**. *democracia...*

Del árabe, los arabismos
La Península Ibérica estuvo bajo dominación árabe durante ocho siglos (711-1492). Los árabes trajeron los números actuales y muchas palabras relacionadas con la arquitectura y el comercio. Muchas de ellas contienen el sonido de la **j**, que en latín no existía, o comienzan por **–al**, el artículo en árabe.

De las lenguas indígenas americanas, los americanismos
Después de 1492 el español adoptó muchas palabras de las lenguas americanas, la mayoría relacionadas con alimentos, tipos de música y baile, etc.

Del inglés, los anglicismos
Muchas de las palabras que utilizamos hoy en día relacionadas con la técnica y la informática vienen del inglés. Algunas están españolizadas en su escritura.

Del francés, los galicismos
La cultura francesa dominó la vida intelectual europea durante varios siglos, durante los cuales se incorporaron palabras relacionadas con la administración, la moda, la comida, el arte, etc.

Del italiano, los italianismos
Desde el Renacimiento se incorporaron palabras del italiano relacionadas especialmente con el arte y con la comida.

democracia · tomate · ópera · alfajor · cero · patata · crisis · aceituna · fachada · ateo · fútbol · gramática · arqueología · au pair · líder · chef · chat · ananás · tesis · alcaldía · alojar · novela · antibiótico · lasaña · alcancía · cóndor · diéresis · ketchup · alquilar · ahorro · ojalá · chocolate · autonomía · hotel · chofer · estrés · menú · puma · cacao · carné · diseño · CD · pizza · chalet · alcohol · perífrasis · criollo · espagueti · xenofobia · anarquía · web · festejar · estándar · pasta

 Muchas de las palabras que se incorporaron al español son internacionalismos, como **pizza** u **hotel**. Si recuerdas el origen de las palabras y observas los cambios respecto a tu lengua, las recordarás mejor.

● Me parece que **democracia** es una palabra griega.
○ Entonces la ponemos en los helenismos.

B. ¿Sabes de qué lenguas bebe tu lengua materna? ¿Puedes poner algunos ejemplos? Ponlo en común con el resto de la clase.

11. Bilingüismo

A. Revisa tus apuntes sobre el bilingüismo de la actividad **6** y completa el esquema.

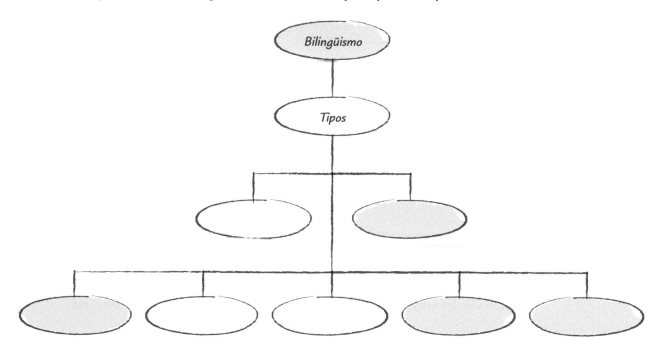

B. Las siguientes expresiones se usaron en la clase que escuchaste. ¿Podrías escribir algún sinónimo para cada una?

1. Tiene que ver con	→ Tiene relación con
2. Desde un punto de vista	...
3. Da lugar a	
4. Se desprende de	
5. Depende de	
6. Lleva a	
7. Poner en práctica	
8. Obliga a que	

 C. Ahora escribe una frase con cada expresión para que te ayude a recordarlas.

1. Estructurar la información

Para estructurar mejor la información de un texto conviene utilizar recursos lingüísticos que le aportan coherencia y cohesión, es decir, que aseguran que haya coherencia lingüística y de contenidos. A continuación se enumeran algunos que has visto durante el curso.

conjunciones y conectores	**y** (e), **o** (u), **pero**, **sino**, **también**, **tampoco**, **aunque**, **sin embargo**, **a pesar de que**, **en cambio**, **por eso**, **como**, **porque**
oraciones subordinadas adverbiales	**antes de / después de**, **en cuanto**, **cuando**, **hasta** (**que**), **mientras**, **así que**, **para que**, **si**
aclaradores	**o sea**, **es decir**, **en otras palabras**, **o lo que es lo mismo**, **mejor dicho**, **como ya ha dicho…**, **por citar algunos ejemplos**
marcadores para resumir	**en resumen**, **en ese sentido**, **en pocas palabras**, **pensándolo bien**, **en el fondo**, **al fin y al cabo**, **sea lo que sea**, **de cualquier modo**
marcadores para ordenar	**en primer lugar**, **en tercer lugar**, **por último**, **por un lado… por otro lado…**
marcadores para focalizar	**en cuanto a**, **en lo que se refiere a**
marcadores para especificar	**en concreto**, **en particular**
marcadores para excluir	**solamente**, **solo**
marcadores para destacar	**sobre todo**, **especialmente**
sinónimos	Utilizar el "**tuteo**", o la "**forma tú**" es muy común entre personas amigas o de la misma edad.
pronombres deícticos	Pero el buen humor no siempre es un elemento positivo en los exámenes, sobre todo cuando se requiere orientación a los detalles y precisión. **Esto** demuestra que la influencia de las emociones es muy variada.
sustantivación	En mi trabajo se describe la población latina en California. Esa **descripción** se basa en algunos artículos que he leído.

El voseo, o sea el uso de "vos" en lugar de "tú", es uno de los fenómenos más característicos
del castellano del Río de la Plata, pero también existe en Centroamérica, en Paraguay, en la zona andina
de Colombia y Venezuela y en la sierra y costa de Ecuador, por citar algunos ejemplos.
En esas regiones, sin embargo, no pertenece a la lengua culta como en el Río de la Plata.
En cuanto al uso del "tú", Argentina, Paraguay y Costa Rica son los únicos países que lo han excluido
de su paradigma, es decir que allí se usa solamente "vos". En todos los países el "vos" o el "tú" se utiliza
en situaciones de confianza o igualitarias. "Usted" es la forma de respeto o se utiliza en relaciones
no simétricas. El pronombre "vosotros/as" no se utiliza en ningún país, y su función la cumple el
pronombre "ustedes". En resumen, en América Latina existen cuatro pronombres personales para la
segunda persona: "tú", "vos", "usted" y "ustedes".

2. Matización o modalización

Los recursos lingüísticos de la modalización enfatizan o matizan las declaraciones.
Se deben emplear con cautela. Si se abusa de ellos pueden transmitir una sensación
no intencionada de excesiva seguridad o inseguridad.

Intensificación

el sufijo -ísimo/a/os/as: **el superlativo absoluto**	▢ *En la redacción de cartas formales es importantísimo aplicar las reglas de cortesía.*
adverbios en –mente **y los verbos modales** deber **y** poder	▢ *Si realmente queremos conservar el medio ambiente, debemos empezar cambiando nuestra forma de vida cotidiana.*

Matización

el uso del Condicional	▢ *Yo diría que no es así.* ▢ *Yo, en tu lugar, no estaría muy segura.*
algunos verbos como creer **o** parecer	▢ *Creo que esto es importante.* ▢ *Me parece que hay que tener en cuenta otras críticas.*

Comentarios para emitir juicios de valor

por supuesto

como es lógico

evidentemente

sin duda

poco se critica (+ sustantivo) + **que**

nadie discute (+ sustantivo) + **que**

es interesante observar (+ sustantivo) + **que**

llama la atención (+ sustantivo) + **que**

A continuación tienes un texto sin modalización, es decir, sin recursos de intensificación o matización, en un tono neutro.

(texto sin modalizar → tono neutro)

La función de la matización se relaciona con la conciencia que tiene la persona que escribe un texto académico de que todo saber es provisorio. Para evitar errores (y también críticas), la autora de un trabajo donde se presentan teorías, hipótesis o ideas novedosas, o en aquellos textos en los que se expone un debate abierto, utiliza recursos de modalización no sólo para no arriesgarse sino también cooperar con quienes leen, invitando así a la reflexión y no cerrando puertas al diálogo con un tono categórico.

Aquí tienes el mismo fragmento pero al que se le han añadido los recursos de modalización, que le dan un tono de certeza, de seguridad.

(texto modalizado → se refleja lo que piensa el autor)

Es _interesante_ observar que la función de la matización se relaciona con la conciencia que tiene la persona que escribe un texto académico de que todo saber es _realmente_ provisorio. _Nadie discute_ que para evitar errores (y también críticas), la autora de un trabajo donde se presentan teorías, hipótesis, ideas novedosas o textos en los que se expone un debate abierto utiliza recursos de modalización, no sólo para no arriesgarse a las posibles críticas sino para crear un diálogo. De esta manera se invita a la reflexión y no se cierran puertas al diálogo con un tono categórico.

Y aquí tienes un ejemplo de una modalidad fallida. No queda claro lo que piensa realmente el autor del texto.

A mí me parece (aunque no lo afirmaría) que la función de la matización podría relacionarse con la conciencia que tiene la persona que escribe un texto académico de que todo saber es provisorio. Para evitar muchísimos errores (y también muchísimas críticas), es posible que la autora de un trabajo donde se presentan teorías, hipótesis o ideas novedosas, o en textos en los que se expone un debate abierto, utilice recursos de modalización, no sólo para no arriesgarse a las posibles críticas sino para crear un diálogo. De esta manera se invita a la reflexión y no se cierran puertas al diálogo con un tono categórico.

3. Otros usos de **ser**

ser
Es de noche
Es tarde
Es una pena
Es obvio que + Indicativo
No **es** obvio que + Indicativo
Es capaz de
Es consciente de
Es seguro que

4. Otros usos de **estar**

estar
Está claro que + Indicativo
No **está** claro que + Subjuntivo
El euro **está** a + cantidad
Está de camarero
Estamos a + fecha
¿A cuánto **estamos**?
Estar seguro/a
Estar ocupado/a
Está por verse

El juego de *Vía rápida*

Instrucciones

1. El juego consiste en llegar desde "Entrada" hasta "B1" en el menor tiempo posible.

2. Lo mejor es que jueguen tres personas juntas: una persona abre el libro en la página del laberinto, otra en la 242 y la tercera tiene a mano las claves.

3. Empieza a jugar sobre el laberinto la persona que tenga el nombre más corto y el turno de juego sigue en el contido de las agujas del reloj.

4. En el camino hay obstáculos con figuras que se presentan a partir de esta página.

5. En algunos casos, para superar obstáculos y seguir por el camino elegido, hay que hacer una actividad. Si el camino está cortado, hay pagar una prenda y no se puede seguir por allí. Sólo hay tres minutos para resolver cada actividad.

6. Si la actividad se hace bien, se pasa a la siguiente figura. Si está mal, se pierde el turno y hay que volver hacia atrás para intentar otro camino. Nadie puede hacer más de tres actividades seguidas.

7. Las actividades y las prendas se leen en voz alta.

8. Si una persona resuelve mal su actividad y otra sabe la respuesta sin consultar las claves, levanta la mano, corrige, gana el turno y sigue.

9. Gana la persona que primero llega al B1.

Fichas y actividades

1. Mono de Nazca

Es una figura muy especial. Nazca está en los Andes peruanos y es una enorme zona bastante plana entre las montañas. Allí hay una gran cantidad de dibujos muy grandes, hechos con piedras más claras, que representan casi siempre animales. Lo divertido es que para verlos es necesario hacerlo desde arriba: desde las montañas, desde un avión... ¿Para qué se hicieron? Nadie lo sabe, algunos dicen que es para orientar a los extraterrestres.

Dale la tarjeta a otra persona del grupo. Ella lee el texto y tú decides qué te gustaría hacer el fin de semana. Para ello toma nota de las actividades que anuncia la radio y de dónde y cuándo tendrán lugar.

Radio Universitaria

¡Hola a todas y a todos en la noche universitaria! Por fin, por fin, se acaba el invierno. Llega la primavera y con ella las ganas de salir, ¿verdad? Este fin de semana no va a haber lluvias. Durante el día vamos a tener sol y buenas temperaturas, hasta 22 grados. Si estáis pensando adónde ir este fin de semana, seguid conectados con nosotros porque os damos toda la información. Lo mejor del sábado: "Rock continuado" las 24 horas en el auditorio del campus. Rock del mejor al aire libre. ¡A partir de las diez de la noche! Y el domingo, música clásica. A las seis, en la Sala de Música de Cámara, el Cuarteto Mayor, de nuestra universidad. Ah, y además de los conciertos, también tenemos fiesta. La facultad de Filosofía, este fin de semana, celebra su famosa fiesta de primavera. El sábado por la noche, a partir de las once, en la discoteca Palmeras.

2. Palmera

Hay muchas especies de palmeras. Son árboles que se encuentran en zonas cálidas y tropicales. Algunas dan alimento (cocos, dátiles), otras son decorativas y se ven en los parques de las ciudades. Hay palmeras en toda América Latina y también en España. El bosque más grande de palmeras de Europa está en Elche (España). Algunas de sus palmeras tienen más de 300 años.

❌ **¡Uy! Este no es el camino... Pagas prenda.** A la sombra de esta palmera, adivina la respuesta y también te quedas.

Adivina, adivinanza

Célebre escritor hispanohablante, creador del primer "best seller" en castellano. Nunca obtuvo un título universitario, ni recibió el premio Nobel y aunque sólo podía usar una mano escribió muchísimo.

3. Guagua

La palabra "guagua" tiene varios significados. En Chile, p.ej., significa "bebé". Pero en las Islas Canarias y en el Caribe, "guagua" es un transporte público, un autobús. Casi siempre van muy llenos. En las guaguas de la República Dominica podemos ver a veces a un hombre joven en la puerta que nombra a gritos los lugares por los que pasa.

❌ **¡Uy! Este no es el camino... Pagas prenda.** Te ha tocado... ¡el baile cruzado!

Ponte de pie, toca la rodilla derecha con el codo izquierdo y luego la rodilla izquierda con el codo derecho. Al menos diez veces. Ah, y mejor si le pones música. Puedes cantar tu canción favorita.

4. La Mezquita

La Mezquita de Córdoba (España) es, desde el siglo XIII, la catedral de Santa María. Junto con la Alhambra es el monumento más importante de la arquitectura de Andalucía. Está formada por 850 columnas de piedras diferentes.

5. Zampoña

Zampoña, también llamada "siku", es un instrumento musical que produce un sonido particular, similar al canto de algunos animales. Existe desde la época precolombina y su nombre es probablemente la deformación de la palabra española "sinfonía". Los indios del alto Perú creían que se llamaba así la música de los españoles.

6. Bananas

¡Qué ricas! Son un fruto tropical que se exporta a todo el mundo porque se mantiene muy bien cuando se recoge verde y se coloca en cajas. Luego, cuando ve la luz, madura y se hace comestible. En el resto del mundo se conocen las bananas amarillas que son las que se exportan más, pero las hay marrones, verdes y negras; enormes y muy pequeñitas. ¿Sabes qué diferencia hay entre una banana y un plátano?

7. El cóndor

Es el pájaro más grande del planeta: vuela hasta 7 000 metros de altura y cuando extiende las alas llega a medir casi tres metros. La cabeza es rojiza y no muy grande y cambia de color según el estado de ánimo del animal. Hay una canción peruana muy conocida "El cóndor pasa", declarada Patrimonio Cultural de la Nación en 2004.

¿Has tenido alguna vez un choque intercultural? Cuéntanoslo. Aquí tienes un ejemplo. Léelo en voz alta. Si no se te ocurre nada no puedes seguir jugando: El cóndor pasa ¡Pero tú, no!

A mí me pasó una cosa muy rara en Francia con los besos. En España damos dos besos para saludar. Y en Francia dan tres y a veces cuatro, creo. ¡No sé! Siempre era muy complicado... Además yo venía de Argentina, donde la gente se besa mucho, pero sólo dan un beso... ¡Qué lío!

8. Mate

Es una bebida que se toma en el sur de Brasil, en Paraguay, Uruguay y Argentina. Para servirla, se usa una especie de vaso que también se llama mate: puede ser de madera, de metal, pero tradicionalmente era una calabaza vacía. Tiene un sabor amargo parecido al del té verde y por eso algunos lo toman con azúcar. Compartir el mate es un verdadero rito de amistad en el sur de América.

❌ **¡Uy! Este no es el camino... Pagas prenda.** Mientras te tomas un mate, colocas los espacios o "divides las palabras" que le faltan a esta frase. Una vez que tengas la versión correcta, explícasela a tus compañeros de juego.

"YonosesiDiosexisteperosiexistesequenolevaamolestarmiduda". *Mario Benedetti.* Poeta y escritor uruguayo.

9. Gorra boliviana o peruana

La "gorrita de alpaca" es un accesorio de vestir muy extendido en toda la zona de los Andes peruanos y bolivianos. Las partes largas permiten protegerse mejor del frío de esta región.

Si entiendes parte de una frase, muchas veces puedes predecir cómo sigue. El comienzo te abre una perspectiva. Además sabes cómo se construyen frases. Así podrás reconstruir la información perdida. Lee en voz alta.

Evo Morales presenta la Constitución Política boliviana en lengua quechua

El Alto, Bolivia, 8 de febrero 2008. Este sábado se publicó la primera edición en idioma quechua de la nueva .... del Estado de Bolivia. El presidente Evo Morales presentó la nueva Carta Magna en la ciudad andina de .... En la ciudad de Cochabamba, el delegado presidencial Marco Carrillo, presentó la primera edición en quechua, uno de los 35 .... originarios de habla mayoritaria en Bolivia. En esa ocasión Carrillo explicó que el texto en ...., había sido traducido al quechua y que la .... contenía los 411 artículos de la nueva Constitución.
"A partir de hoy la vamos a poner en circulación a nivel nacional e ...., para que el mundo se entere de que Bolivia es plurinacional", dijo Carrillo. El dirigente explicó que la traducción de la Carta Magna al quechua "y otras lenguas de nuestros pueblos", es el primer paso para constitucionalizar los idiomas que .... en el país.

10. Quetzal
Quetzal: pájaro que se encuentra en las regiones tropicales de América del Sur. Es el símbolo de la República de Guatemala y nombre de su moneda. Los aztecas y mayas creían que era una forma animal del dios del aire. Su nombre viene del náhuatl.

11. Cabeza Olmeca
La cultura olmeca aparece como una unidad multiétnica y plurilingüística que se extendía sobre la mayor parte de América Central, desde 1200 hasta 500 a. C. Entre otras cosas, se considera que los olmecas desarrollaron el juego de pelota, la invención del cero, el calendario y la escritura. Las famosas esculturas representan a personas importantes de la comunidad y dioses. Llaman la atención los rasgos negroides de algunas de ellas.

La terapia del beso
Aunque parezca extraño, personas expertas aseguran que besar a su pareja es el mejor medicamento contra la depresión y una excelente forma de mejorar la salud.
El beso estimula la parte del cerebro que libera la hormona oxitocina, creando así una sensación de bienestar. Algunas funciones como, por ejemplo, el enamoramiento, el orgasmo o el *parto* están asociadas a los sentimientos, la ternura y al acto de tocar.
La sexóloga británica Denise Knowles es una *ferviente* partidaria de que las parejas se besen y no sólo junten los labios, como un acto *reflejo*, sin emociones. "Se pone mucho énfasis en tener muy buenas relaciones sexuales y muchos se olvidan de que un simple beso es una fácil manera de mantener el contacto".

Adaptado de BBCMUNDO.com

Elige el sinónimo que, en tu opinión, es adecuado para este contexto.

parto (sustantivo masculino)
salida — división — nacimiento

ferviente (adjetivo)
indiferente — tolerante — entusiasta.

reflejo (adjetivo)
inconsciente — planeado — continuado

12. La iguana
Es un animal de regiones tropicales, un reptil. Le encanta tomar sol. Las hay de diferentes tamaños y colores: verdes y grises, pero el color de la piel puede cambiar. Eso depende de la edad, la alimentación y factores ambientales. También de la temperatura. Algunas se alimentan de insectos, otras de hierbas o pequeños animales. Miden desde 7,5 centímetros hasta 2 metros. No producen sonidos.

Di quiénes son estas personas.

Algunas de estas personas huyen de la guerra y otras porque no tienen tierra o agua para cultivarla. La mayoría lo hace por alguna razón que tiene que ver con la política o con buscar mejores oportunidades. Su corazón está al Sur pero la necesidad las lleva al Norte. Entre ellas hay algunas bastante ingenuas que abandonan su patria creyendo que existen otras mejores.

13. La Sagrada Familia de Barcelona
Es una basílica construida por Gaudí a fines del siglo XIX y que todavía no está terminada. Es la obra maestra de este arquitecto barcelonés, el máximo representante del modernismo catalán. Otras obras famosas de Gaudí son: La Pedrera, el parque Güell, la casa Batlló y la casa Vicens.

Dale la tarjeta a otra persona del grupo. Ella leerá el texto. Escucha, reacciona, y si no entiendes, pide ayuda.

¡Bienvenido al aeropuerto de Barcelona!

● Hola, buenos días.
○ ....

● ¿Tiene un minuto? Estamos haciendo una encuesta entre las personas que viajan a nuestro país. ¿Quiere contestar a nuestras preguntas? Son muy cortas…
○ ....

● ¿Por qué le gusta viajar al extranjero?
○ ....

● ¿Trabaja o estudia?
○ ....

- ¿Cuántos años tiene?
- o _____
- ¿Qué le gusta hacer en su tiempo libre?
- o _____
- ¿Puede darnos su número de teléfono? Es para entrar en un concurso. Puede ganar un viaje fantástico
- o _____
- Muchas gracias por su ayuda.
- o _____

14. El bombo

Es un instrumento musical con el que se puede marcar el ritmo pero solo no suele servir. Puede tocarse en las orquestas y acompañar el rock y el pop modernos. También es muy común en la música folclórica latinoamericana, especialmente la de la región andina. Los hay de diferentes tamaños y de acuerdo al lugar puede cambiar de nombre. Hay un dicho en español, "Tener la cabeza como un bombo", que quiere decir que uno está confundido.

Cada una de las letras de la frase está representada con una línea. Quien juega pregunta si hay una determinada letra del alfabeto en esa frase. Si hay una persona que controle, la coloca en todos los lugares donde aparece. Si esa persona no existe, dibuja una parte del colgado (la cabeza, el cuerpo, las dos piernas y los dos brazos). Para ganar, quien adivina tiene que terminar la frase antes de que la controladora o el controlador termine de colgarlo.

¡C _ _ _ _ _ _ _   A _ _ _   _ _ _   _ _ Á _
C _ _ _ A _ _ A _ _ _ _ _   _ _ A _ _ _ A!

15. Bandoneón

Es uno de los instrumentos que caracteriza los grupos musicales que se dedican al tango. Tiene un sonido profundo y un poco triste que ha dado al tango moderno su típica melancolía. ¿Sabes quién es Piazzola? Tal vez sea el bandoneonista más conocido en el mundo.

✖ ¡Uy! Este no es el camino... Pagas prenda.

Tienes que trabajar un poco. En la siguiente poesía se hace alusión a algunos signos de puntuación que conoces. Di de qué signos se trata y para que se usan.

Una paloma,
punto y coma,
hace su nido,
punto y seguido,
con mucho arte,
punto y aparte,
en diagonal
punto y final.

Si lo haces mal, tienes que "tocar" un tango. A ver cómo te sale. Sin bandoneón, por supuesto.

16. Totorita o caballito de totora

Barcas del Lago Titicaca. No están hechas de madera sino de juncos de totora. El lago Titicaca está entre Bolivia y Perú, a unos 3800 metros sobre el nivel del mar; por eso es el lago navegable más alto del mundo. Es el segundo lago más grande de Sudamérica (8562 km²) después del lago de Maracaibo. Por la pureza del aire, el lago es especialmente transparente y la calidad de la luz es excepcional; las montañas parecen estar muy cerca, aunque en realidad están a 20 o 30 km del lago.

✖ ¡Uy! Este no es el camino... Pagas prenda.

Le das un abrazo a tu profesor y al mismo tiempo le dices que el curso te ha gustado mucho. Sin embargo, le haces tres sugerencias para que sea mejor:
1- Habría que…
2- Tendría que…
3- Me gustaría + Infinitivo…

17. Jaguar

El jaguar es un animal del Nuevo Mundo. Es un felino grande, que caza y vive en solitario y que no tiene enemigos naturales. Vive en todo el continente americano pero ahora está en peligro de extinción, sobre todo porque su hábitat, la selva, está desapareciendo. Antiguamente formaba parte de la mitología de muchos pueblos indígenas, y estaba relacionado también con los chamanes.

✖ ¡Uy! Este no es el camino... Pagas prenda.

¡Existe un solo modo de tranquilizar a los animales peligrosos cuando nos observan! Abre la ventana o la puerta de la clase y mirando hacia fuera, canta durante treinta segundos una canción en español ¡No muy fuerte, por favor! ¡Las agresiones producen agresiones!

18. Loro

Es una de las sorpresas del Nuevo Mundo. Un pájaro casi siempre verde que repite las palabras que le dicen. Vive en las selvas tropicales, pero se adapta bastante bien a climas un poco más fríos. En el siglo XVIII muchos circos europeos tenían números con loros, nadie creía lo que escuchaba ¡un pájaro que hablaba! y claro, el dueño del circo no decía que sólo repetía lo que le habían enseñado.

¡Este loro es un artista! Entonando una frase de diferentes maneras, logra expresar 3 estados de ánimo: alegría, desconcierto y enamoramiento. ¿Cómo lo hace?

He encontrado al amor de mi vida.

19. Cacao

El cacao es una planta y al mismo tiempo una bebida que lleva el mismo nombre. Llegó a Europa desde América. Los mayas lo cultivaban desde hacía muchísimo tiempo. El nombre "que se usa en muchas lenguas" deriva de una palabra maya: **cac-** significa "rojo" y se refiere al color del fruto y **-cau** expresa las ideas de "fuerza y fuego".

Lee en voz alta.

Cuando los españoles llegaron a México, conocieron una bebida aromática que se tomaba caliente. La base era del fruto molido de una planta que se preparaba con agua, miel y especias. Los aztecas, que mantenían relaciones comerciales con los diferentes pueblos mayas, compraban de ellos los frutos. La bebida la llamaban "xocolatl". En aquellos tiempos el "xocolatl" se veía como alimento que daba fuerza y despertaba el apetito sexual. Las semillas de la planta también se utilizaban como monedas de cambio, costumbre que se mantuvo hasta mucho después de la colonización de los españoles. Dicen que Hernán Cortés pagaba a sus soldados con esas semillas.

¿De qué fruto estamos hablando?

20. Pirámide de Palenque

El sitio arqueológico de Palenque se encuentra en lo que es hoy el estado mexicano de Chiapas. Tiene una extensión de unos 2,5 km² con más de 200 estructuras arquitectónicas, diferentes en tamaño y complejidad: palacios, templos y un observatorio. En lo alto de esta Pirámide de Palenque está el Templo de las Inscripciones. En sus muros interiores se encuentran 620 jeroglíficos. Con su interpretación y el resto de la información arqueológica, se conocen hoy los nombres de los gobernantes y personajes principales, fechas de nacimiento, celebración de matrimonios y muchos datos más, que permiten caracterizar con cierta exactitud un período importante de la historia centroamericana.

¿El lenguaje humano es un producto de la genética?

Lee el siguiente párrafo detecta las palabras garantizan la cohesión del texto y díselas a tus compañeros de juego.

La evolución del lenguaje humano se debe a la cultura y no a la genética, señala un estudio realizado por el University College London (UCL). Aunque exista una base genética relacionada con el lenguaje, que incluso existió antes de la aparición de este, los cambios lingüísticos son demasiado rápidos para quedar codificados en nuestros genes. A esta conclusión se llegó gracias a un modelo teórico "basado en simulaciones informáticas" que permitió comparar el ritmo de la evolución del lenguaje y el de la evolución genética. La conclusión es que el lenguaje humano es un sistema evolucionado culturalmente y no un producto de la adaptación biológica.

21. Suri

Es un pájaro enorme que no vuela y que corre mucho, muchísimo. Sobre todo antes de que llegue la lluvia, por eso los indios Quilmes del norte de Argentina lo llamaban "suri", que en quechua quiere decir "el que anuncia la lluvia". Después de correr se detiene y realiza una especie de baile: según cuanto dura... así durará la lluvia.

 ¡Uy! Este no es el camino... Pagas prenda.
Lee este trabalenguas.

Había una caracatrepa
con tres caracatrepitos
cuando la caracatrepa trepa
trepan los tres caracatrepitos

22. Hamaca

La hamaca sirve para dormir o descansar. Originalmente se hacían de un material vegetal. Esta red se cuelga entre dos puntos firmes. La hamaca viene de Centroamérica y todavía hoy se usa en muchos lugares en lugar de la cama, porque es más cómoda y más fresca.

¡Uy! Este no es el camino... Pagas prenda.
Una hamaca paraguaya para descansar en medio del camino... que no es el correcto. Mientras tus compañeros siguen jugando, vete corriendo a la cafetería y cómprales un café. Cuanto más tiempo tardes peor, porque pierdes turnos.

23. Pingüino

Es un habitante de las zonas frías del hemisferio sur. Tiene alas, pero no vuela. Al igual que otros animales de climas fríos tiene incorporada una serie de características que le permiten una regulación muy precisa del calor y del gasto energético del cuerpo; es capaz de producir un aceite con el que protege sus plumas.

 ¡Uy! Este no es el camino... Pagas prenda.
Tienes que adivinar la solución de esta adivinanza.

Cinco hermanos muy unidos
que no se pueden mirar,
cuando pelean aunque quieras
no los puedes separar.

24. Maíz

El maíz ha sido y sigue siendo la base de la alimentación de muchos pueblos latinoamericanos. En Guatemala, por ejemplo, se encontraron pruebas del cultivo de esta planta por poblaciones que habitaban esa zona 5000 años antes de Cristo. La palabra "maíz" deriva de *mahís*, un vocablo con el que los Caribes denominaban esta planta. Sin embargo, en Bolivia y Perú, se le llama "sara", del quechua; en Oaxaca (México) se le llama "tlayoli", del nahuatl y en Canarias se llama "millo", del portugués *milho*.

Los incas, cuando una persona era muy sincera, decían que era "como de maíz".

Tú tienes que completar estas frases en un minuto y pero tienes que hacerlo en Imperfecto.

_____ como un burro.
_____ blanca como la nieve.
_____ como un loro.

25. El charango

Es un instrumento musical. Se parece a una guitarra, pero es más pequeño. Se toca en las regiones del Altiplano de la Cordillera de los Andes, en América del Sur. Es de origen boliviano, pero también está muy presente en la música folklórica del Perú, Argentina, Chile, Ecuador y Colombia. Antes se construía con un animal: el quirquincho. Hoy día ya no: se hace de madera.

⊗ ¡Uy! Este no es el camino... Pagas prenda.

El charango parece una guitarra pero no lo es. Todo lo que parece igual puede no serlo: como este camino que no es el correcto. Haz frases con los verbos "ser" y "estar" para que estos adjetivos adquieran diferente significado. Tienes dos minutos.

abierto | despierto | rico | claro

26. La Catrina

Es una dama-esqueleto. Su autor, el gráfico mexicano José Guadalupe Posada (1852–1913), famoso por sus dibujos, la creó como representación irónica de la clase social alta de México, antes de la revolución mexicana de 1910. En la actualidad es el símbolo del Día de Muertos en México, el 2 de noviembre.

La falta de memoria no es la muerte de nadie.

Tienes que suponer que tu compañero tiene una pérdida de memoria absoluta en los próximos tres minutos. Debes darle las instrucciones completas para... ¡Eso lo decide una persona del grupo!

27. Gran Pacal

Pacal el Grande o K'inich J'anaab Pakal (603–683), es el más conocido de los Señores de Palenque, ciudad en el actual estado mexicano de Chiapas y uno de los sitios arqueológicos más impresionantes de la cultura maya. Durante el gobierno de Pacal el Grande, la arquitectura y el arte en general recibieron importantes impulsos y la ciudad floreció como nunca antes. En 1987 la Unesco la declaró Patrimonio Cultural de la Humanidad .

El Gran Pacal ordena:
Serás gran Pacal durante unos minutos y le darás órdenes a tu compañero.
Podrás dar órdenes de movimiento como: "El gran Pacal dice Ponte de pie y baila" y tus compañeros deberán cumplir la orden. Podrás decir también "Ponte de pie y baila" (sin decir que lo ordena el Gran Pacal) y no deberán obedecerte. Si te obedecen, puedes seguir con el laberinto y el compañero que tú elijas tendrá que dar tu próxima prenda.

28. Colibrí

El colibrí es el símbolo de la ciudad de Quito, la capital de Ecuador. Aunque es muy pequeño, posee una gran fuerza y poder de vuelo debido a que sus alas pueden girar totalmente (como las de un helicóptero). Esto es lo que le permite quedarse durante largo tiempo como quieto y colgado inmóvil en el aire. En los Andes ecuatorianos existe una gran familia de colibríes de colores brillantes que cambian con la luz del sol.

Dale la tarjeta a otra persona del grupo. Ella leerá el texto. Escucha y toma nota. ¿Qué salas de la biblioteca puedes usar sin ningún permiso especial y cómo puedes llegar a ellas?

_____

En la biblioteca...

Estimadas y estimados estudiantes:
Les doy la bienvenida a la Biblioteca Universitaria. Como saben, esta es una biblioteca muy antigua y tiene libros de gran valor. Ustedes, como estudiantes, pueden usar muchas de sus salas, aunque no todas.
La sala más importante es la sala de lectura. Allí pueden usar todos los libros que hayan pedido. Está situada en el primer piso. Tienen que usar la escalera de la derecha.
En el segundo piso tienen la sala de prensa. Allí hay prensa nacional e internacional. Además de periódicos, hay revistas científicas en castellano y en inglés. Se sube a la sala también por la escalera de la derecha.
Además de estas salas, tenemos las salas históricas. Sólo se pueden usar con un permiso especial, por ejemplo, una carta de su profesor, explicando el motivo.

_____

29. Tumi

El Tumi es un tipo de cuchillo que se usaba en ceremonias religiosas en el antiguo Perú. Normalmente es de una sola pieza metálica. Una parte del cuchillo tiene forma de figura humana y la otra, de media luna.

❌ **¡Uy! Este no es el camino... Pagas prenda.**
Aprende de memoria estos versos y busca a alguien de la clase que tenga sentido del humor y se los recitas antes de seguir jugando. Tienes solo un minuto.

Pasado, presente y futuro.
Mi pasado fue muy triste.
Mi futuro no lo sé.
Mi presente es que te quiero
y que nunca te olvidaré.

30. Llama

La llama es un animal doméstico muy resistente, originario de América del Sur. Convive con los indígenas desde el tiempo de los incas y tal vez antes. Hoy día se sigue utilizando como animal de carga en los Andes. También sirve de símbolo en muchos países sudamericanos.

¿Conoces los cuatro significados de la palabra que se repite en la siguiente frase?

La llama que llama se llama "Llama Amorosa".

31. Galápago

El galápago es una tortuga marina. Hay más de 80 especies en el mundo. Muchas de ellas están en peligro de extinción. La más famosa es la tortuga gigante o galápago, animal que dio nombre a las Islas Galápago, que hoy forman parte de Ecuador y que son Patrimonio de la Humanidad.

Lento pero seguro: tienes que definir tres de estas palabras, pero sin decir la palabra que es. Tus compañeros te dirán a qué te refieres para ver si lo has hecho correctamente.

fundar comenzar finca chalets dictador urbanización baronesa cortijos posada zar

32. Tucán

Es uno de los habitantes más simpáticos de las selvas tropicales americanas. Es negro, blanco y amarillo-naranja. No parece un ser viviente ¡parece inventado! Come mucha fruta y hace muy poco ruido, apenas un cru-cru-cru. No canta y le gusta estar al sol en la parte más alta de los árboles.

❌ **¡Uy! Este no es el camino... Pagas prenda.**
Lee los versos y haz lo que se te pide:

Camina como un conejo
y sin mirar para atrás
a todos los de tu clase
un besito les darás

33. Sombrero Panamá

Es el sombrero con el que siempre imaginamos a los hombres de Centroamérica, con traje y sombrero panameño ¡y no es sólo un invento de Hollywood! Se hace con las hojas de una planta que parece una palmera y, a pesar del nombre, se empezaron a fabricar en Ecuador, sólo que cuando construyeron el canal de Panamá, todos los trabajadores y hasta el mismo Roosevelt los usaron y eso aumentó su popularidad en el resto del mundo.

Dale la tarjeta a las otras personas del grupo. Cada una de ellas lee una parte del texto. Escucha y decide con quién prefieres compartir piso. Luego explica por qué has decidido así.

¿Orden o creatividad?

● Mira, para mí, lo más importante es el orden. Me gusta tenerlo todo organizado. Es que tengo que estudiar mucho y si no me organizo, es imposible... Lo primero es que el día esté bien estructurado: me levanto pronto, para tener tiempo de hacer deporte, luego desayuno y voy a la universidad.

○ A mí me gusta estudiar, pero siempre lo hago en el último momento, justo antes del examen. A veces tomo mi sombrero, la crema solar y los apuntes y me voy a la playa a estudiar. Durante el curso no estudio mucho.

34. Ombú

El ombú es un árbol que se encuentra en Argentina y Uruguay: simboliza la pampa. La palabra es de origen guaraní y significa sombra. Puede tener de 10 a 15 metros. Crece muy rápido. Puede vivir en zonas con muy poca agua.

35. Burro

El burro catalán nace como una propuesta de reivindicación que pretende luchar contra el centralismo uniformizante, expresado por símbolos como el toro o las castañuelas, defendiendo así las diferentes identidades y culturas que habitan la Península Ibérica.

¿Qué tiene de particular esta palabra? Observa las vocales.

Murciélago

¿Y esta frase? Mira las consonantes.

Me llamo Alex Koch. Vivo en Ávila (España), una famosa ciudad con historia y naturaleza. Tengo una página web que anuncia alojamientos en hoteles y casas rurales.

36. Chamán

Los chamanes son personas sabias que cumplen funciones muy importantes en las comunidades indígenas. Algunas de sus tareas son: comunicarse con los espíritus para corregir los errores de la comunidad a la que pertenecen y garantizar la armonía entre las personas, su mundo espiritual y el mundo físico. A veces pueden curar algunas enfermedades.

Este texto está "un poquito enfermo": cúrale los errores. Son cuatro. Tienes un minuto y medio, en este caso.

Andreu es estudiante de Economía. Esta es su primer semana en la facultad. Se levanta a las ocho, toma un café, busca a su mochila y en moto llega a la zona universitaria. Entre carteles de protestas para Bolonia y el problema de la vivienda, llega al aula donde tiene su primera clase. Aunque sea temprano, la clase está casi llena y muchos estudiantes ya no tienen sitio. La profesora llega, presenta el programa en valenciano y algunos estudiantes protestan porque no la entienden. A esas personas les dice que hablan con ella en su hora de tutoría. Les recomienda una bibliografía, les explica cuándo y cómo son los exámenes y que existe la posibilidad de trabajos escritos o ponencias en clase.

37. Timbales

Los timbales son un instrumento de percusión y sirven para marcar el ritmo. Están formados por dos tambores. Son de origen cubano y se usan mucho en la música latina de baile.

Lee en voz alta estas preguntas y di a tus compañeros cómo es la entonación de cada una de ellas y por qué.

Un detective está hablando con personas sospechosas:
¿Dónde estaba la noche del robo?
¿Conoce a los Erasmus del último piso?
¿Y quién es Sócrates, si se puede saber?
¿Se puede…?
¿Cómo dice?
¿Qué tipo de gafas? ¿Gafas redondas?

El recorrido correcto:

1, 7, 12, 11, 9, 13, 19, 20, 26, 25, 24, 18, 27, 30, 31, 33, 35, 37, 36

1 elegir entre concierto de rock, concierto de música clásica y fiesta en una discoteca.
2 Cervantes
3 prenda
4 distractor
5 distractor
6 distractor
7 sin clave
8 "Yo no sé si Dios existe, pero si existe, sé que no le va a molestar mi duda."
9 de la nueva Constitución del Estado de Bolivia / cuidad andina de El Alto / los 35 idiomas / el texto en castellano / y que la traducción / a nivel nacional e internacional / constitucionalizar los idiomas que se hablan en el país
10 distractor
11 parto / nacimiento, ferviente / entusiasta, reflejo / inconsciente
12 emigrantes, refugiados, exiliados
13 Buenos días / Sí / Me gusta viajar el extranjero porque... / Estudio... / Tengo XXX años / Me gusta... / No, prefiero no dar el teléfono / Sí, mi número es el / De nada.
14 ¡Cuélguen a los que están contaminando el planeta! / punto y coma, punto y seguido, punto y aparte y punto final.
15 prenda
16 prenda
17 prenda
18 ¡He encontrado el amor de mi vida! / ¿He encontrado el amor de mi vida? / He encontrado el amor de mi vida (entonación plana)
19 cacao
20 "antes de la aparición de este" se refiere a "lenguaje" y "el de la evolución genética" se refiere a "ritmo"
21 El grupo decide si la pronunciación es correcta
22 prenda
23 los dedos de la mano (prenda)
24 1. trabajaba como un burro, 2. era blanca como la nieve, 3. hablaba como un loro.
25 1. abierto/sociable/lo contrario de cerrado, 2. despierta/inteligente/contrario de dormida, 3. rico con mucho dinero/de buen sabor, 4. claro/obvio/contrario de oscuro
26 sin clave
27 juego
28 Se puede usar: sala de lectura (primer piso, escalera de la derecha) y sala de prensa (segundo piso, escalera de la derecha)
29 prenda
30 llama: animal, gritar / producir un sonido, decir el nombre, fuego
31 ejemplos: 1. finca: una casa con tierra cultivada. 2. chalets: un tipo de casa con techos muy inclinados, 3. fundar: comenzar una actividad, 4. comenzar: iniciar, 5. posada: un tipo de casa de campo. 6. dictador: un gobernante con poder absoluto. 7. baronesa: un título de nobleza femenino. 8. zar: título de los emperadores de Rusia. 9. cantegriles: viviendas pobres construidas en los suburbios, 10. cortijos: finca extensa típica del sur de España
32 Hay que darle un beso a cada persona de la clase.
33 Hay que elegir para compartir piso a la persona organizada y sistemática o a la persona más divertida y desorganizada y explicar por qué.
34 distractor
35 Tiene todas las vocales / Tiene todas las consonantes
36 primer/primera, busca a/busca, para/por, hablan/hablen
37 1, 3, 6: descendente 2, 4: ascendente 5: otra función (controlar la información).

1. ¿Reconoces el español?

CD2
31

A. Imagina que buscas un programa de radio en español y escucha el audio. ¿Lo encuentras? ¿Cómo lo has reconocido? ¿Has entendido alguna palabra? ¿Cuáles?

B. Vuelve a escuchar el audio. ¿Reconoces otras lenguas? ¿Cuáles? ¿Por qué lo has sabido? ¿Cómo te suenan?

2. Las vocales

CD2
32

A. En español hay cinco vocales y se dividen en vocales fuertes y vocales débiles. En general, se pronuncian breves y semiabiertas. Escucha los ejemplos.

CD2
32

B. Vuelve a escuchar y repite. ¿Notas diferencias vocálicas con tu lengua materna? ¿Cuáles? Coméntalo con un compañero.

> **Atención**
> Las vocales al final de palabra siempre se pronuncian. No se hacen más débiles ni se pierden, como en otras lenguas.

3. El alfabeto

A. Fíjate en el alfabeto español y en el nombre de cada letra. ¿El de tu lengua tiene las mismas letras? ¿Se llaman igual?

A a a	**J j** jota	**R r** erre	
B b be	**K k** ka	**S s** ese	
C c ce	**L l** ele	**T t** te	
D d de	**M m** eme	**U u** u	
E e e	**N n** ene	**V v** uve	
F f efe	**Ñ ñ** eñe	**W w** doble uve	
G g ge	**O o** o	**X x** equis	
H h hache	**P p** pe	**Y y** ye	
I i i	**Q q** cu	**Z z** zeta	

CD2
33

B. Ahora escucha el nombre de las letras y fíjate en cómo se pronuncian.

C. En parejas, pensad otras palabras en español para completar el siguiente cuadro. Si lo necesitáis, podéis consultar el diccionario.

E de estudiante
M de Madrid

Se escribe	Se llama	Se pronuncia	Tus propias palabras
A a	a		*Arquitectura*
B b	be	[b] o [β]	
C c	ce	[θ] o [s] o [k]	
D d	de	[d] o [ð]	
E e	e		*estudiante*
F f	efe		
G g	ge	[x] o [g] o [ɣ]	
H h	hache		
I i	i		
J j	jota	[x]	
K k	ka	[k]	
L l	ele		
M m	eme		*Madrid*
N n	ene		
Ñ ñ	eñe	[ɲ]	*español*
O o	o		
P p	pe		
Q q	cu	[ku]	
R r	erre	[r] o [R]	
S s	ese		
T t	te		
U u	u		
V v	uve	[b] o [β]	
W w	doble uve		
X x	equis		
Y y	ye		
Z z	zeta		

4. ¿Deletreamos?

Ahora ya puedes deletrear tu nombre y tu apellido. Deletréaselos a un compañero y comprueba si los escribe bien. Después, cambiáis los papeles.

- ¿Cómo se deletrea "Pilar"?
- Muy fácil: pe-i-ele-a-erre.

5. ¿Cómo se pronuncia la c?

CD2
34

A. La letra **c** se pronuncia de dos maneras diferentes en español: como en la palabra **casa** [k] o como en la palabra **cena** [θ]. Escucha y repite las siguientes palabras. Después vuelve a escucharlas y agrúpalas según el sonido de la **c**.

casa
[k]

cena
[θ]

B. En parejas, pensad en otras palabras con la letra **c** y añadidlas a la clasificación del apartado anterior. Podéis repasar vuestros apuntes y consultar el libro.

C. ¿Cuál es la diferencia? Completa la regla.

c + **e**, **i** = [........]
c + **a**, **o**, **u** = [........]

CD2
35

D. Escucha y repite lo que dicen Marta (española) y Pablo (argentino). ¿Notas alguna diferencia? Coméntalo con el resto de la clase y completa la regla.

- Carlos es de Colombia
- Ella es de Nicaragua.
- Cecilia estudia Arquitectura.
- ¿Cómo te llamas?
- Omara vive en Santiago de Cuba.

c + **e**, **i** = [........] en América Latina, en parte de Andalucía y en Canarias y [........] en España.
c + **a**, **o**, **u** = [........] en América Latina, en parte de Andalucía y en Canarias y [........] en España.

6. ¿Pronunciamos [s] o [θ]?

CD2
36-38

¿Recuerdas cómo se pronuncian las sílabas ce y ci? Si no es así, míralo antes de seguir. Después escucha a estas personas y observa cómo las pronuncian.

1. Para mí, las ciudades grandes siempre tienen problemas sociales y precios muy altos   y esos son los problemas del D.F., ¿no?

2. A decir verdad, para mí lo más importante de una ciudad es una buena sala de conciertos porque a mí me gusta mucho la música. Ah… y también algunos bares para conocer gente, ¡claro! ¡Pero de eso Madrid tiene tanto…!

3. Yo… no sé… a mí me gustan las ciudades con ambiente internacional y no con aire de campo, donde la gente es sociable y tolerante… pero eso sí, no me gustan las ciudades donde necesitas mucho tiempo para desplazarte, como acá en Buenos Aires…

> **c** + **e**, **i** = [_____] en América Latina, Canarias y oeste de Andalucía y [_____] en el resto de España.
> Si queremos escribir [θ] + **a**, **o**, **u** utilizamos la letra [_____] y se pronuncia así en [_____].
> Pero en América Latina, Canarias y algunas partes de Andalucía, **c** + **e**, **i** y **z** + **a**, **o**, **u** se pronuncia [_____].

> En los países de Latinoamérica, en las Islas Canarias y en algunas partes de Andalucía, no se pronuncia el sonido [θ].

7. ¿Cómo se pronuncia la q?

CD2
39

A. Escucha y repite este pequeño diálogo que contiene la letra q.

- ● ¿Qué estudias?
- □ Arquitectura. ¿Y vosotras?
- ● Yo, Arqueología y ella, Química.

> La letra **q** siempre va seguida de una **u** que no se pronuncia.

B. Ahora completa la regla con un compañero.

> **qu** se pronuncia [_____] y se escribe sólo delante de las vocales **i** y **e**.

8. ¿Pronunciamos [g] o [x]?

A. La letra **g** se puede pronunciar como en la palabra **gato** [g] o como en la palabra **gente** [x]. ¿Cómo crees que se pronuncia en estas palabras? Agrúpalas.

| Nicaragua | amigo | argentino | gustar | Ingeniería |

| delgado | lengua | inteligente | Santiago |

| página | Uruguay | Biología | antigua | diálogo |

gato
[g]

gente
[x]

B. Ahora escucha y repite las palabras. ¿Las has agrupado bien? ¿Puedes completar la regla?

CD2
40

> **g** se pronuncia [x] delante de _____ y de _____
> Delante de **a**, **o** y **u** la **g** se pronuncia [_____].

9. ¿[r] o [ʀ]?

CD2
41

A. La letra **r** puede sonar como en la palabra **perro** [ʀ] o como en la palabra **cero** [r]. Escucha y repite las siguientes palabras y fíjate en cómo se pronucian. Subraya con un color las palabras que suenen como **perro** y con otro color las que suenen como **cero**.

Ten en cuenta que pronunciar una u otra puede cambiar el significado de una palabra.

- pero > perro
- ahora > ahorra
- para > parra

| pero | correo | interesar | ahora | gustaría |

| guitarra | europeo | Costa Rica | dirección | ruta |

| ruido | ritmo | racista | carrera | barrio |

| Derecho | realidad | receptor |

B. Ahora intenta completar la regla con un compañero.

Hay cuatro contextos donde se escribe [r] y se pronuncia [ʀ]:
- principio de palabra: Roma
- después de [n]: Enrique
- después de [l]: alrededor
- después de [s]: Israel

> Cuando se pronuncia [r] y va entre vocales se escribe [_____].
> Si se pronuncia [ʀ] en la misma posición se escribe [_____].

10. ¿[d] o [ð]?

A. Cuando la **d** se encuentra en posición intervocálica cambia su pronunciación y se pronuncia algo parecido a la **th** inglesa, como en **another** o **this**. El símbolo fonético es [ð]. Escucha y observa.

[d]	[ð]
Dios	adiós
Dora	adora
demás	además
buscando	buscadores
dice	contradice

Esto no solo pasa cuando la **d** se encuentra en posición intervocálica dentro de una misma palabra. Piensa que en español las palabras van encadenadas formando grupos de palabras que se pronuncian de un sólo golpe de voz, como si fueran una sola palabra. Este fenómeno provoca que si dentro de una misma frase una palabra termina en vocal y la siguiente palabra empieza por **d** + vocal, ésta se pronunciará [ð].

B. Escribe antes de escuchar si crees que se tiene que pronunciar [d] o [ð] y después compara con la grabación.

Algunos estudiantes tienen dificultades cuando aprenden español. Los problemas con los que se encuentran son diferentes: para unos lo más difícil es la ortografía, para otros la semántica de la lengua y para algunos grupos, lo más complicado es adaptarse a los métodos de enseñanza. Cuando para la enseñanza de la lengua se utilizan métodos comunicativos, los estudiantes acostumbrados a un trabajo de repetición más sistemático detectan dificultades en la nueva metodología.

C. Ahora, en parejas, uno lee el texto y el otro escucha y corrige. Después se cambian los roles y se repite el ejercicio.

11. ¿[g] o [ɣ]?

A. Escucha con atención estos pares de palabras una vez e intenta distinguir las dos pronunciaciones de la **g**.

[g]	[ɣ]
gusto	agosto
grande	agronomía
gratuito	albergue
tango	Hamburgo
lingüístico	llegar

B. ¿Has notado la diferencia de las pronunciaciones? Si miras las palabras con detenimiento y las escuchas una vez más con mucha atención podrás deducir la regla.

¡Ojo! No debes olvidarte de que las palabras en español van encadenadas a la hora de hablar por lo que muchas palabras que empiezan por **g** es posible que se pronuncien [ɣ].

La letra **g** se pronuncia [g] cuando _____.
La letra **g** se pronuncia [ɣ] cuando _____.

12. La b y la v

CD2
45

A. La **b** en **buscar** [b] no se pronuncia igual que en la palabra **habitación** [β]. Escucha las siguientes palabras e intenta percibir la diferencia.

[b]	[β]
buscar	disponibilidad
baño	aburrido
bar	habitación
también	amueblado
bastante	libro
balcón	grabar

> En la mayoría de las variantes del español la **b** y la **v** se pronuncian igual.

B. En parejas, pensad en otras palabras que conozcáis para ampliar los ejemplos del apartado anterior.

13. La letra ñ

CD2
46

A. ¿Sabes cómo se pronuncia la letra **ñ**? Escucha estas palabras que contienen esta letra típica del español y repítelas.

año	añadir	compañera	cumpleaños	español	niña

pequeño	salvadoreña	señor	campaña	enseñanza

niños	acompañar	mañana	montaña	sueño

B. Escucha los ejemplos y compara. ¿Notas alguna diferencia?

CD2
47

alimaña – Alemania
doña – colonia
Begoña – Babilonia
niño – dominio
enseñe – ingeniero

C. ¿En tu lengua hay sonidos parecidos a este? ¿Hay alguna diferencia? Coméntalo con tus compañeros.

14. El sonido [ĉ]

CD2
48

A. La combinación de las letras **c** y **h** se pronuncia en castellano [ĉ]. Escucha y repite las siguientes palabras.

chapaneca	chico	coche	checa
Chiapas	chiquito	fichas	
chofer	Chivilcoy	echa	

Ten cuidado de no redondear los labios al pronunciar este sonido: te saldría el sonido italiano pero no el español. Intenta sonreír cuando lo hagas y te saldrá sin problemas.

B. ¿Conoces otras palabras en español con este sonido? ¿Cuáles? Compártelo con tus compañeros.

15. La letra x

CD2
49

A. La **x** se pronuncia [s] cuando va a principio de palabra y [gs] o [ks] en posición intervocálica. Observa, escucha y repite.

En América Latina:	En algunas zonas de España:
examen	examen
existir	existir
exilio	exilio
léxico	léxico
exagerar	exagerar
máximo	máximo
próxima	próxima
taxi	taxi

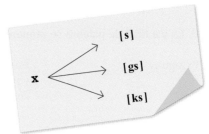

$$x \begin{cases} [s] \\ [gs] \\ [ks] \end{cases}$$

CD2
50

B. Escucha algunas de las palabras anteriores en contexto.

El _examen_ de lengua que exigen en la Universidad de San Juan es una _exageración_.
Roxana vivió muchos años en el _exilio_ y para poder vivir conducía un _taxi_.

C. Ahora, completa la regla con un compañero.

Podemos decir entonces, que en América Latina la letra **x** se pronuncia [..........] y en algunas zonas de España se pronuncia [..........].

La **x** delante de consonantes (**explica, expone**) se pronuncia [s] en España y por lo general se aspira en América Latina. Esto no ocurre en un registro formal y cuidado.

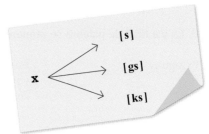

16. La ll y la y

A. Aunque a la **ll** le corresponde el sonido [ʎ] y a la **y** el sonido [j], la realidad lingüística de casi todos los hablantes nativos de español es que la **ll** se pronuncia como la **y** [j].
En parejas, pensad en algunas palabras que contengan estas letras.

Los sonidos de la **ll** ⟶ [ʎ]
⟶ [j]

B. Ahora, escucha las siguientes palabras y repítelas poniendo atención en la pronunciación de la **ll**.

CD2
51

[ʎ]	[j]
desarrollar	desarrollar
llamamos	llamamos
conlleva	conlleva
ellas	ellas
llegar	llegar
llevamos	llevamos
detallada	detallada

C. La **y** seguida de vocal se pronuncia [ʎ] en la mayoría de los países hispanohablantes y [ʃ] en los países del Río de la Plata. Observa, escucha, compara y repite.

CD2
52

[j]	[ʃ]
leyenda	leyenda
ya	ya
influye	influye
mayores	mayores

> Ninguna de estas variantes es más correcta que las otras. Sin embargo, debes utilizar el sonido que corresponda a la variante que tú aprendes. Lo importante es que no las mezcles.

D. La **y** a final de palabra se pronuncia como vocal. Escucha los ejemplos y repite.

CD2
53

Paraguay   buey
rey   voy
hoy   soy

17. Consonantes dobles en español

En este texto se han escrito mal algunas palabras. ¿Cuáles?

> Hola, me llamo Helene. Soy alemana y este año hago un máster de Filología Inglesa en Inglaterra. Vivo en Alemania y soy professora de inglés. Me gustaría encontrar personas de differentes países para apprender otra lengua y conocer mejor este interesante mundo universitario europeo. Me encanta leer, viajar, tocar la guitarra y ver cine de acción. Creo que soy simpática y tolerante. Mi dirección electrónica es ahelene@red.de.

> En español sólo hay 4 consonantes dobles: la **c** (acción, dirección), la **r** (guitarra, carrera), la **l** (llamarse, allí) y la **n** (innecesario, connotación). Para que no se te olviden cuáles son, apréndete el nombre de **CaRoLiNa**. Cuando dudes piensa en este nombre y las recordarás al momento.

18. La entonación de las frases

A. Escucha cómo suenan estas enumeraciones.

Yo prefiero las ciudades grandes, con universidades,

teatros, cines, clubes y una buena gastronomía.

B. Busca ahora otros ejemplos de enumeraciones en los textos del libro y practica su pronunciación con tu compañero aplicando la entonación que acabas de aprender. No olvides que muchas palabras se encadenan al hablar.

C. Escucha ahora cómo se pronuncian estas preguntas.

¿Dónde está?   ¿Cuántos habitantes tiene?

¿Sabes bailar el tango? ¿Quieres aprender?

Atención
A partir de ahora no te olvides de aplicar estas reglas cada vez que hagas una pregunta en clase.

D. Vuelve a escuchar las cuatro preguntas anteriores y compara la entonación de las que empiezan con un pronombre interrogativo y de aquellas que no. ¿Cómo son las curvas melódicas de cada una? Repítelas en voz alta todas las veces que lo necesites.

19. ¡Atención a la entonación!

A. A veces una frase afirmativa termina con una expresión que tiene la función de reforzar lo que se ha dicho o una pregunta termina con una palabra que va dirigida directamente a la persona que escucha. Fíjate en estas frases y repítelas.

Tú vives en un piso compartido, ¿no?

¿Usted qué está esperando, señora?

B. Forma frases como las del apartado anterior con un elemento de cada columna y léelas en voz alta.

Tú no tienes mi lámpara.	¿no?
¿Estás buscando una compañera de piso?	..., Alessandra?
Las llaves del coche las necesitas tú.	..., señora?
¿Usted llama por el anuncio?	¿verdad?

20. Entonación con grupos fónicos

 CD2 57 Escucha los ejemplos y observa las curvas de entonación de las frases afirmativas con dos grupos fónicos. En parejas, pensad en otros ejemplos.

Los días 1 y 2 de noviembre se celebra en México el Día de Muertos

A las ocho de la tarde se encienden las velas.

> Un **grupo fónico** es un fragmento del discurso delimitado por dos pausas.

21. No solo palabras

 CD2 58 **A.** Vas a escuchar a una persona que dice una misma frase en diferentes estados de ánimo. Escucha con atención y piensa cómo se siente el que la dice.

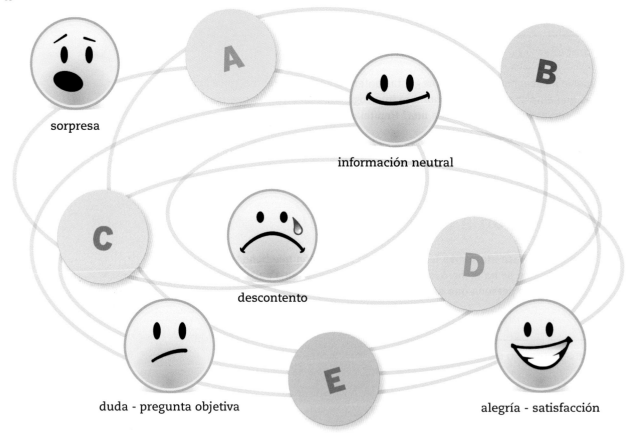

sorpresa

A

información neutral

B

C

descontento

D

duda - pregunta objetiva

E

alegría - satisfacción

 CD2 59 **B.** Seguramente ya te has dado cuenta de que, a través de la entonación que le damos a una frase, cambiamos el mensaje (la función comunicativa) de la misma. Observa las siguientes frases y transfórmalas oralmente según la función que está indicada entre paréntesis. Trabaja con tu compañero y después comparad con la grabación.

a. Mis compañeras de piso llegan mañana. (descontento) (duda)
b. Mi familia ha decidido que viajemos todos juntos a Israel. (alegría) (sorpresa)
c. El Gobierno de la Ciudad organiza este año el Festival de Rock. (duda) (descontento)
d. Me han dado una beca para estudiar en Honduras. (alegría) (sorpresa)

22. Agrupando las palabras

CD2 60

A. Cuando hablamos en español, muchas palabras se encadenan. Escucha los ejemplos y luego practica tú la unión de las palabras.

En‿el‿este‿del país   puedes‿estudiar‿Arqueología.

Es‿una‿ciudad‿antigua   vamos‿al‿cine   amigos‿españoles.

Es‿una‿ciudad‿universitaria en‿el‿oeste‿de‿México.

Si‿buscas‿un‿curso para‿aprender‿español...

CD2 61

B. Ahora con un compañero, marcad cómo creéis que se encadenan las palabras del siguiente texto y después, comprobadlo con la audición.

> Mi abuelo Gilberto tenía seis hermanos. Vivían bastante bien. Sin embargo, siempre discutían por cuestiones de dinero. Tanto discutían que ya ni se hablaban. Es por eso que una noche de enero de 1925 tomaron una decisión: para no discutir más repartieron su fortuna en partes iguales pero con una condición: uno de ellos se quedaba en Italia y todos los demás tenían que emigrar.

23. La sinalefa

CD2 62

A. De la misma manera que se encadenan las palabras, cuando una palabra acaba en vocal y la siguiente empieza también por vocal, estas dos vocales forman una misma sílaba. Este fenómeno se llama **sinalefa**. Escucha el ejemplo.

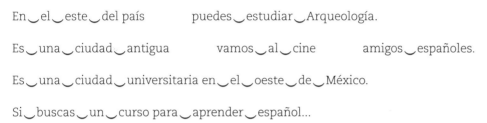

Mark enseña en una escuela de idiomas Lars va directo a la universidad.

Atención
Las sinalefas solo se forman dentro del mismo grupo fónico.

CD2 63

B. Marca las sinalefas en el siguiente texto y luego escúchalo para comprobar si son correctas. Después, en parejas leedlo en voz alta para practicar.

> Daniela, Ana y Hannele viven con dos chicos en un piso compartido en Buenos Aires. Cada una de ellas es de un país diferente y esto a las tres les parece una experiencia muy buena. Ana no estudia, ella hace teatro y, además, toma algunas clases de tango. Daniela y Hannele estudian con muchas ganas pero, a veces, sólo quieren estar en un café, hablar con una amiga o simplemente salir a bailar con amigas. Para esta noche ya tienen un plan: van a estar en el ensayo que presentan Ana y su grupo.

24. La elisión

CD2
64

Ahora escucha y presta atención a los siguientes ejemplos. ¿Has notado lo que sucede con las vocales o las consonantes que se repiten? Una pista: este fenómeno se llama reducción o elisión.

voy a hablar

comen nopales

este espacio

hacen natación

lo objetivo

Este fenómeno **no** ocurre cuando:
– la colisión se produce entre dos grupos fónicos.
– la primera sílaba de la segunda palabra es tónica: **lo obvio, para agua, de este lado**.

25. Repasamos

A. ¿Recuerdas a qué se refiere cada uno de estos fenómenos fonéticos? Coméntalo con un compañero.

el encadenamiento

la sinalefa

la reducción

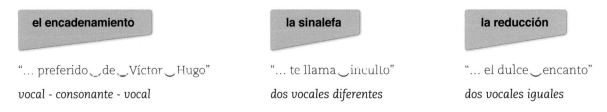

"... preferido ‿de ‿Víctor ‿Hugo"

vocal - consonante - vocal

"... te llama ‿inculto"

dos vocales diferentes

"... el dulce ‿encanto"

dos vocales iguales

B. Ahora lee estas estrofas y marca con un color diferente cada uno de los fenómenos del apartado anterior. Luego practícalos con un compañero.

Quiero una huelga donde vayamos todos.
Una huelga de brazos, de piernas, de cabellos,
una huelga naciendo en cada cuerpo.
Quiero una huelga
de obreros
de palomas
de choferes
de flores
de técnicos
de niños
(...)

Gioconda Belli, *Huelga*, Nicaragua.

Yo, como tú,
amo el amor, la vida, el dulce encanto
de las cosas, el paisaje
celeste de los días de enero.

Roque Dalton, *Poemas clandestinos*, Baile del sol, 2008.

Bueno ¿y qué?
Cuando te toque a ti,
mándales decir cacarajícara
y que dónde está el Aconcagua,
y que quién era Sucre,
y que en qué lugar de este planeta
murió Martí.

Nicolás Guillén, *La rueda dentada*, La Habana,
ed. Unión, col. Contemporáneos, 1972.

26. Contar sílabas

A. Lee estas palabras en voz alta separando sus sílabas.

restaurante   casa   elefante   bolsa

garaje   arroz   perro   castillo   chocolate

botella   amigo   ojo   luz   necesitar

ordenador   familia   lápiz   calle

lámpara   identificación   rueda   diccionario

moto   café   cuaderno   chaqueta   examen

universidad   gafas   tijeras   caramelo

avenida   auriculares   libreta   regalos

discoteca   jeroglífico   playa   paella

pirámide   hablante   marioneta   ascensor

agua   matricularse   pendiente   responsabilidad

transporte   pacíficamente   contrarrevolucionario

En español las sílabas pueden tener las siguientes estructuras:

V: **a**-re-na, **o**-ve-ja
VV: **au**-la, **Eu**-ro-pa
VC: **ár**-bol, **al**-muer-zo
CV: **co**-che, te-**lé**-fo-no
CVV: **cie**-lo, **fue**-go
CVVC: **tien**-da, **fuen**-te
CVC: **man**-za-na, sa-**lud**
CCV: li-**bro**, **gri**-tar
CCVC: **plan**-ta, **blan**-co
CCVCC: **trans**-bor-do

CD2
65

B. Ahora escribe en la tabla las palabras del apartado anterior según su número de sílabas, como en el ejemplo. Después, comprueba con el audio.

1 sílaba	2 sílabas	3 sílabas	4 sílabas
	ca-sa		

5 sílabas	6 sílabas	7 sílabas	8 sílabas

27. La sílaba tónica

CD2
66

A. En español, todas las palabras tienen una sílaba fuerte o tónica, que a veces se señala con una tilde. Escucha las siguientes palabras y marca su sílaba fuerte.

hermano	calcetín	sillón	maleta	profesora
cómpraselo	alumnos	exámenes	pasillo	
Argentina	clase	vosotros	campus	alternativa
jóvenes	zapatos	felicidad	fórmula	montaña
amarillo	flamenco	multicultural	frontera	
gramática	menú	palabra		

B. Ahora escribe otras diez palabras que conozcas y marca su sílaba fuerte.

C. En español hay cuatro tipos de palabras según la posición de su sílaba tónica: agudas, llanas, esdrújulas y sobresdrújulas. Completa la tabla con las palabras del apartado anterior. Fíjate en el ejemplo

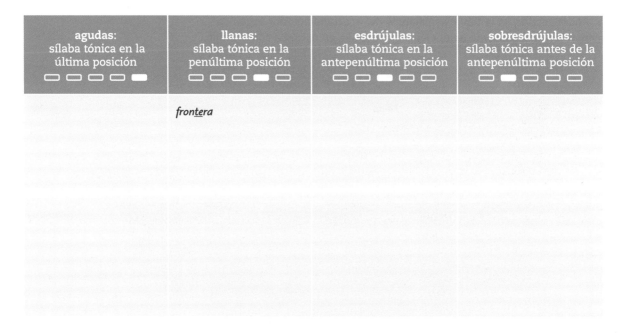

agudas: sílaba tónica en la última posición ☐ ☐ ☐ ☐ ■	llanas: sílaba tónica en la penúltima posición ☐ ☐ ☐ ■ ☐	esdrújulas: sílaba tónica en la antepenúltima posición ☐ ☐ ■ ☐ ☐	sobresdrújulas: sílaba tónica antes de la antepenúltima posición ☐ ■ ☐ ☐ ☐
	front<u>e</u>ra		

28. Las reglas de acentuación

A. Estas son las reglas básicas de acentuación. Léelas y escribe dos ejemplos más para cada una.

- Las palabras con la sílaba tónica en la última posición (agudas) y que acaban en **–n**, **-s** o **vocal**, llevan acento gráfico o tilde (´).

  me-lón   *lla-ma-rás*   *ca-fé*   ....

- Las palabras con la sílaba tónica en la penúltima posición (llanas) y que acaban en consonante (excepto **–n** o **-s**), llevan acento gráfico o tilde (´).

  ár-bol   *lápiz*   *automóvil*   ....

- Las palabras con la sílaba tónica en la penúltima sílaba (esdrújulas) o antes (sobresdrújulas), siempre llevan acento gráfico o tilde (´).

  pe-lí-cula   *lám-pa-ra*   *e-léc-tri-co*   *co-mén-ta-se-lo*   ....

- En general, las palabras de una sola sílaba no llevan acento.

  tres   *con*   *sin*   *dos*   ....

B. Escucha estas palabras y marca la sílaba tónica. Después, decide si tienen que llevar acento gráfico y añádelo donde sea necesario.

autentico	laboratorio	deporte	votos	horario
estudiantado	contestar	noche	reloj	sabado
ingles	salon	portugues	estadistica	arbol
fantastica	mapa	bulgaro	aburrido	diccionario
raton	didactico	excursiones	semaforo	

29. El acento diacrítico

En general, las palabras de una sílaba no llevan acento. Pero cuando dos palabras se pueden confundir, una de ellas debe llevar acento para poder distinguirlas (acento diacrítico). Fíjate en las siguientes palabras y escribe una frase con cada una.

tú	(pronombre personal)	→	**tu**	(posesivo)
él	(pronombre personal)	→	**el**	(artículo)
sé	(verbo saber)	→	**se**	(pronombre)
mí	(pronombre)	→	**mi**	(posesivo)
dé	(verbo dar)	→	**de**	(preposición)
té	(bebida)	→	**te**	(pronombre)

> **¡Ojo!** Hay algunas palabras más que llevan tilde para distinguirlas de otras, por ejemplo todas las partículas interrogativas y exclamativas: qué, cuándo, cómo, dónde, cuál, por qué…

30. Los diptongos

Si en una palabra hay dos vocales seguidas, pueden formar una sola sílaba o dos. Cuando forman una sola sílaba, esta se llama **diptongo** y se pronuncia con un solo golpe de voz. Fíjate en los ejemplos y repítelos para practicar su pronunciación.

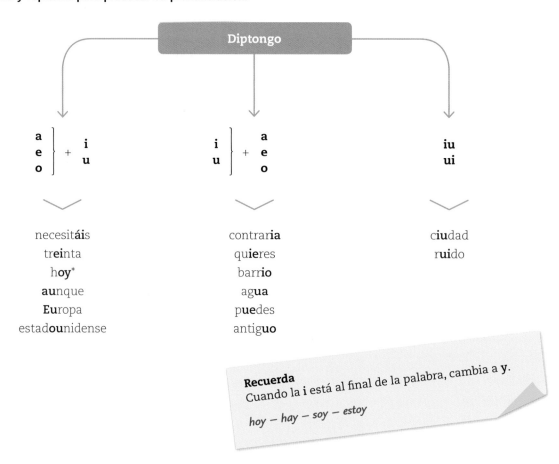

Diptongo

a e o } + i u	i u } + a e o	iu ui
necesit**ái**s	contrar**ia**	c**iu**dad
tr**ei**nta	qu**ie**res	r**ui**do
h**oy***	bar**rio**	
aunque	ag**ua**	
Europa	p**ue**des	
estad**ou**nidense	ant**iguo**	

> **Recuerda**
> Cuando la **i** está al final de la palabra, cambia a **y**.
> hoy – hay – soy – estoy

31. El acento en los diptongos

A. Observa estas palabras. ¿Sabes cómo se acentúan las palabras con diptongo? Formula tu hipótesis.

| andáis | avión | también | Sebastián | solución | después |

Hiato: Cuando en una palabra hay una vocal abierta (**a, e, o**) y una cerrada (**i, u**) y esta última lleva acento, "se rompe" el diptongo. Es decir, estas dos vocales no forman **una** sílaba sino **dos**. En estos casos la vocal cerrada lleva tilde.

maíz — raíz — Raúl — días — leído — decía — queríamos — alegría — frío

CD2
68

B. Escucha estas palabras y marca las que tienen hiato. Después, en parejas, decidid cuáles tienen que llevar tilde y cuáles no.

| horario | gerundio | genio | estudiantado |

| cuesta | guacamole | pais | mediodia |

| fria | veias | vacio | tias | rio |

| frecuencia | muestra | increible | excursiones |

| sabia | habituales | diccionario | todavia |

| tutoria | laud | genealogia |

También existe el hiato formado por dos vocales abiertas. En estos casos se cuentan como dos sílabas y se aplican las reglas generales de acentuación.
geóloga — traer — paella

32. Los triptongos

A. Algunas palabras tienen tres vocales en una sola sílaba. Estas sílabas se llaman **triptongos.** Escucha cómo se pronuncian estas palabras y repítelas.

CD2
69

| estudiáis | Uruguay | averigüéis | Paraguay | cambiáis |

B. En castellano hay siete triptongos. ¿Puedes encontrar una palabra con cada uno?

| iai | iau | iei | ioi | uai o uay | uau | uei o uey |

> Algunos triptongos como **uau** y **iau** aparecen en muy pocas palabras.

> Los triptongos también siguen las normas generales de acentuación.

C. Completa la regla con las palabras que tienes a continuación.

| forman | abierta | triptongo | sílaba | tres | vocal | cerradas |

Un .... es un grupo de .... vocales que .... una sola .... En el triptongo hay una .... abierta entre dos .... La vocal .... es siempre la acentuada y la que lleva tilde si es necesario.

33. ¡Atención a la acentuación!

A. Los adverbios que terminan en **-mente** tienen dos sílabas tónicas. Mira el ejemplo ¿Recuerdas otros?

cronológicamente − fácilmente

1 .... mente   3 .... mente
2 .... mente   4 .... mente

B. Algunos adverbios acabados en **−mente** llevan acento y otros no. ¿Por qué? ¿Sabrías decirlo? Te damos una pista: separa el adverbio en dos partes, la primera será un adjetivo y la segunda la terminación **−mente**. ¿El adjetivo lleva tilde? Coméntalo con un compañero.

> Lo mismo sucede con las palabras compuestas.
>
> *intercultural − intolerable.*

34. Una sola palabra

En cada una de las frases siguientes hay una palabra que tiene tres posibilidades de acentuación. ¿Cuál es la correcta de acuerdo con el contexto? Subráyala.

1 El Sr. González Lara es un **crítico – critico – criticó** literario muy conocido.
2 El **público – publico – publicó** aplaudió a la artista durante cinco minutos.
3 El **límite – limite – limité** entre Nicaragua y Costa Rica es una zona con muchos ríos.
4 Si no **término – termino – terminó** con este trabajo, este trabajo terminará conmigo.
5 Cuando **cálculo – calculo – calculó** el tiempo ya era demasiado tarde.

35. Repasamos

El ordenador con el que se escribió este artículo tenía la tecla de la tilde estropeada. ¿Podrías ponerlas tú? Fíjate bien en el contexto: te ayudará a saber de qué palabra se trata. Si quieres puedes repasar las reglas de acentuación antes de hacer el ejercicio.

El verano pasado, la prensa chilena publico un articulo llamando la atencion acerca del peligro de extincion en el que se encuentra actualmente la ballena azul. Estos animales, que habitan el Atlantico chileno, cerca de la isla de Chiloe, han perdido ya un 99% de su poblacion debido a la caza comercial de la que han sido victimas. Segun el articulo, dos biologas chilenas, Barbara Galletti y Elsa Cabrera luchan por salvar a la ballena azul de su total extincion. Pero su lucha no se centra solamente en mantener la prohibicion de la caza de la ballena azul, sino ademas, en denunciar las consecuencias negativas de la salmonicultura intensiva para el habitat de estos animales. Esta industria, con sus antibioticos y sustancias toxicas, contamina mucho las aguas y los suelos marinos, dejando a los demas habitantes del mar sin un lugar saludable donde vivir y reproducirse.

Ellas esperan que, a traves de su lucha, aumente la conciencia hacia otros temas ambientales menos conocidos por el publico y se les de la importancia que merecen.

Si ellas logran tener exito con su campaña, si podremos recuperar una parte de la naturaleza perdida.

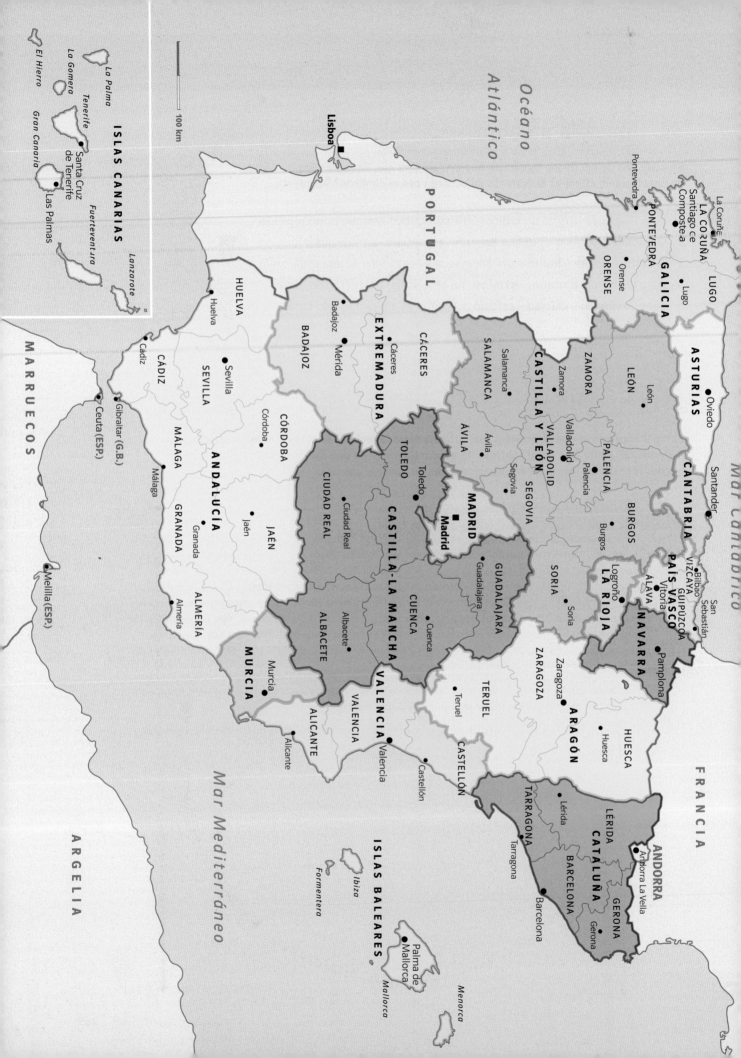